SANS FRONTIERES

PERFECTIONNEMENT

JEANNE VASSAL-BRUMBERG

Katie Woolf
VIIIRd.

CONCEPTION GRAPHIQUE : CLAUDINE PIZON
RECHERCHE ICONOGRAPHIQUE : GAËLLE MARY
ILLUSTRATIONS : PAUL WOOLFENDEN
ZAÜ

◼ CLE INTERNATIONAL
27, RUE DE LA GLACIÈRE
75013 Paris

PRÉSENTATION ET VENTE AUX ENSEIGNANTS :
18, RUE MONSIEUR LE PRINCE
75006 Paris

AVERTISSEMENT

Pourquoi Sans Frontières Perfectionnement ?

Celui qui désire maîtriser la langue française est confronté à une double exigence :
— d'une part, il veut comprendre le français « moderne », écrit et parlé, avec ses modes, ses néologismes et, parfois, ses incorrections...
— d'autre part, il doit consolider les bases du français « académique », indispensable, dans sa rigueur, pour comprendre et dominer les fluctuations du français moderne.

Nous avons souhaité résoudre cette apparente contradiction en composant
SANS FRONTIÈRES PERFECTIONNEMENT :
— 125 articles, interviews, enquêtes, sondages (reflétant toutes les tendances de la presse française) et 20 dialogues enregistrés sur cassette présentent les principaux types de discours et de registres ;
— des textes intitulés « Contrepoint », empruntés à de grands auteurs du passé, assurent le lien entre le français moderne et le français classique ;
— des synthèses et de nombreux exercices permettent à l'utilisateur de réviser et d'approfondir ses connaissances en orthographe, grammaire, syntaxe.

Toutefois cette dimension linguistique, à elle seule, ne suffit pas : il est en effet impossible de vraiment « comprendre » le français moderne sans connaître l'environnement culturel, politique, économique du pays, environnement qui sert de toile de fond, mais aussi de « nourriture » aux mots et aux expressions.
Comme tous les pays industrialisés, la France a connu, depuis la fin de la Seconde Guerre mondiale, une profonde évolution économique, technologique et sociale : la France de la fin du XXe siècle est donc très différente de l'image stéréotypée dans laquelle on tend parfois à l'enfermer.
C'est pourquoi **SANS FRONTIÈRES PERFECTIONNEMENT** se veut également une esquisse de la France « au seuil du troisième millénaire ».

Pour quels utilisateurs ?

SANS FRONTIÈRES PERFECTIONNEMENT s'adresse à **trois catégories** d'utilisateurs :
1) Ceux qui ont appris le français par la méthode **SANS FRONTIÈRES** dont **SANS FRONTIÈRES PERFECTIONNEMENT** constitue le prolongement.
2) Ceux qui ont appris le français par d'autres méthodes et dont le niveau correspond à environ 300 h de formation.
3) Ceux qui souhaitent utiliser **SANS FRONTIÈRES PERFECTIONNEMENT** comme un manuel de référence pour mieux connaître la France des années 90.

Dix dossiers sur dix régions

Le **LIVRE DE L'ÉLÈVE** comporte **10 dossiers.** Chaque dossier a pour cadre une région française et s'articule autour d'un certain nombre de rubriques :

OUVERTURE	Chaque dossier s'ouvre sur une double page qui comprend le sommaire du dossier et une présentation générale de la région et des grands secteurs d'activité étudiés. À cette double page correspond un « sommaire parlé » enregistré sur cassette.
SUR LE VIF	Deux dialogues (1) enregistrés sur cassette : — le premier dialogue, **côté cour,** se situe en milieu professionnel (60 % des Français passent plus de 80 000 heures de leur vie dans un atelier ou un bureau !) ; — le second dialogue, **côté jardin,** met en scène, sur le même thème, les Français dans leur vie quotidienne et familiale.

> Les deux dialogues de **SUR LE VIF** servent de support à tous les exercices de grammaire, de syntaxe et de vocabulaire qui sont présentés dans le dossier correspondant du livre **ENTRAÎNEMENT ET VIE PRATIQUE.**

---

(1) Toute ressemblance avec des personnes ou des entreprises existantes ou ayant existé serait purement fortuite.

LA REVUE DE PRESSE ÉCONOMIQUE ET SOCIALE	Deux rubriques, **Région** et **Secteurs d'activité,** dont les articles illustrent quelques-unes des principales régions et branches professionnelles françaises.
LE MAGAZINE DE L'ACTUALITÉ	Quatre rubriques (dont deux présentées en alternance) : **Arts et patrimoine :** les grandes réalisations de la fin du siècle. **Société :** les principaux problèmes qui se posent à la société française. **Spécial :** un grand thème d'actualité traité dans ses différentes dimensions. **Hommage à...** l'une des figures marquantes de l'art français contemporain.
CONTREPOINT	Un texte d'un grand écrivain du passé pour éclairer, sous un angle original, une question d'actualité.

Chaque article ou groupe d'articles est accompagné de deux outils d'exploitation :
— **VOCABULAIRE ET EXPRESSIONS :** un lexique des termes (signalés par *) que l'on ne trouve pas dans un dictionnaire d'usage (2).
— **QUESTIONS SUR LE DOCUMENT :** des questions pour vérifier le degré de compréhension du contenu des textes.

Le **LIVRE DE L'ÉLÈVE** est complété par :
— **20 Fiches Grammaticales** sur des points particuliers, auxquelles renvoient les dialogues de « SUR LE VIF ».
— des **notes** et une **table des sigles** qui permettent de définir les noms propres et les concepts que l'on ne trouve pas dans un dictionnaire d'usage (soit 200 termes et 78 sigles).

Le contenu du cahier d'entraînement

Ce manuel d'exploitation comprend **10 dossiers** qui correspondent à chacun des dossiers du livre de l'élève. Chaque dossier est divisé en trois parties :

RICHESSE DE LA LANGUE FRANÇAISE	Cette partie comprend deux rubriques (et 120 exercices) : **Vocabulaire :** exercices de dérivation (préfixes, suffixes), prépositions, recherche du mot précis, pièges de l'orthographe, barbarismes, etc. **Grammaire :** exercices correspondant aux fiches grammaticales du livre de l'élève ; révision sur des thèmes « transversaux » qui font appel à plusieurs règles grammaticales : les liens logiques, les temps, etc.
POUR COMPRENDRE LES DOCUMENTS	— Plus de 400 exercices, questions et explications complémentaires pour faciliter la compréhension des textes du livre de l'élève. — 150 travaux de production écrite et orale pour l'exploitation collective des textes du **LIVRE DE L'ÉLÈVE** (jeux de rôles, débats, interviews, etc.).
VIE PRATIQUE	— Des expressions utiles dans toutes les circonstances de la vie en société : féliciter, présenter des excuses, etc. — Des activités pour s'entraîner dans ces différentes circonstances.

Une conception modulaire...

Chaque dossier constitue une unité pédagogique complète et permet une approche modulaire, selon plusieurs itinéraires pédagogiques (par dossier, par rubrique, par thème, par niveau de difficulté, etc.).
Deux outils d'analyse (**le sommaire synoptique et l'index alphabétique des mots clés**) facilitent l'utilisation thématique des matériaux proposés.

Nous espérons que les utilisateurs de **SANS FRONTIÈRES PERFECTIONNEMENT** y trouveront la matière d'une étude vivante et fructueuse.

---

(2) Abréviations utilisées :

abrév. = abréviation	fam. = familier	pop. = populaire	spéc. = spécifique.
ang. = anglais	fig. = figuré	prof. = professionnel	

UNE FILIÈRE

AU SOMMAIRE DU DOSSIER 1

SANS FRONTIÈRES

La grande Arche de la Défense

ÎLE-DE-FRANCE
PARIS-QUARTIER DE LA DÉFENSE

Depuis 1958, le site du Rond-Point de la Défense — sur les communes de Suresnes et de Courbevoie — est le lieu d'un gigantesque programme d'urbanisation incluant bureaux et locaux d'habitation.
L'ensemble représente 3 000 000 m² de bureaux soit 30 % de toute la surface de bureaux de Paris sur une surface de 800 m de rayon.
L'esplanade réservée aux piétons s'achève à l'ouest par « la Grande Arche » : entièrement recouvert de marbre blanc, ce monument aux dimensions impressionnantes (il pourrait abriter Notre-Dame !) est aussi un immeuble dédié aux activités tertiaires.

LE SECTEUR D'ACTIVITÉ

La filière électronique regroupe des entreprises dont les activités concernent d'une part « le grand public » (appareils électro-ménagers, électronique de loisirs), d'autre part les marchés « professionnels » (les entreprises, l'armée, etc.).
Si l'informatique et l'électro-ménager sont en déficit commercial, l'électronique des télécommunications atteint un niveau de performance exceptionnel. La téléphonie française est l'une des plus modernes du monde et le Minitel, système de télécommunications ouvert aux entreprises et au public, connaît un succès éclatant.

◀ Station terrienne de télécommunications par satellite à Bercenay-en-Othe

CÔTÉ COUR...

Un stagiaire découvre
une entreprise d'électronique

L'ENTREPRISE

La N.E.F. (Nouvelle électronique française) est un groupe de dimension internationale qui fait partie de la filière* électronique. Ses activités concernent essentiellement l'électronique professionnelle (télécommunications, matériel médical, informatique, etc.).
La N.E.F. a fait construire une tour à la Défense pour y installer son siège social.

LA SITUATION

François MARTIN effectue un stage de fin d'études au siège de la N.E.F. Le jour de son arrivée, il rencontre le directeur des Relations humaines, M. DUMAYEL.

PROFILS

MAURICE DUMAYEL
52 ans
Directeur des Relations humaines de la N.E.F.

FRANÇOIS MARTIN
22 ans
Élève de 3e année
à l'E.N.E.C.
(École nationale d'enseignement commercial)

M. DUMAYEL — *(très cordial)* Ravi de vous accueillir, M. MARTIN. Asseyez-vous ! Votre dossier est très élogieux : je vois que vous avez toujours été dans la botte* et qu'il n'est pas exclu que vous soyez le major* de votre promotion : félicitations ! J'espère que ce stage vous sera profitable.

5 FRANÇOIS MARTIN — Je l'espère aussi, Monsieur, et je vous remercie de votre accueil.

M. DUMAYEL — Voyons... d'après le programme de stage que nous avons établi avec la direction de votre école, vous devez passer environ un mois au siège, puis deux mois sur un site de production... avez-vous une

10 préférence ou est-il encore trop tôt pour vous prononcer ?

FRANÇOIS MARTIN — J'avais pensé à votre usine de Vélizy...

M. DUMAYEL — Ah oui, Vélizy ! c'est une unité très moderne dans laquelle nous avons recentré toute notre activité « télécoms* » : une véritable fenêtre ouverte sur le monde, une filière sans frontières. Mais c'est bien

15 plus que cela ! Vous avez sans doute entendu parler des difficultés que notre

groupe a rencontrées depuis 1984... dans ce contexte, les télécommunications sont en quelque sorte notre cheval de bataille* et l'unité de Vélizy est à l'image de nos ambitions tant sur le plan humain que technique.

FRANÇOIS MARTIN — Je crois savoir que la robotique y est très largement implantée, mais sur le plan humain... je ne vois pas...   20

M. DUMAYEL — Nous avons réalisé là-bas de très gros investissements matériels, mais ce dont nous sommes extrêmement fiers, c'est le climat social que nous avons réussi à créer. Oui, je pense qu'un stage dans cette unité vous familiarisera avec les méthodes les plus modernes de la gestion du personnel : formation polyvalente, « cercles de qualité »...   25

FRANÇOIS MARTIN — Je pourrais en faire le sujet de mon rapport de stage.

M. DUMAYEL — Certes, à condition de bien cadrer* votre sujet : nous pourrons en reparler lors de notre prochaine rencontre.

FRANÇOIS MARTIN — J'aurais aussi souhaité visiter l'usine de Toulouse qui fabrique, je crois, du matériel électronique pour l'aéronautique...   30

M. DUMAYEL — Cette branche vous intéresse ?

FRANÇOIS MARTIN — Beaucoup : j'ai fait un stage en Allemagne, chez Fokker à Brême, et j'ai vu construire une partie du fuselage de l'Airbus.

M. DUMAYEL — Il est vrai que la construction d'un avion est aujourd'hui une affaire mondiale : dans notre unité de Toulouse nous élaborons les   35
équipements électroniques de l'Airbus, en association étroite avec l'Aérospatiale. Vous trouverez là des laboratoires ultra-modernes qui nous placent en tête de la recherche dans ce secteur de pointe.

FRANÇOIS MARTIN — Pendant mon séjour au siège, je souhaiterais aussi visiter votre service de documentation informatisée... j'ai choisi cette   40
option en troisième année.

M. DUMAYEL — Bien sûr, c'est un centre multimédia* — vidéo, informatique — l'un des plus sophistiqués* d'Europe. Roger LOYER sera votre guide et votre « parrain » pendant ce stage. LOYER est un de vos condisciples : votre aîné de quatre ou cinq ans ; je suis persuadé qu'il saura vous guider   45
avec compétence : la maison est très compliquée... et la communication y est parfois difficile. Ma secrétaire va vous indiquer son bureau. Avez-vous d'autres questions ?

FRANÇOIS MARTIN — Pas pour l'instant, monsieur...

M. DUMAYEL — Parfait ! Roger LOYER vous ouvrira beaucoup de portes et   50
facilitera vos rencontres. Il me préviendra en cas de difficulté et j'interviendrai... mais je suis sûr que tout ira bien : les stagiaires des grandes écoles sont très appréciés dans notre société et les portes leur sont grandes ouvertes !

FRANÇOIS MARTIN — Je vous remercie, monsieur !   55

M. DUMAYEL — Bonne chance et à bientôt.

F.G

B - Les nombres

13

« Alors ton stage,
ça s'est bien passé ? »

La scène se passe à l'entrée d'une école de commerce. Les étudiants de deuxième année s'apprêtent à reprendre les cours après un stage de deux mois passé en entreprise. Deux élèves confrontent leurs expériences.

A - Le pluriel des noms composés

ANNIE — Ça va Paul ? Alors ton stage, ça s'est bien passé ?

PAUL — Plutôt bien, oui, surtout vers la fin. Mais au début, j'en ai bavé* ! J'étais chez SONTON, dans une filiale qui s'occupe de micro-informatique, une toute petite boîte*, vingt-cinq personnes au siège plus quelques
5   technico-commerciaux* sur le terrain.

ANNIE — *A priori,* c'est plutôt sympa*, une petite boîte !

PAUL — Ça a pourtant mal commencé !

ANNIE — Tu avais un travail difficile ?

PAUL — Difficile, penses-tu ! Je n'avais strictement rien à faire, rien, tu te
10   rends compte ! Je suis arrivé dans un désert : le patron était à Bruxelles pour une expo*, le type* qui devait s'occuper de moi pendant le stage était à Marseille pour une affaire urgente... du coup* je me suis retrouvé seul à me tourner les pouces* pendant plus d'une semaine !

ANNIE — C'est long !

15   PAUL — Et comment ! Mortel ! La secrétaire m'a donné de la doc* à lire : cela m'a fait* à peine une journée... J'ai rangé la bibliothèque... Je lui ai même proposé de faire des courses, histoire* de m'occuper ! Heureusement, la deuxième semaine a été beaucoup mieux remplie. On m'a confié une étude assez intéressante « pour utiliser mes compétences »... *(il rit)*
20   c'est le boss* qui parle ! N'empêche que je suis allé à Toulon tous frais payés.

ANNIE — Veinard* !

PAUL — Et toi ?

ANNIE — Moi, j'ai atterri* au G.E.R.P.

25   PAUL — Les pétroles ?

ANNIE — Oui, au siège. Une tour de vingt-deux étages, cinq mille personnes... une vraie ville !

PAUL — La foule, quoi !

ANNIE — Oui, surtout à la cafétéria. Tout le monde pointe* entre 8 h et
30   8 h 30... mais on ne commence vraiment à bosser* qu'à 9 h... 9 h 15, ça dépend des services et des chefs, et on commence la journée à la cafétéria. Il paraît que du temps où l'entreprise avait beaucoup d'argent, il y avait des croissants frais tous les matins, gratuits ! Maintenant il n'y a plus que des boissons, mais toujours un monde fou !

PAUL — On t'a donné du boulot* ?

ANNIE — Oui, ça a été plutôt une bonne surprise : stage très bien préparé, avec un responsable, un programme de visites, des rencontres très intéressantes...

J'ai presque fini mon rapport de stage. Je l'ai remis à un responsable du G.E.R.P. que je dois rencontrer la semaine prochaine... Paul, je me sauve*. J'ai rendez-vous avec le prof* principal pour lui faire mon compte rendu de stage. Je suis déjà en retard. À tout à l'heure !

CÔTÉ COUR

■ VOCABULAIRE ET EXPRESSIONS

cadrer	= *(ici)* définir
cheval de bataille (un)	= une activité clé qui permet de mener le combat
dans la botte	= *(fam.)* parmi les premiers d'une promotion de grande école
filière (une)	= *(ici)* regroupement vertical de toutes les activités d'un domaine complexe (télécommunications, informatique, chimie, sidérurgie, etc.) depuis la production des composants jusqu'à la commercialisation des produits finis
major (le)	= *(ici)* le premier de la promotion
multimédia	= qui utilise plusieurs supports d'information : vidéo, télévision, documents écrits, écrans d'ordinateurs, etc.
sophistiqué	= *(ici)* évolué, moderne
télécoms (les)	= *(abr. fam.)* les télécommunications

□ QUESTIONS SUR LE DIALOGUE

1) Qui a établi le programme de stage de François MARTIN ?
2) Quelles sont les étapes de ce programme ?
3) Quelle est l'activité de l'usine N.E.F. de Vélizy ?
4) Sur quels plans cette usine est-elle en avance ?
5) Quels services François MARTIN veut-il visiter plus particulièrement ?
6) Qui sera le guide de François MARTIN durant son stage ?
7) François MARTIN pourra-t-il rencontrer directement les chefs de service ? Pourquoi ?
8) Pourquoi, à votre avis, M. DUMAYEL accueille-t-il si cordialement François MARTIN ?
9) D'après cet entretien, quelle est la situation économique de la N.E.F. ?

CÔTÉ JARDIN

■ VOCABULAIRE ET EXPRESSIONS

atterrir chez, à	= *(fam.)* se retrouver chez, à
baver (en)	= *(pop.)* souffrir
boîte (une)	= *(fam.)* une entreprise
boss (un)	= *(anglais)* un patron
bosser	= *(pop.)* travailler dur
boulot (un)	= *(pop.)* un travail
coup (du)	= *(fam.)* en conséquence
doc (la)	= *(abr. fam.)* la documentation
expo (une)	= *(abr. fam.)* une exposition
faire à peine une journée	= *(fam.)* occuper à peine une journée
histoire de...	= *(fam.)* pour
pointer	= marquer l'heure de son arrivée au travail à l'aide d'une fiche (cartonnée ou magnétique)
prof (un)	= *(abr. fam.)* un professeur
sauver (se)	= *(fam.)* partir rapidement
sympa	= *(abr. fam.)* sympathique
technico-commercial (un)	= un agent commercial qui est également un technicien
tourner les pouces (se)	= *(fam.)* rester à ne rien faire
type (un)	= *(fam.)* un individu, une personne
veinard	= *(pop.)* chanceux

□ QUESTIONS SUR LE DIALOGUE

1) Où Paul a-t-il fait son stage ?
2) Pourquoi dit-il que ce stage a mal commencé ?
3) Que s'est-il passé ?
4) Quel travail lui a-t-on confié ?
5) Globalement a-t-il été satisfait de cette expérience ?
6) Où Annie a-t-elle fait son stage ?
7) Qu'est-ce qui a le plus frappé la jeune stagiaire ? Pourquoi ?
8) Comment s'est passé son stage ?

RÉGION : ÎLE-DE-FRANCE

Une capitale pour l'Europe ?

Trois évolutions majeures, intervenues au cours des dix dernières années, ouvrent pour la région d'Île-de-France des perspectives profondément différentes de celles des années 60.

Un net ralentissement de la croissance démographique d'abord. Alors que l'on prévoyait, en 1960, de devoir accueillir en l'an 2000 au moins 14 millions d'habitants en région parisienne, les prévisions pour 2010 se situent entre une stabilisation à 10 millions d'habitants, population actuelle, et une légère croissance, jusqu'à 11 millions d'habitants. [...]

La seconde évolution, c'est un ralentissement de la croissance économique accompagné d'importantes mutations technologiques, qui amènent de profondes transformations dans l'appareil* industriel mis en place au siècle dernier et amplifient la croissance des activités tertiaires dans l'agglomération. [...]

Ce ralentissement se traduit aussi par une certaine limitation des moyens financiers des ménages et des capacités* d'investissement des collectivités* publiques, dans la construction et l'aménagement par rapport aux trente dernières années.

Enfin, la troisième évolution majeure résulte des changements institutionnels issus de la loi de décentralisation, l'État ayant transféré l'essentiel de ses responsabilités antérieures aux régions pour ce qui concerne l'impulsion du développement économique et de l'aménagement du territoire régional, et aux communes dans le domaine de l'urbanisme.

Ces trois évolutions transforment profondément les données et les enjeux de l'aménagement de l'Île-de-France. Il ne s'agit plus, comme dans les années 60, de maîtriser et d'accueillir une forte croissance urbaine, il s'agit maintenant à la fois de favoriser le développement économique de la région et d'améliorer le cadre de vie de ses habitants, l'un s'appuyant sur l'autre.

L'Île-de-France [...] se trouve placée dans un contexte d'urbanisme concurrentiel pour lequel l'enjeu principal est d'attirer et de retenir les acteurs* économiques en leur offrant le choix entre des implantations multiples. Elle se trouve ainsi en concurrence directe avec les grandes régions urbaines d'Europe de taille et de rôles comparables.

Paysage d'Île-de-France

L'enjeu, pour l'Île-de-France, peut être de s'affirmer comme la première métropole économique d'Europe, en particulier dans le secteur tertiaire*, et de jouer de ce fait un rôle important dans le développement national. L'Île-de-France dispose pour cela d'atouts considérables : un important potentiel scientifique, économique et humain, un riche patrimoine urbain et naturel, l'acquis d'un quart de siècle d'équipement et de modernisation. [...]

LE MONDE - 26 NOVEMBRE 1987 - PIERRE POMMELET.

■ VOCABULAIRE ET EXPRESSIONS

acteur (un) = *(ici)* une personne, un agent économique qui prend une part active, qui joue un rôle important

appareil (un) = *(ici)* l'ensemble des organismes, des usines, etc.

capacité (une) = une possibilité

collectivité (une) = *(ici)* une unité administrative dotée d'une personnalité morale

secteur tertiaire (le) = le secteur tertiaire regroupe toutes les activités de service ; (le secteur primaire concerne l'agriculture et le secteur secondaire toutes les activités industrielles)

□ QUESTIONS SUR LE DOCUMENT

1) Quelles périodes l'auteur de l'article compare-t-il ?
2) Combien d'évolutions la région d'Île-de-France a-t-elle subies au cours de la période considérée ?
3) Comment a évolué la démographie de l'Île-de-France ?
4) Quel est le secteur qui a bénéficié de l'évolution économique récente ?
5) Quelles sont les deux conséquences du ralentissement économique ressenti dans la région ?
6) À la suite de la loi de décentralisation, à qui l'État a-t-il transféré ses principales responsabilités ?
7) Qui a maintenant en charge les problèmes locaux d'urbanisme ?
8) Quels sont actuellement les objectifs de l'aménagement de l'Île-de-France ? En quoi sont-ils différents de ceux des années 60 ?
9) Quel peut être l'enjeu pour l'Île-de-France ?
10) Quels sont les atouts de cette région par rapport aux autres métropoles européennes ?

Un ciel qui commence à s'éclaircir

Globalement, la qualité de l'air de l'Île-de-France ne cesse de s'améliorer. Et Paris, qui figurait encore en tête du palmarès des villes les plus polluées de France en 1983 [...], a rétrogradé au sixième rang en 1986.

LE MONDE - 26 NOVEMBRE 1987 - ROGER CANS.

Trois cent mille étudiants

Portée par son prestige, la Sorbonne continue à s'identifier, en France comme à l'étranger, à l'« université de Paris ». Paris, capitale universitaire, doit pourtant son actuel rayonnement à l'expansion d'un conglomérat de treize universités, laborieusement mis en place de 1969 à 1971. Numérotés de I à XIII pour plus de commodité, les « XIII » ont dispersé leurs U.E.R., U.F.R., instituts, etc., bien au-delà du quartier Latin, dans tous les arrondissements et en banlieue, au cours de vingt années d'une quête désordonnée d'espaces et de locaux.

Encore faut-il leur ajouter tout ce qui constitue la première concentration française de grandes écoles et d'écoles supérieures, tant publiques que privées. Au total, plus de 300 000 étudiants — 30 % de l'effectif national —, dont l'accueil et le logement constituent le casse-tête de chaque rentrée. Excessive concentration, en aggravation même si le taux national diminue. [...]

LE MONDE - 26 NOVEMBRE 1987 - SERGE VASSAL,
professeur à l'université Paris-I.

Le téléphone

Station terrienne de télécommunications par satellite à Pleumeur-Bodou

... **P**lus encore que son homologue audiovisuel le paysage téléphonique français a mis la planète en révolution. Normal, pavoisent les ingénieurs de la D.G.T. : la référence hexagonale est excellente. En quinze ans, nous avons hissé le réseau national de l'ère préhistorique (le 22 à Asnières) à l'avant-garde du « tout numérique » ; et la D.G.T. occupe le cinquième rang du très lucratif trafic international, derrière la R.F.A. et devant British Telecom. La France est, indéniablement, un grand du téléphone.

L'EXPRESS 30-4 AU 17-5-1987.

Les publiphones* sont désormais équipés de « cartes à puces* » qui permettent de téléphoner partout, y compris à l'étranger, sans paiement immédiat : la carte Télécoms, véritable carte de crédit « intelligente », gère le compte du titulaire.

La carte à mémoire : l'espace et la sécurité

L'espace : sur la carte magnétique actuelle, classique, on inscrit une centaine de caractères sur trois pistes. Sur le microcalculateur [de la carte à mémoire] placé dans l'épaisseur du plastique, on crée des zones d'application et on entre* des milliers d'informations réparties entre ces zones.

La sécurité : alors que la piste magnétique, passive, peut être lue et écrite facilement (et par n'importe quel « bricoleur* » mal intentionné), la puce*, elle, est active. Elle contrôle entrées et sorties et procède au traitement des données.

TERTIEL - AVRIL 1986 - PATRICK FRANKLIN.

*Le téléphone
a son passe-partout.*

■ VOCABULAIRE ET EXPRESSIONS

bricoleur (un)	= *(ici - fam.)* un amateur
entrer	= *(ici)* introduire
publiphone (un)	= *(néologisme)* une cabine téléphonique publique
puce (une)	= *(ici)* une carte à puce : une carte à mémoire avec un microcalculateur incorporé

Le Minitel

En 1980, « soucieuse de réduire les coûts de fabrication de l'annuaire imprimé [téléphonique] et ceux des services — déficitaires — des renseignements, la D.G.T., direction générale des télécommunications, avait envisagé la distribution gratuite du Minitel. Trois mille foyers de Vélizy en étaient équipés à titre expérimental. L'expérience était jugée concluante. Dès avril 1981, la D.G.T. réalisait 300 000 unités.

En 1983, la D.G.T. installait deux nouveaux services accessibles par les numéros 3613 (Télétel 1) et 3614 (Télétel 2). Réservés aux entreprises, ils leur permettent des relations directes avec leurs clients (prise de commande, consultation de compte en banque, information aux actionnaires).

En février 1984, la D.G.T. inaugurait le Télétel 3, appelé « kiosque »*. Il donne aux entreprises de presse la possibilité d'ouvrir un service « grand public ». En composant le numéro de téléphone 3615, le Minitel branché, et en tapant un « code d'accès », l'utilisateur peut consulter les informations, inscrire des petites annonces, participer à des jeux dotés de prix et dialoguer dans des messageries « conviviales »*.

Sceptiques au départ, quelques journaux allaient très vite saisir l'intérêt financier du kiosque télématique. Sur 58,40 francs l'heure de connexion, imputés à l'abonné sur sa facture téléphonique, la D.G.T. reverse 36,50 francs au « centre serveur* ». L'engouement du public dépasse les espérances des promoteurs du Minitel. L'an dernier, 822 millions de francs ont été distribués aux 1 200 « kiosques » qui se partagent cette manne*.

Le bond en avant, qui se lit dans les chiffres, s'explique par le volume croissant de la messagerie. Elle assure déjà 40 % du trafic de Télétel 3. Le « minitéliste » peut dialoguer en direct avec d'autres utilisateurs, sous le couvert* de l'anonymat...

... « En trois ans, le nombre des appareils a décuplé (3 millions aujourd'hui) plaçant la France au premier rang dans le monde avec les deux tiers du parc mondial de cet "outil de communication". »

Utilisés en moyenne cent dix minutes par mois, les Minitels représentent plusieurs millions d'heures de connexion. Ils permettent de réserver un billet d'avion, de connaître les cours de la Bourse, de commander un colis aux entreprises de vente par correspondance. Et, depuis 1984, le Minitel met en contact des âmes sœurs* à la recherche de « convivialité sentimentale ».

VALEURS ACTUELLES - 27 AVRIL 1987 - NICOLAS DELECOURT.

Le Minitel

■ VOCABULAIRE ET EXPRESSIONS

âmes sœurs (des)	= des personnes qui se ressemblent, qui éprouvent une affinité l'une pour l'autre
centre serveur (un)	= un organisme qui diffuse l'information
convivial	= (ici) qui facilite les relations entre les individus
kiosque (un)	= (ici) un service multiple ouvert à tous les usagers
manne (une)	= (ici) un avantage, une ressource inespérés
sous le couvert de	= à l'abri de, sous le prétexte de

□ QUESTIONS SUR LE DOCUMENT

1) Pour quelles raisons la D.G.T. a-t-elle envisagé la distribution gratuite du Minitel ?
2) Cette diffusion a-t-elle été un succès ?
3) À qui étaient réservés les deux premiers services proposés par le Minitel ?
4) Quand a été ouvert le service destiné au grand public ?
5) Quels services propose Télétel 3 ?
6) Quel est l'intérêt de ce service pour les organismes de presse ? pour les utilisateurs ?

Le coût de la cédille

La cédille et le tréma sont-ils ruineux pour l'économie et la langue française ? La question mérite apparemment d'être posée, puisque d'éminents linguistes et informaticiens ont réuni un colloque au carrefour international de la communication pour en discuter. Le problème est le suivant : les machines à traiter la langue (banques de données, traitements de textes...) connaissent un développement considérable. Étant généralement de fabrication américaine, elles ont été conçues en fonction de la langue anglaise. Or la langue et l'orthographe françaises sont beaucoup plus compliquées. Avec toutes ses fioritures (accents, cédilles...), le français utilise 25 % de signes typographiques de plus que l'anglais, et avec ses cent vingt-huit touches, le clavier d'ordinateur ne parvient encore pas à les absorber tous. L'informatisation du français demande donc des adaptations techniques extrêmement coûteuses.

D'où la tentation pour les spécialistes français de préconiser un allègement de l'orthographe qui leur ferait gagner beaucoup de temps, d'argent et de tranquillité. [...]

L'informatisation de la société et de la vie quotidienne est en route, qu'on le veuille ou non. La langue et la culture devront s'y adapter, comme elles se sont adaptées à l'imprimerie entre le XVIe et le XVIIIe siècle. Dans la « galaxie computorienne » qui s'annonce, toute langue qui ne sera pas facilement informatisée sera marginalisée. Mieux vaut préparer l'évolution et ne pas laisser faire les informaticiens et le marché si on veut éviter que le français ne disparaisse comme langue de communication internationale ou soit victime d'un véritable « carnage » linguistique.

LE MONDE - 30 OCTOBRE 1985 - FRÉDÉRIC GAUSSEN.

☐ QUESTIONS SUR LE DOCUMENT

1) Quel problème les signes de l'alphabet français soulèvent-t-ils actuellement ?
2) Quel est le pourcentage de signes typographiques supplémentaires utilisés par le français par rapport à l'anglais ?
3) Quels avantages pourra-t-on tirer d'une réforme de l'orthographe ?
4) Pourquoi toute langue difficile à informatiser risque-t-elle d'être rapidement marginalisée ?

Réunion téléphonique

Organiser mes réunions, c'était le numéro de cirque...

La corde raide entre les rendez-vous, les acrobaties avec les agendas, le numéro de cirque pas possible. C'est fini ! Maintenant, mon seul numéro, c'est celui de la Réunion-Téléphone. Pour réserver, j'indique la date, l'heure, la durée et le nombre de participants. Un numéro confidentiel est attribué à ma réunion, je le communique à chaque participant avec l'ordre du jour. À l'heure H chacun compose le numéro confidentiel : la Réunion-Téléphone commence. Pour réunir de 3 à 20 personnes sur la même ligne, la Réunion-Téléphone, c'est mon meilleur numéro.

Vous aussi, organisez votre Réunion-Téléphone au Numéro Vert 05 300 300 (appel gratuit).

... Maintenant j'organise mes Réunions-Téléphone au numéro : 05 300 300.

PUBLICITÉ DE FRANCE TÉLÉCOM.

1879 - Jules Verne présente...

L'ancêtre de la téléconférence

Moralité, tranquillité, félicité.
La cour téléphonique

Gravure de A. Robida, 1883.
Paris. Bibliothèque Nationale

« J e vais immédiatement convoquer le Conseil », dit le docteur Sarrasin.

Le docteur précéda ses hôtes dans son cabinet de travail.

C'était une pièce simplement meublée, dont trois côtés étaient couverts par des rayons chargés de livres, tandis que le quatrième présentait, au-dessous de quelques tableaux et d'objets d'art, une rangée de pavillons numérotés, pareils à des cornets acoustiques.

« Grâce au téléphone, dit-il, nous pouvons tenir conseil à France-Ville en restant chacun chez soi. »

Le docteur toucha un timbre avertisseur, qui communiqua instantanément son appel au logis de tous les membres du Conseil. En moins de trois minutes, le mot « présent ! », apporté successivement par chaque fil de communication, annonça que le Conseil était en séance.

L e docteur se plaça alors devant le pavillon de son appareil expéditeur, agita une sonnette et dit :

« La séance est ouverte... La parole est à mon honorable ami le colonel Hendon, pour faire au Conseil civique une communication de la plus haute gravité. » [...]

À peine avait-il conclu, que le numéro 6 lui posa une question :

« Le colonel croyait-il la défense possible, au cas où les moyens sur lesquels il comptait pour empêcher l'ennemi d'arriver n'y auraient pas réussi ? »

Le colonel Hendon répondit affirmativement. La question et la réponse étaient parvenues instantanément à chaque membre invisible du Conseil comme les explications qui les avaient précédées. [...]

Le numéro 4 : « Je propose de convoquer immédiatement l'assemblée plénière des citoyens. »

Le président Sarrasin : « Je mets aux voix la proposition. » Deux coups de timbre, frappés dans chaque téléphone, annoncèrent qu'elle était adoptée à l'unanimité.

I l était sept heures et demie. Le Conseil civique n'avait pas duré dix-huit minutes et n'avait dérangé personne. L'assemblée populaire fut convoquée par un moyen aussi simple et presque aussi expéditif. À peine le docteur Sarrasin eut-il communiqué le vote du Conseil, à l'hôtel de ville, toujours par l'intermédiaire de son téléphone, qu'un carillon électrique se mit en mouvement au sommet de chacune des colonnes placées dans les deux cent quatre-vingts carrefours de la ville. Ces colonnes étaient surmontées de cadrans lumineux dont les aiguilles, mues par l'électricité, s'étaient aussitôt arrêtées sur huit heures et demie, heure de la convocation.

Tous les habitants, avertis à la fois par cet appel bruyant qui se prolongea pendant plus d'un quart d'heure, s'empressèrent de sortir ou de lever la tête vers le cadran le plus voisin, et, constatant qu'un devoir national les appelait à la halle municipale, ils s'empressèrent de s'y rendre.

À l'heure dite, c'est-à-dire en moins de quarante-cinq minutes, l'assemblée était au complet.

LES CINQ CENTS MILLIONS DE LA BÉGUM -
JULES VERNE.

ARTS ET PATRIMOINE

Le patrimoine superstar

Le château de Chantilly

[...] Si un Français adulte sur deux va au moins une fois par an au cinéma, une proportion égale visite chaque année les jardins, les églises et les cathédrales, et ceux qui hantent les vieux quartiers sont encore plus nombreux : 3 sur 5. La fréquentation des vieux quartiers l'emporte sur celle des cinémas, quels que soient le niveau d'études et le sexe, et cet ordre ne s'inverse que chez les Parisiens et les jeunes de 15 à 24 ans. De même, cinéma et patrimoine architectural sont pour le public les deux activités les plus importantes du ministère de la Culture : hiérarchie très différente de celle qui se lit dans le budget du ministère, lequel dépense pour la musique, l'art lyrique et la danse, plutôt mal placés dans le sondage, davantage

(1,6 milliard de francs en 1987) que pour le patrimoine et le cinéma réunis (respectivement 1 milliard et 250 millions).

Mais le patrimoine, comme la prose pour Monsieur Jourdain, est une notion floue : pour 67 % du public, le terme évoque d'abord le tourisme, et ils ne sont que 31 % à l'associer plutôt aux musées et aux monuments historiques, 24 % aux spectacles et aux expositions, 11 % aux livres... Que les « branchés* » se rassurent : 24 % seulement des Français pensent « tradition » quand on dit « patrimoine ».

Les modernes, en revanche, ont toutes raisons d'être inquiets : si la « patrimoinophilie* » galopante des Français n'englobe pas systématiquement toutes les choses du passé, elle s'accompagne néanmoins d'une méfiance caractérisée à l'égard de tout ce qui est art contemporain. L'art moderne vient en tête des mal-aimés de la culture, avec seulement 9 % de Français qui affirment s'y intéresser « beaucoup » et 33 % « pas du tout ». Même les adolescents (de 15 à 19 ans), dont le sondage montre l'élan spontané vers ce qui est « nouveau » ou « actuel » et qui ont un comportement très différent de celui des adultes, n'accordent qu'un chiche* 14 % d'intérêt à l'art moderne : celui-ci ne fait une recette acceptable* que chez les cadres supérieurs (20 %).

Triste surprise : la musique classique et la littérature, qui, en 1980, réalisaient un score positif, rejoignent en 1987 l' « enfer* » de l'art moderne, du design* et de l'architecture. La musique classique est particulièrement peu en faveur parmi les très jeunes (moins de 8 % s'y intéressent beaucoup), et suscite désormais, globalement, davantage de rejet que la musique contemporaine ; mais le public classe dans le « contemporain » aussi bien les rockers* et les jazzmen* que Boulez et Xenakis.

Dans le hit-parade* du patrimoine, personne n'hésite à ranger la gastronomie, qui se place gaillardement entre les belles demeures des hommes et celles de Dieu. Ses supporters se recrutent surtout chez les commerçants-artisans, et un peu moins chez les cadres supérieurs (qui lui préfèrent vertueusement les cathédrales et les chapelles romanes). Mais la cuisine fait davantage d'adeptes* chez les adolescents que la photo ou Patrick Modiano.

Enfin, l'étoile montante du patrimoine est incontestablement le château : la « castellomanie* » est en progression de 8 points depuis 1980, et sévit presque également dans toutes les tranches d'âge et toutes les catégories sociales. Étudiants, ouvriers, employés et agriculteurs s'y intéressent avec passion dans une proportion de 2 sur 5. Et la fréquentation des châteaux, qui a bondi de 6 points depuis 1980, devrait encore s'accroître, si l'on s'en tient aux intentions de visite. [...]

Mais qu'apportent donc les vieilles pierres à ces millions d'amoureux ? Plus que le plaisir, ils déclarent y chercher la connaissance, et celle de l'histoire plutôt que celle de l'architecture. D'où le décalage souvent observé entre le goût du public et celui des spécialistes : car c'est rarement en raison des événements historiques qui s'y sont déroulés que l'on classe un monument. Pour tirer le plus grand parti pédagogique de sa visite, le public plébiscite les panneaux explicatifs (87 %), les films et les diapositives (83 %) et les guides-conférenciers (66 %), et préfère même cumuler toutes ces sources d'information. En revanche, ils sont 52 % à ne regarder « pratiquement jamais » les émissions à la télévision : preuve que seul le contact direct et personnel les intéresse.

L'autre indice de la forte charge émotionnelle que portent les monuments est le rejet massif par le public de tout ce qui peut polluer l'image sacralisée qu'il s'en fait. [...]

En insistant beaucoup (car les technocrates tiennent à la réinsertion économique des monuments historiques), on obtient des Français un assentiment boudeur pour y installer (dans l'ordre) : un musée, une salle de spectacles ou de concerts, une bibliothèque ou un syndicat d'initiative. [...]

En définitive, le public ne veut vraiment y voir que les ombres d'autrefois ressuscitées par les spectacles son et lumière, et, pendant le jour, des mannequins en costumes d'époque, ou encore quelques spécimens choisis de cette espèce en péril, les châtelains.

« Le patrimoine est un miroir qui nous renvoie l'image d'un passé d'autant plus captivant qu'il est assurément mort » conclut l'historien Pierre Nora. N'est-ce pas, tout de même, un signe inquiétant pour le présent ?

LE POINT N° 785 - 5 OCTOBRE 1987
MARYVONNE DE SAINT-PULGENT.

Depuis un an, vous est-il arrivé de...

	Tous	Jeunes 15 à 19 ans
visiter un vieux quartier	58 %	54,5 %
visiter un parc ou un jardin	51 %	61 %
aller au cinéma	51 %	88,5 %
visiter une cathédrale, une église	49 %	56 %
« chiner » chez les antiquaires	46 %	35 %
visiter un château	38 %	53,5 %
visiter un musée	34 %	50 %
aller à l'Opéra ou au concert	21 %	35 %
aller au théâtre	19 %	23 %
voir une exposition d'art moderne	18 %	31 %

À quels éléments du patrimoine vous intéressez-vous le plus ?

	Tous
Maisons anciennes, vieux villages, vieux quartiers	51 %
Châteaux	44 %
Églises, chapelles, cathédrales	43 %
Cuisine régionale	42 %

Que recherchez-vous en allant visiter un monument historique ?

	Tous	Jeunes 15 à 19 ans
« On y apprend toujours quelque chose »	50 %	38,5 %
« J'aime l'histoire »	41 %	25 %
« Cela fait partie de la culture générale »	37 %	26 %
« C'est beau »	34 %	30 %
« C'est majestueux, grandiose, impressionnant »	33 %	26 %
« J'aime l'art et l'architecture »	31 %	16 %
« C'est un but de sortie »	30 %	25 %

Parmi les formes d'animation des monuments historiques, préférez-vous plutôt...

	Tous	Jeunes 15 à 19 ans
un spectacle son et lumière	51 %	38 %
des figurations en costumes et musique d'ambiance	37 %	31 %
une foire ou une kermesse à la manière d'autrefois	33 %	23 %
un spectacle de théâtre en harmonie avec le monument	31 %	28 %
un concert de musique d'époque	28 %	14 %
une exposition sur un personnage ayant vécu dans ce lieu	26 %	24 %
une exposition documentaire	23 %	19 %
des attractions dans les jardins ou les abords	23 %	22 %
un parc d'attractions style Disneyland	22 %	35 %

LE POINT N° 785 - 5 OCTOBRE 1987.

■ VOCABULAIRE ET EXPRESSIONS

branché (un) = *(sens nouveau)* une personne introduite dans les milieux à la mode
castellomanie (la) = *(néologisme)* la manie des châteaux
chiche = *(vieilli)* avare
design (le) = *(ang.)* le stylisme
enfer (l') = *(sens particulier)* département d'une bibliothèque où sont classées les œuvres interdites au public *(ici)* le lieu où sont regroupés les arts peu appréciés du public
faire des adeptes = trouver des partisans
faire une recette acceptable = obtenir un résultat satisfaisant
hit-parade (le) = *(ang.)* le classement des meilleurs
jazzmen (des) = *(ang.)* des musiciens de jazz
patrimoinophilie (la) = *(néologisme)* l'amour du patrimoine
rocker (un) = *(ang.)* un musicien de rock

□ QUESTIONS SUR LE DOCUMENT

1) Quel est le pourcentage des Français qui visitent les jardins, les églises et les cathédrales ?
2) Que fréquentent-ils le plus : les cinémas ou les vieux quartiers ?
3) Quelles sont pour le public les deux activités culturelles les plus importantes ? Quelles sont les deux activités culturelles qui reçoivent l'aide la plus importante du ministère de la Culture ?
4) En quoi les partisans de la culture moderne ont-ils lieu de s'inquiéter ?
5) Quelle est la seule catégorie socioprofessionnelle qui porte un véritable intérêt à l'art moderne ?
6) Quelle est la place que tient la musique classique dans le goût des Français ?
7) La gastronomie est considérée par les Français comme un élément du patrimoine : qui pense surtout cela ?
8) Comment se traduit l'engouement des Français pour les châteaux ?
9) Sont-ils d'accord pour que l'on utilise les châteaux à des fins économiques ?

Quelles écoles pour quels emplois ?

L'enseignement
doit maintenant s'ouvrir à l'Europe

(Un entretien avec Christian VULLIEZ,
directeur de l'enseignement
de la Chambre de commerce et d'industrie de Paris)

H.E.C., l'École supérieure de commerce de Paris, l'I.S.A., le C.P.A., l'École européenne des affaires... Au total, 32 écoles auxquelles s'ajoute cette année l'École nationale d'exportation (reprise et transformée en Institut de commerce international). La Chambre de commerce et d'industrie de Paris est une sorte de ministère de l'Éducation bis. [...]

L'ENTREPRISE — *La France est-elle, selon vous, au niveau international dans le domaine de l'enseignement de la gestion ?*

CHRISTIAN VULLIEZ — Depuis vingt ans, il y a eu un énorme effort de rattrapage. Le secteur public, les Chambres de commerce et d'industrie et le secteur privé ont bâti tous les trois leur réseau d'établissements. La concurrence entre les trois familles va croissant. Ce qu'il faut maintenant, c'est ouvrir la formation sur l'Europe. Malheureusement, les législations sur l'éducation restent extraordinairement nationalistes. Nous tournons la difficulté*, pour notre part, en organisant de longs séjours hors de France pour les étudiants de nos grands établissements.

L'ENTREPRISE — *À la C.C.I.P., vous êtes à la fois responsable d'écoles de gestion et d'écoles techniques. Quelles sont vos meilleures armes pour répondre aux besoins actuels du marché ?*

CHRISTIAN VULLIEZ — La première arme, c'est la concurrence. Plus les structures sont décentralisées, plus les responsables d'établissements sont obligés de prouver leur talent. La deuxième, c'est la mixité*. Les chefs d'entreprise doivent jouer un rôle actif dans les conseils d'établissements. La troisième, c'est encore la mixité, appliquée au mélange de la formation des jeunes avec celle, continue, des adultes.

L'ENTREPRISE — *Les Français ont-ils suffisamment investi dans l'éducation ?*

CHRISTIAN VULLIEZ — La France est l'un des cinq ou six pays du monde qui mobilisent le plus d'argent pour la formation. Entre l'État, les régions, les départements, les communes et les entreprises, il se dépense *grosso modo**, chaque année, 250 milliards de francs pour la formation. Malgré cela, un tiers des jeunes ne trouve pas d'emploi direct dans l'année qui suit la sortie du système éducatif. Le progrès à réaliser et les objectifs sont donc clairs.

L'ENTREPRISE — *Qui doit définir le contenu d'un enseignement ?*

CHRISTIAN VULLIEZ — Il doit résulter de la confrontation des points de vue entre formateurs et professionnels du terrain. Plus un secteur est dynamique, plus il est lui-même créateur du contenu éducatif. Voyez l'informatique avec I.B.M. ou l'agro-alimentaire avec Moët-Hennessy. Leur savoir-faire et leur dynamisme ont généré* de nouveaux besoins de formation.

L'ENTREPRISE — *Quels sont les secteurs créateurs d'emplois pour les jeunes aujourd'hui en France ?*

CHRISTIAN VULLIEZ — Quatre secteurs se détachent : l'électronique-informatique, l'hôtellerie-restauration, l'agro-alimentaire et la gamme élargie des services aux entreprises. Il faut avoir aussi le souci constant de ne pas tout sacrifier au seul haut de gamme*. La courbe de l'augmentation des qualifications requises ne recoupe pas nécessairement celle de l'augmentation du nombre d'emplois proposés. [...]

L'ENTREPRISE — *Comment amener les futurs cadres étrangers à choisir le français comme troisième langue ?*

CHRISTIAN VULLIEZ — Il faut encourager et attirer les meilleurs à suivre leur formation dans de bonnes écoles françaises. On n'oublie jamais ce que l'on a fait entre 16 et 25 ans. Plus il y aura d'Américains, de Japonais ou de Hollandais dans les grands centres de formation français, plus on créera ou favorisera les courants d'affaires à venir. Mais j'insiste : il s'agit bien d'attirer les bons qui ont tendance aujourd'hui à opter pour les pays anglo-saxons. Car ce sont les bons qui seront demain les dirigeants dans leur propre pays.

L'ENTREPRISE N° 26 - SEPTEMBRE 1987 -
Propos recueillis par PIERRE LAPOUGE.

■ VOCABULAIRE ET EXPRESSIONS

générer	= provoquer
grosso modo	= en gros, sans entrer dans le détail
haut de gamme (le)	= les activités les plus nobles
mixité (la)	= *(ici)* la pluralité : associer dans les programmes des chefs d'entreprises et des universitaires
tourner la difficulté	= éviter la difficulté

□ QUESTIONS SUR LE DOCUMENT

1) Quelles sont, d'après Christian VULLIEZ, les trois armes des écoles de gestion pour répondre aux besoins du marché du travail ?

2) Quelles sommes sont consacrées à la formation en France ? Comment se situe la France dans ce domaine ?

3) Quel est le premier problème que doit résoudre la formation professionnelle ?

4) Qui doit définir les programmes de formation ?

5) Quels sont les secteurs dans lesquels les jeunes trouvent actuellement le plus de débouchés ?

6) Comment la France peut-elle amener les cadres étrangers à choisir le français comme langue étrangère ?

Export : les étudiants partent en mission

L'E.S.C. Reims est l'une des treize grandes écoles et universités membres de l'association Intelligence Service Export qui propose aux entreprises des stagiaires pour des missions à l'exportation. Depuis 1984, plus de deux cents entreprises, pour la plupart des P.M.E., ont fait appel à l'association. La multidisciplinarité est l'une des originalités d'I.S.E., qui regroupe les étudiants des écoles de commerce, des ingénieurs, des informaticiens ou des spécialistes en langues orientales.

TERTIEL N° 25 - JUIN 1987 - HÉLÈNE CONSTANTY.

Les H.E.C. volants

Vous avez peur du vide ? lui aussi. Après six heures d'une attente interminable dans le ventre de l'avion, il a sauté, les dents serrées. C'est l'un des étudiants de l'option « entrepreneurs » (création d'entreprises) d'H.E.C. Robert Papin, le professeur qui dirige cette filière de dernière année à Jouy-en-Josas, estime que ses élèves doivent apprendre à se dominer, à « surmonter leur trouille ». Le saut en parachute fait donc partie de sa pédagogie. « Cela leur apprend la modestie », ajoute-t-il. En principe, l'épreuve n'est pas obligatoire. Mais il y a la pression du groupe et personne n'ose se défiler. Cette année, sur les 37 H.E.C.-entrepreneurs, 33 ont sauté. Les autres avaient un certificat médical.

L'EXPANSION - 2 NOVEMBRE 1987.

Élèves d'H.E.C.

Fausse liberté

L'effort entrepris, en France, depuis 10 ans (et ailleurs depuis longtemps), pour donner aux ménages les moyens de refuser l'enfant qu'ils ne désirent pas, repose sur une équivoque, la notion de liberté. Prenons un exemple classique :

Voilà un ménage qui, ayant deux enfants (ou un), éprouve de sérieuses difficultés pour en élever un troisième (un second). Devant cet état de fait, l'opinion, à peu près unanime, approuve que des moyens soient mis à sa disposition, contraception, avortement, peut-être stérilisation demain, pour éviter ces difficultés. Mais le désir du ménage a précisément été dicté par les conditions dans lesquelles il se trouve. S'il avait pu avoir, sans mal, une troisième pièce pour son logement, une allocation plus forte pour compenser la charge financière de son enfant, des conditions de travail particulières, son choix aurait peut-être été différent. *C'est une liberté conditionnée, orientée.* La franchise est loin.

La politique doit consister, par conséquent, à faciliter aux ménages la naissance du deuxième ou du troisième enfant, que nombre d'entre eux souhaitent dans le fond, mais refusent effectivement, du fait même d'une législation sans prévoyance ni pitié.

L'ÉCONOMIE DU DIABLE - ALFRED SAUVY -
Éd. Calmann Lévy - Collection Pluriel - 1976.

☐ QUESTIONS SUR LE DOCUMENT

1) Pourquoi les couples ne souhaitent-ils pas vraiment un enfant supplémentaire ?
2) Que se passerait-il si les conditions de vie étaient modifiées ?
3) Pourquoi la liberté apparente des couples est-elle « une liberté conditionnée, orientée » ?

Les jeunes vont se faire rares

Répartition
des jeunes de moins
de 20 ans dans la
population française
Source : I.N.S.E.E.

16
29,1
14,4
24,7   14
23,9   13,2
22,6   12
21,6
(en millions)
(en %)
1985
2005
2010
2020
2040

Tirée du dernier ouvrage d'Alfred Sauvy, *L'Europe submergée* (Dunod), cette projection est fondée sur l'hypothèse du maintien du taux de fécondité à 1,8 (taux actuel). Elle fait ressortir la baisse continue de la part des moins de 20 ans dans la population française. À partir de 2020, le nombre des vieux excédera celui des jeunes pour la première fois dans notre histoire. L'auteur rappelle que le pays comptait cinq jeunes pour un vieux lors de la Révolution française. Il observe d'autre part que le déséquilibre démographique serait encore plus défavorable si l'on excluait du décompte la population d'origine maghrébine : en 2040, on aurait 31 % de vieux contre 20 % de jeunes.

L'EXPANSION - 23 OCTOBRE 1987.

Fécondité : la France en tête

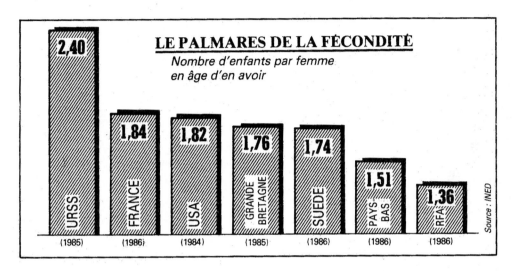

LE PALMARES DE LA FÉCONDITÉ
Nombre d'enfants par femme en âge d'en avoir

URSS 2,40 (1985)
FRANCE 1,84 (1986)
USA 1,82 (1984)
GRANDE BRETAGNE 1,76 (1985)
SUEDE 1,74 (1986)
PAYS-BAS 1,51 (1986)
RFA 1,36 (1986)

Source : INED

Contrairement à ce que veulent nous faire croire nos populationnistes exaltés, la dénatalité que la France a connue à partir des années 60 n'avait rien d'exceptionnel. Ce reflux, après le baby boom de l'après-guerre, affectait toute l'Europe occidentale, et plus ou moins l'ensemble du monde industrialisé. Malgré une chute importante de sa fécondité, la France restait, au début des années 80, dans le peloton le moins déprimé (en gros, les pays méditerranéens) de l'Europe occidentale : elle est, depuis cette année, au deuxième rang des pays de l'Europe occidentale, loin derrière l'Irlande mais loin également devant l'Espagne et l'Italie.

Le plus étonnant, c'est que la France est à la fois un des pays européens les plus féconds et un de ceux où l'on se marie le moins. Il y a eu 266 000 mariages en 1986, alors qu'il y en aurait eu 420 000 si toute la génération en âge de se marier l'avait fait. Entre le respect des convenances et la natalité, les Français semblent avoir fait leur choix : les seules naissances qui augmentent en réalité sont les naissances *hors mariage*. Elles ont doublé entre 1979 et 1985 et représentent aujourd'hui 20 % du total des naissances.

LE NOUVEL OBSERVATEUR - 21 AOÛT 1987.

☐ **QUESTIONS SUR LES DOCUMENTS**

1) Sur quelle hypothèse s'appuie la prévision faite par Alfred Sauvy dans son ouvrage *L'Europe submergée* ?
2) Selon cette hypothèse, comment évoluera la part des jeunes de moins de 20 ans dans la population française ?
3) Quelle est l'influence de la population d'origine maghrébine ?
4) Comment se situait la France en matière de fécondité au début des années 80 ?
5) Quelle est sa place actuelle ?
6) Les couples qui ont actuellement des enfants appartiennent-ils à des familles traditionnelles ?
7) Pourquoi devra-t-on repousser l'âge de la retraite à partir de l'an 2000 ?

Démographie et retraite

Aux taux de natalité et de mortalité actuels, il faudrait tout simplement reporter l'âge de la retraite à soixante-deux ans en l'an 2000. À soixante-cinq ans en 2025. Et même à soixante-huit ans en 2040 si l'on veut maintenir la situation actuelle de trois actifs pour un retraité.

L'EXPANSION - 6 NOVEMBRE 1987.

AU SOMMAIRE DU DOSSIER 2

BÂTIMENT VA...

LA RÉGION

ÎLE-DE-FRANCE
UNE VILLE NOUVELLE :
CERGY-PONTOISE

Cergy-Pontoise

Cinq villes nouvelles ont été créées autour de Paris. Conçues pour héberger une partie des 11 000 000 d'habitants de la région parisienne, ces villes ont su attirer les entreprises et sont devenues des pôles de développement notamment pour le secteur des services.

La population des villes nouvelles est jeune, homogène et très attachée à un style de vie qui privilégie les relations de voisinage, le jardinage et le sport en fin de semaine.

LES SECTEURS D'ACTIVITÉ

Le Salon du Bourget

« Quand le bâtiment va, tout va. » Cette vieille formule populaire traduit bien l'importance du secteur du bâtiment tant par le personnel utilisé (20 % environ de la population active française) que par son impact sur l'ensemble de l'économie nationale.

L'aéronautique française est dominée par deux grands groupes, l'Aérospatiale et Dassault. Ses succès techniques sont incontestables tant en ce qui concerne l'aviation civile (Caravelle, Concorde, Airbus) que l'aviation militaire.

L'industrie spatiale — un secteur de pointe dans lequel la France a acquis une avance indéniable avec le lanceur Ariane — exige à tous les stades (études, fabrication, commercialisation) une coopération internationale dont les modalités sont parfois délicates à définir.

31

CÔTÉ COUR...

Une entreprise de bâtiment embauche

L'ENTREPRISE

BATIVIT est une entreprise de bâtiment de 320 personnes créée en 1959. En dépit de moyens financiers réduits, l'entreprise s'est rapidement développée grâce à l'essor des résidences secondaires, secteur dans lequel elle s'est spécialisée.

En 1984, son siège a été transféré à CERGY-PONTOISE.

LA SITUATION

Après une semaine d'absence à cause d'une mauvaise grippe, Louise DURAND rencontre son patron direct, le directeur administratif, Pierre DENOEL.

PROFILS

LOUISE DURAND
29 ans
Responsable du personnel
Titulaire d'une licence en droit

PIERRE DENOEL
51 ans
Directeur administratif

PIERRE DENOEL — Bonjour Louise. Vous allez mieux, j'espère !

LOUISE DURAND — Tout à fait d'attaque*, merci ! Mais quelle semaine !

PIERRE DENOEL — C'est bien dommage que vous n'ayez pas pu assister à cette réunion de la Fédération. On a eu toutes sortes de tuyaux* sur la situation
5   dans la profession. Pas brillante, entre nous : je n'ai pas trop parlé de nos succès, ça aurait pu faire des jaloux...

LOUISE DURAND — D'autant plus que rien n'est joué*...

PIERRE DENOEL — Exact ! Dans certaines boîtes*, c'est la panique. Vous savez que CROZIC est en train de se rétamer* ?
10   LOUISE DURAND — Après tout le battage* qu'ils ont fait à la radio et dans la presse !

PIERRE DENOEL — Oui, après tout ce foin*... qui leur a d'ailleurs coûté la peau des fesses*... et maintenant, avec la crise, ils sont en sureffectif* !

LOUISE DURAND — Vous avez un papier* sur ce qui a été dit ?

PIERRE DENOEL — Pensez-vous ! À part l'ordre du jour, rien d'écrit ! <u>Le président et le secrétaire prétendent</u> que c'est confidentiel, moi, je crois plutôt qu'ils ont un poil dans la main* ! Tout le monde ouvre le parapluie* dans cette commission et personne ne fait rien ! Mais j'ai noté des trucs* et je vous les passerai.

À part ça, où en est-on avec le recrutement de l'adjoint de FAVILE ? L'annonce a dû passer dans *Le Moniteur*...

LOUISE DURAND — Oui et j'ai commencé à trier les réponses...

PIERRE DENOEL — Ça se présente bien ?

LOUISE DURAND — Couci-couça* ! Pour l'instant, on croule sous le courrier... <u>Savez-vous</u> combien de lettres on a reçues ? Plus de cinq cents ! Et ce n'est pas fini !

PIERRE DENOEL — Je vous l'avais bien dit : votre texte était trop général, trop passe-partout*...

LOUISE DURAND — Je l'ai pourtant modifié en tenant compte de vos critiques... Il n'empêche que même avec une description beaucoup plus pointue*, nous avons été littéralement inondés. Je ne parle pas des candidatures spontanées et des recommandations : tout le monde dans la maison à un cousin ou un petit neveu à caser*. J'ai commencé à dépouiller chez moi, pendant ma grippe ; mais même en étant très sélective, il me reste encore une trentaine de dossiers valables.

PIERRE DENOEL — C'est beaucoup !

LOUISE DURAND — Oui, et je ne me vois pas demander à FAVILE de rencontrer tous ces candidats, il y passerait sa semaine...

PIERRE DENOEL — Vous proposez ?

LOUISE DURAND — J'aurais bien essayé de faire quelques études graphologiques pour y voir plus clair.

PIERRE DENOEL — Oh ! la grapho*... vous savez ce que j'en pense !

LOUISE DURAND — Oui, mais on pourrait essayer à cette occasion : cela nous permettrait de nous faire notre opinion sur la méthode.

PIERRE DENOEL — Vous connaissez quelqu'un de sérieux ?

LOUISE DURAND — Je crois. De plus, c'est quelqu'un qui connaît bien le milieu B.T.P. ; c'est important.

PIERRE DENOEL — D'accord, vous avez le feu vert* pour essayer, mais vous me montrez d'abord vos trente dossiers et on les passe au crible*. Si, après ça, il en reste encore beaucoup, vous les envoyez à la grapho avant que FAVILE ne rencontre les gusses*.

LOUISE DURAND — Très bien, je m'en occupe dès aujourd'hui.

(La secrétaire, Mme LECOINTE, entre dans le bureau.)

MME LECOINTE — Excusez-moi de vous interrompre, Monsieur, mais votre rendez-vous de 9 h 30 est arrivé.

PIERRE DENOEL — Nous en avons encore pour une dizaine de minutes.

MME LECOINTE — Bien, je prépare des cafés. Vous en voulez un aussi ?

PIERRE DENOEL — Cette question ! Sans sucre et surtout sans lait !

D - L'accord du verbe avec plusieurs sujets

C - L'accord du verbe avec le sujet

« Demain, je travaille ! »

La scène se passe dans le métro. Sylvie et Julien se rencontrent sur le quai d'une station.

SYLVIE — Julien ! Salut ! Qu'est-ce que tu deviens ? Ça fait une paye* qu'on ne s'est pas vus !

JULIEN — Et comment ! Presque deux ans ! Tu sais, maintenant qu'on a déménagé à Évry, on est un peu coupé du monde.

5 SYLVIE — Tu as eu ton bac* ?

JULIEN — Oui, l'année dernière déjà. Je voulais aller en fac*, mais j'ai renoncé parce que c'était trop long ! Maintenant, je suis dans un I.U.T.

SYLVIE — Qu'est-ce que tu prépares ?

JULIEN — Je voudrais être informaticien.

10 SYLVIE — L'informatique ? Chapeau* !

JULIEN — Attends que j'aie réussi ! Tu sais, il y a un tel déchet en cours de route ! Et toi, tu fais quoi ?

SYLVIE — Moi, je vais travailler, enfin, j'espère ! J'ai raté mon bac l'année dernière. Mes vieux* voulaient que je redouble*, mais vraiment, les

15 études, ce n'est pas pour moi... alors j'ai fait une école de compta*. J'ai eu mon C.A.P. et je cherche du boulot*.

JULIEN — Ça ne doit pas être facile !

SYLVIE — En ce moment, non, pas du tout ! L'école devait nous placer. En tout cas, c'est ce qu'on m'avait dit quand je me suis inscrite ! En fait, je dois

20 me débrouiller seule. J'ai envoyé plus de cent lettres à droite et à gauche...

JULIEN — Et tu as eu des contacts ?

SYLVIE — Oui, pas mal... Je pourrais faire un bouquin* sur les méthodes que les boîtes utilisent : la grapho, les entretiens, même des réunions à plusieurs. Le pire, c'est quand on ne vous répond pas... Tu attends, tu

25 attends... et rien ! Ils ne renvoient même pas le C.V., et au prix des photos et des timbres, ça finit par coûter drôlement cher ! Enfin, j'espère avoir quand même une piste sérieuse.

JULIEN — Où ça ?

SYLVIE — Dans une boîte de bâtiment, à Cergy. Ils recrutent en ce moment.

30 J'y vais demain.

JULIEN — Remarque, moi, ça va être pareil, dans deux ou trois ans. Pour l'instant, j'étudie, j'habite chez mes parents... mais quand il va falloir trouver du travail, ça risque d'être aussi du sport* !

(Une rame de métro fait son entrée dans la station.)

35 Bon, je monte ici !

SYLVIE — Moi, je change. Salut !

JULIEN — À bientôt ! Et bonne chance !

CÔTÉ COUR

■ VOCABULAIRE ET EXPRESSIONS

avoir le feu vert	= avoir l'autorisation
avoir un poil dans la main	= *(fam.)* être paresseux
battage (un)	= *(fam.)* du bruit, de la publicité
boîte (une)	= *(pop.)* une entreprise
caser	= *(fam)* placer
couci-couça	= *(fam.)* comme si, comme ça
coûter la peau des fesses	= *(pop.)* coûter très cher
être d'attaque	= *(fam.)* être en forme
être en sureffectif	= avoir trop de personnel
faire du foin	= *(fam.)* faire du bruit, du scandale
grapho (la)	= *(abr. fam.)* la graphologie
gusse (un)	= *(argot)* un individu - *(ici)* les candidats
ouvrir le parapluie	= *(fam.)* se protéger, dégager sa responsabilité
papier (un)	= *(ici prof.)* une note, un texte
passe-partout	= banal
passer au crible	= examiner très attentivement
pointu	= *(prof.)* précis, étroit
rétamer (se)	= *(imagé-pop.)* être complètement vidé *(ici)* tout perdre
rien n'est joué	= rien n'est décidé, rien n'est sûr
truc (un)	= *(fam.)* une chose dont on a oublié le nom
tuyau (un)	= *(pop.)* un renseignement confidentiel

□ QUESTIONS SUR LE DIALOGUE

1) D'après le dialogue, que s'est-il passé au cours de la semaine précédant cet entretien pour Louise DURAND et pour Pierre DENOEL ?

2) Quelle est, d'après Pierre DENOEL, la situation de ses concurrents ?

3) Quel est le poste à pourvoir dans l'entreprise ?

4) Quel a été le résultat de l'annonce passée dans *Le Moniteur* ? Pourquoi ?

5) Que propose Louise DURAND ?

6) Quelle contre-proposition lui fait Pierre DENOEL ? Pourquoi ?

7) Pourquoi Mme LECOINTE interrompt-elle l'entretien ?

CÔTÉ JARDIN

■ VOCABULAIRE ET EXPRESSIONS

bac (le)	= *(abr. fam.)* le baccalauréat
boulot (le)	= *(pop.)* le travail
bouquin (un)	= *(pop.)* un livre
chapeau !	= *(fam.)* bravo !
compta (la)	= *(abr. fam.)* la comptabilité
ça fait une paye	= *(fam.)* cela fait très longtemps
être du sport	= *(fam.)* être difficile
fac (la)	= *(abr. fam.)* la faculté
redoubler	= recommencer une classe après un échec
vieux (mes)	= *(pop.)* mes parents

□ QUESTIONS SUR LE DIALOGUE

1) Pourquoi Sylvie est-elle surprise de rencontrer Julien ?

2) Où habite Julien ?

3) Quelles études poursuit-il ? Est-ce cela qu'il souhaitait faire tout de suite après le bac ?

4) Quelles études Sylvie a-t-elle faites ? Pourquoi ?

5) Quelles démarches a-t-elle entreprises ?

6) À quelles difficultés s'est-elle heurtée ?

7) A-t-elle de l'espoir ? Pourquoi ?

8) Lucien est-il confiant dans son propre avenir professionnel ?

BÂTIMENT - SOCIAL

Conditions de travail :
les salariés sont consultés

Maquette du parc St-Christophe à Cergy-Pontoise

Pour préparer les 3 500 salariés
du groupe Spie-Batignolles
à leur futur lieu de travail,
rien de tel qu'une bonne
concertation.
Une démarche originale pour
un déménagement hors du commun.

*Boîtes à idées, cercles de qualité, entretiens individuels...
Chez Spie, on n'a pas lésiné sur les moyens pour faire
de ce déménagement l'affaire de tous.*

Aider 3 500 personnes provenant de quinze établissements différents à emménager dans un nouveau siège social situé à Cergy-Pontoise : voilà un vrai casse-tête ! Le groupe Spie-Batignolles se mobilise actuellement pour réussir ce transfert professionnel, qui pose un grand nombre de problèmes personnels à ses salariés. [...]

La direction du personnel a pris la balle au bond* en créant, dès 1984, une cellule d'information interne centrée sur le parc Saint-Christophe. *« Au début, tout le monde était un peu sceptique et méfiant sur ce qui allait se passer »*, note Nicole Fabiani, responsable de cette cellule. Depuis lors, elle a distribué aux 3 500 personnes concernées une quinzaine de flashes* pratiques, un petit journal présentant l'avancement des travaux du siège, organisé des visites du chantier, ouvert une boîte à idées*. Une grande enquête, suivie d'entretiens individuels, a été menée afin d'évaluer tous les problèmes matériels de chacun (voir encadré) et mettre en place un arsenal de solutions.

Parallèlement, un comité interétablissements a réuni tous les deux mois les représentants du personnel des quinze sièges actuels. Ils se sont penchés, en groupes de travail ouverts, sur l'architecture, les transports et les conditions de travail.

L'idée de cercles de qualité a germé. *« Nous avons créé un comité de pilotage des cercles début 1986, définissant une dizaine de thèmes très concrets sur les* futures conditions de travail. Puis nous avons lancé un appel. Une cinquantaine de personnes se sont mobilisées. C'est peu, mais elles étaient très motivées »*, note Daniel Jarrin, qui a managé* cette opération. Il compte bien prolonger cette démarche par le lancement d'autres cercles de qualité sur le déménagement lui-même et, au-delà, amplifier la pratique des cercles, encore embryonnaire, dans tout le groupe.

Ces premières séries de réunions ont accouché* de nombreuses recommandations, discutées avec les responsables du projet, et dont *« 90 % seront suivies d'effets »*, selon Didier Guibert, le directeur du personnel. Des exemples ? Pour des raisons de sécurité, les participants aux cercles veulent rendre obligatoire le port du badge* sur le parc, ce que la direction n'avait pas songé à imposer. Une méthode et des critères d'affectation des bureaux ont été discutés et retenus : le premier schéma d'implantation est actuellement en cours de négociation. [...]

Le bilan de cette démarche participative* sera largement diffusé dans les mois qui viennent. À la mi-juin, un week-end « portes ouvertes* » sur le parc devrait permettre de familiariser le personnel à son futur environnement. Il restera ensuite quelques petits mois pour régler la lourde mécanique du déménagement physique. Les têtes, elles, ont déjà pris possession des lieux.

Relogement ou transport ?

— 8 % des salariés concernés par le transfert à Cergy-Pontoise disent avoir l' « impossibilité » de suivre. Le groupe organisera pour eux des aides au départ. [...]

— 30 % envisagent de déménager personnellement afin de se rapprocher de Cergy. Spie a obtenu des conditions particulières d'accès à certains programmes immobiliers proches du parc et à des prêts bancaires. [...]

— 56 % utiliseraient le R.E.R. pour se rendre de leur domicile actuel au nouveau siège. Mais 49 % estiment qu'ils mettraient plus d'une heure pour faire ce trajet, contre 30 % actuellement pour aller à leur bureau. Cette gêne justifie bon nombre de déménagements. Spie mettra en place une navette permanente entre la gare R.E.R. et le parc.

— 15 % mentionnent la perte d'emploi du conjoint en cas de déménagement. Une procédure d'assistance à la recherche d'emploi sera bientôt mise en place.

TERTIEL N° 25 - JUIN 1987 - VINCENT NOUZILLE.

Cergy St-Christophe

■ VOCABULAIRE ET EXPRESSIONS

accoucher (de)	=	*(fam.)* produire — souvent après un effort
badge (un)	=	*(ang.)* insigne permettant d'identifier la personne qui le porte
boîte à idées (une)	=	boîtes disposées en différents lieux de l'entreprise pour permettre au personnel de glisser des propositions écrites (idées, critiques, etc.)
flashe (un)	=	*(anglais)* une note courte d'information
manager	=	forme francisée du verbe anglais *to manage* — diriger
participatif	=	qui associe les participants à la décision
prendre la balle au bond	=	saisir avec à-propos une occasion qui vous est offerte
« portes ouvertes » (opération)	=	manifestation de relations publiques au cours de laquelle des membres extérieurs à l'entreprise sont invités à visiter celle-ci

□ QUESTIONS SUR LES DOCUMENTS

1) Où est situé le nouveau siège social de Spie ? D'où viennent les 3 500 salariés qui vont s'y installer ?
2) Quand a été mise en œuvre l'action d'information du personnel ? Qui l'a organisée ?
3) Quels problèmes pose un déménagement d'une telle ampleur ?
4) Citez différentes mesures d'information et de participation choisies par l'entreprise.
5) Qui a participé aux cercles de qualité ?
6) Quelles propositions les cercles ont-ils faites ?
7) Parmi les personnes concernées par l'installation du nouveau siège social à Cergy-Pontoise :
— quel pourcentage doit déménager ? pourquoi ?
— quel pourcentage doit démissionner ?
8) Quelle est la durée du trajet en R.E.R. pour certains employés ? Qu'en pensez-vous ?
9) Quelles sont les mesures prises par Spie pour aider ses collaborateurs ?

Comment libérer le temps de travail ?

Variables, modulables, adaptables, il y a belle lurette que les entreprises assouplissent leurs horaires et flexibilisent la durée du temps de travail. [...]
Dès les années soixante-dix, les horaires au choix ont fleuri çà et là. [...] Les années quatre-vingt auront été celles de la modulation de la durée annuelle du travail, et celles du temps partiel : on travaille plus quand le carnet de commandes est rempli et moins quand il maigrit. Mais les machines, elles, n'arrêtent plus de tourner. Aux hommes de s'organiser.
Avec 1793 heures de travail par an, nous sommes, selon une étude du patronat allemand, dans le peloton de tête de la réduction de la durée du temps de travail dans l'industrie. Derrière l'Allemagne (1 708), les Pays-Bas et la Belgique. Mais devant l'Italie et la Grande-Bretagne, les États-Unis (1 912), la Suisse et le Japon (2 166).
La réduction de la durée du temps de travail touchera-t-elle bientôt son plancher ? Probablement. [...]
L'imagination, en tout cas, est déjà au pouvoir dans les entreprises pour concilier les contraintes techniques et économiques avec les souhaits des salariés. Il existe aujourd'hui de nombreux virtuoses de l'aménagement du temps de travail. Ils utilisent un, deux ou trois instruments de la panoplie du « parfait aménageur ». [...]

L'ENTREPRISE N° 23 - MAI 1987.

Paris Air Show

Ouvert du 11 au 21 juin, le Salon du Bourget est plus international et plus professionnel que jamais. Celui qu'aux quatre coins de la planète on appelle le « Paris Air Show » a, malgré ses 80 ans, conservé son leadership* mondial. Cette année, les exposants, venant de 31 pays, sont au nombre de 1 454 ; 300 de plus qu'en 1985. Une information de taille : Airbus Industrie annonce le lancement de son long-courrier, l'A 340.

On a peine à le croire, mais ce Salon abrite *in situ* — visiteurs exclus, bien sûr — 25 000 personnes ! Il rapporterait à l'économie française la bagatelle de 2 milliards de francs (montant des dépenses globales engagées par ses exposants et ses visiteurs).

LE POINT N° 769 - 15 JUIN 1987 - JEAN-PIERRE ADINE.

Ariane
et ses prétendants

L'impressionnant carnet de commandes d'Arianespace affiche complet jusqu'en janvier 1991 ; quarante-six satellites à lancer sur trente fusées (grâce aux lancements doubles) soit 15 milliards de francs de contrats fermes (2,5 milliards de dollars). Vingt-quatre réservations sont déjà enregistrées pour les années 90. Le marché international pourra-t-il absorber les capacités de lancement offertes à partir de 1991 des deux côtés de l'Atlantique ? Arianespace prévoit huit ou neuf tirs par an. Et ses trois concurrents dix ou onze au total. Cela représente, compte tenu des lancements doubles, un potentiel d'une trentaine de satellites (sans compter les « outsiders* » possibles, Chinois et Soviétiques qui, depuis un peu plus d'un an, proposent leurs services à des prix de dumping*).

Lancement d'Ariane

Mais, selon les plus récentes études américaines, le marché devrait fournir à peine dix à quinze satellites par an sur la période 1991-1995 !

À elle seule, Arianespace pourrait couvrir la totalité des contrats avec son nouveau modèle Ariane 4. [...]

VALEURS ACTUELLES - 29 JUIN 1987 - CHARLES CHATELIN.

Le bonheur d'Ariane...

Les fusées heureuses n'ayant pas d'histoire, il y a peu à dire sur le succès d'Ariane, qui, pour son vingtième tir, a mis en orbite, le samedi 21 novembre, le satellite ouest-allemand de télévision directe T.V.-Sat 1. Rarement l'affaire fut aussi promptement expédiée*. Pas le moindre arrêt dans la préparation du tir, pas la moindre inquiétude côté météorologie, pas la moindre difficulté de transmission entre les diverses stations (Kourou en Guyane, Natal au Brésil, l'île de l'Ascencion, Libreville au Gabon) qui suivent le lanceur pendant les quelque vingt minutes qu'il lui faut pour traverser l'Atlantique et lâcher son satellite sur la bonne orbite... [...]

Heureux étaient les responsables d'Arianespace. Ce deuxième succès consécutif renforce leur conviction d'avoir maîtrisé l'allumage du troisième étage, défaillant lors des quinzième et dix-huitième tirs. Heureux aussi les dirigeants ouest-allemands, qui tenaient beaucoup à ce que T.V.-Sat 1 ouvre l'ère en Europe de la télévision directe par satellite. [...]

Mais plus qu'heureux : rayonnants, exultants... ceux qui n'étaient en principe pas directement concernés par ce tir : les industriels français de l'électronique. Pour M. Bonnet, président du Syndicat des industries de matériels audiovisuels électroniques (SIMAVELEC), la mise en orbite de T.V.-Sat 1 devrait [...] marquer « *le début du processus technique irréversible que les Européens ont initié pour la télévision du futur et particulièrement pour la télévision à haute définition* ».

LE MONDE - 22 NOVEMBRE 1987 - MAURICE ARVONNY.

■ VOCABULAIRE ET EXPRESSIONS

dumping (le)	= *(ang.)* technique qui consiste à baisser les prix à l'exportation pour envahir les marchés étrangers
expédié	= *(fam.)* terminé, réalisé
leadership (le)	= la prééminence
outsider (un)	= *(ang.)* un concurrent sur lequel on ne parierait pas, qui, *a priori*, n'a aucune chance de gagner

Sur les ailes du futur

Pour la « division avions » de l'Aérospatiale, le futur vole déjà. C'est l'Airbus A 320, dont le premier exemplaire vient d'être livré, le 28 mars, à Air France. L'A 320, « enfant de l'informatique et des matériaux composites », est le petit dernier du meilleur de la technologie européenne. [...]

L'ordinateur a tout fait ou presque : la conception des formes, le dessin des pièces (33 000), le contrôle de la qualité, des essais, etc.

L'utilisation des matériaux composites a permis de diminuer de façon notable la masse de certains éléments de structure. En aéronautique, un gramme gagné représente une économie de plusieurs dizaines de milliers de francs dans les coûts de production et de maintenance. [...]

Les résultats acquis entraînent déjà de nouveaux besoins dans cette « recherche de l'excellence ». D'ici à 1992, l'Aérospatiale va investir 10 milliards de francs supplémentaires pour le développement et les études sur la famille Airbus. [...]

VALEURS ACTUELLES - 18 AVRIL 1988 - FRÉDÉRIC PONS.

□ QUESTIONS SUR LES DOCUMENTS

1) Combien de satellites Ariane doit-elle lancer d'ici à janvier 1991 ?
2) Quel problème risque de se poser à partir de 1991 ?
3) Quels sont les pays actuellement en concurrence sur le marché de l'espace ?
4) Quelle a été la mission de la fusée Ariane le 21 novembre ?
5) Comment s'est déroulé ce tir ?
6) Pourquoi les responsables d'Ariane étaient-ils si contents ?
7) Quel était le motif de satisfaction des dirigeants ouest-allemands ?
8) Pourquoi les industriels français de l'électronique étaient-ils si satisfaits ?
9) Pourquoi a-t-on surnommé l'A 320 l'« enfant de l'informatique » ?
10) Quel avantage présente pour un avion l'utilisation de matériaux composites ?

Un hydravion gros porteur...
d'espoir

1 000 tonnes, 8 réacteurs (3 Boeing 747 à lui seul) : l'idée est dans l'air.

Ils ont écrit certaines des plus belles pages du roman de l'aviation, mais on les croyait — tout comme les dinosaures — disparus à jamais. Voici pourtant qu'on ouvre à nouveau le grand dossier des hydravions.

« Combien coûteraient le développement et la construction d'un hydravion de 1 000 tonnes, équipé de huit à dix réacteurs existants, et capable de transporter sur 7 000 kilomètres 400 tonnes de fret ? » Telle est la question que va prochainement poser à toutes les grandes firmes aéronautiques (l'association internationale) Hydro 2000. [...]

Pourquoi ce surprenant retour de l'hydravion ? Simple : il semblerait que l'avion ne puisse plus grossir beaucoup. Pour au moins trois bonnes raisons :

● Les trains d'atterrissage deviennent les points faibles des mastodontes volants. L'un des plus lourds appareils qui soient, le Galawy, en service dans l'U.S. Air Force, a besoin de vingt-huit roues pour décoller et atterrir. La masse de ces trains devient rédhibitoire ; leur complexité, un défi à la sécurité.

● Avec la taille grandissante des avions, c'est la solidité des pistes, et leur longueur, qu'il faut augmenter. Or nombre d'aéroports sont déjà atteints de gigantisme. Faut-il les agrandir encore, et comment ?

● D'autant que l'urbanisation galopante s'oppose désormais à la prolifération des aéroports (dont beaucoup, pourtant, arrivent à saturation). D'ailleurs les populations sont, de nos jours, prêtes à se battre contre ces grands dévoreurs d'espace et les nuisances qu'ils entraînent. Face à ces limites, Hydro 2000 note que les hydravions géants de demain pourraient décoller et atterrir sur les innombrables plans d'eau existants, à commencer par les rades ou les avant-ports qui jalonnent les côtes des continents.

Leur fuselage-coque, large de dix mètres et long d'une bonne centaine, « avalerait » tous les types de containers, y compris les containers maritimes. Du coup, les infrastructures portuaires suffiraient à leur charge-

Un hydravion

ment : que ce dernier s'effectue par le nez ouvrant des appareils... ou, mieux encore, par des portes dorsales, comme sur les cargos. [...]

Reste à convaincre les transporteurs et les avionneurs que l'avenir du plus lourd que l'air appartient... aux hydravions. Hydro 2000 s'y emploie avec ténacité. [...] Compte tenu des projets des Boeing, Airbus et autres Douglas, « l'hydravion polyvalent de 1 000 tonnes » n'est peut-être pas pour l'immédiat. Mais, la saturation des aéroports aidant, il se peut que le temps travaille pour les prophètes d'Hydro 2000.

LE POINT N° 754 - 2 MARS 1987 - JEAN-PIERRE ADINE.

☐ QUESTIONS SUR LE DOCUMENT

1) Pourquoi l'auteur de cet article compare-t-il l'hydravion à un dinosaure ?
2) Qu'est-ce que Hydro 2000 ?
3) Pour quelles raisons l'avion ne peut-il plus grossir ?
4) Où se poseront les hydravions ?
5) Comment s'effectuera le chargement des hydravions ?
6) Quels seront vraisemblablement les freins au développement des hydravions ?

ARTS ET PATRIMOINE : LA VILLETTE

La Cité des sciences et de l'industrie

Vue intérieure du musée

Tout à la fois centre d'exposition, de documentation, de communication et de recherches, la Cité des sciences et de l'industrie présente les grandes réalisations technologiques de notre temps. Chacun pourra y appréhender concrètement le monde scientifique et technique d'aujourd'hui, découvrir et préparer le monde de demain.

Dans l'exposition permanente « *Explora* », quatre quartiers pour l'homme :
- « De la terre à l'univers »
- « L'aventure de la vie »
- « La matière et le travail de l'homme »
- « Langages et communication »

Des expositions temporaires, parfois itinérantes, la complètent. Elles expliquent l'actualité ou approfondissent un sujet à travers ses conséquences économiques, sociales, artistiques...

La Villette : Cité des sciences et de l'industrie : la Géode

que*, la médiathèque est consultable même à distance par télématique*. Certaines parties sont réservées aux enfants et aux chercheurs.

L'espace entreprise accueille les entreprises pour mieux faire connaître, par des expositions et des débats, leurs activités et leurs réalisations.

La salle sciences actualité, conçue comme un magazine multimédia* animé par des journalistes scientifiques, développe les événements scientifiques et leur impact* sur la vie quotidienne.

La maison de l'industrie, centre d'information sur l'industrie française, vous documente sur toutes les branches de l'économie du pays (expositions, débats et films).

Le ciné-club Louis-Lumière offre une programmation ininterrompue de films à caractère scientifique, technique et industriel.

Le planétarium pouvant accueillir 260 spectateurs fait vivre l'actualité de l'astrophysique avec des images en provenance directe des observatoires du monde entier.

La Cité des sciences et de l'industrie propose aussi des services réservés aux professionnels : une médiathèque spécialisée, des ateliers et clubs scientifiques, un centre de formation, un centre de recherche en histoire des sciences et des techniques, une maison des régions, un centre international de conférences.

BROCHURE SUR LA VILLETTE 1987.

L'inventorium, salles petite enfance pour les 3 à 7 ans et salles de découverte pour les 7 à 11 ans. Ces espaces les accueillent seuls ou accompagnés, les aident à établir leur premier contact avec le monde des sciences et à développer leur curiosité. Les élèves de 8 à 16 ans viendront en classe Villette : classes de « découverte » technique et industrielle.

*La médiathèque**, l'un des centres de documentation les plus modernes du monde, le premier à utiliser un robot pour la sélection et la consultation des vidéodisques. À la fois bibliothèque, vidéothèque* et didacthèque*, la médiathèque...

■ VOCABULAIRE ET EXPRESSIONS

didacthèque (une)	= une bibliothèque d'outils de formation
impact (un)	= *(ici)* une conséquence, une influence
médiathèque (une)	= une bibliothèque de médias (livres, mais aussi cassettes vidéo, disques, cassettes, disques compacts, etc.)
multimédia	= qui fait appel à plusieurs médias
télématique (la)	= l'ensemble des techniques de communication
vidéothèque (une)	= une bibliothèque de vidéocassettes ou de vidéodisques

Un pari pour le xxie siècle

La Cité de la musique, c'est officiel, sera bien construite à la Villette. Si le programme ne prend pas trop de retard, elle devrait ouvrir ses portes en 1992. Il est plus que temps. La future Cité de la musique occupera 23 000 m². Le coût du projet s'élève à 630 millions de francs.

[...] À la Villette, trois classes « publiques » apporteront aux élèves l'expérience de situations professionnelles. L'une, de deux cent cinquante places, est destinée à l'orgue et à la musique de chambre. Pour l'art lyrique, un petit théâtre à l'italienne de quatre cents places sera construit, avec fosse d'orchestre, cage et dessous de scène.
Enfin, un atelier de 400 m² permettra de présenter des spectacles mêlant plusieurs disciplines, œuvres contemporaines originales et danse comprises. [...]
La composition sera enseignée dans des salles de cours aux isolements phoniques très performants. Son enseignement intégrera les technologies les plus pointues* regroupées dans un ensemble de 350 m² spécialement équipé. Une médiathèque multimédia de 1 000 m², un centre audiovisuel, lieu privilégié de l'initiation à l'enregistrement et à la reproduction et un gymnase compléteront ces installations. [...]

Le musée sera, à la Villette, entièrement réorganisé. « Il ne se contentera pas de présenter une typologie des instruments de musique, précise Marc Bleuse [directeur du Conservatoire national de musique], le public pourra suivre leur évolution à travers les âges, mais il pourra aussi les entendre. Il sera ponctué* de « loges », où, à heures fixes, les élèves interpréteront des œuvres. [...]
Espérons seulement que le fonctionnement de ce laboratoire sera à la hauteur de son ambition : préparer le xxie siècle de la musique française. Histoire de faire mentir Rousseau : « *Le Français*, écrivait-il, *paraît être de tous les peuples celui qui a le moins d'aptitude à la musique.* »

LE MONDE - 24 JUILLET 1986 - EMMANUEL DE ROUX.

■ **VOCABULAIRE ET EXPRESSIONS**

pointu = *(ici)* dérivé de pointe : moderne, en avance
ponctué = *(ici imagé)* de même que la ponctuation sépare les différentes parties d'un texte et permet des pauses, les loges ou petites salles de concert sont disposées dans le musée pour séparer les différentes zones et permettre au visiteur de marquer un temps d'arrêt

☐ **QUESTIONS SUR LE DOCUMENT**

1) Quelles sont les caractéristiques les plus intéressantes du nouveau musée de la musique ?
2) À quoi serviront les classes publiques ?
3) En quoi cette Cité de la musique peut-elle faire mentir Jean-Jacques Rousseau ?

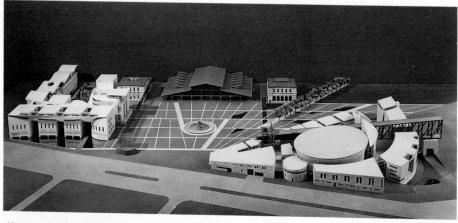

Maquette de la Cité de la musique de part et d'autre de la Grande Halle de la Villette

SOCIÉTÉ : JEUNES ET CHÔMAGE

Le facteur est un homme de lettres

C'est la ruée vers l'Administration.
Les candidats ne manquent pas de bagage.

[...] Par amour ou par raison, ils sont des centaines de milliers de candidats à postuler chaque année aux quelque deux cents concours qu'offrent les différents services de l'État. En 1984, 900 000 personnes au total se sont présentées pour 30 000 postes vacants dans l'Administration. [...] À ce phénomène, deux explications : la peur du chômage, qui incite les jeunes à opter pour la garantie de l'emploi, et les restrictions budgétaires, qui, depuis 1984, conduisent à refermer le robinet des recrutements de fonctionnaires. Les P.T.T., par exemple, gros employeur de l'État, offraient 22 500 postes en 1982 contre 3 700 en 1986. Afflux des candidatures d'une part, surqualification* des postulants d'autre part, telle est l'équation qui est en train de transformer silencieusement l'Administration. [...]

Qui sont donc ces 120 000 jeunes qui veulent devenir facteurs, ou ces 60 000 candidats à la profession de collecteur d'impôts* ?

Ils sont bacheliers, titulaires de licences, de maîtrises, voire de doctorats, et souffrent de « surdiplomite* », selon l'expression consacrée au ministère des Finances. C'est ainsi que le tiers des gardiens de la paix recrutés l'an dernier ont le baccalauréat, contre 10 % seulement en 1981. Alors qu'aucun diplôme n'est requis pour devenir préposé aux P.T.T.*, plus de la moitié des lauréats de 1986 sont bacheliers, et 7,5 % disposent d'un diplôme universitaire. En 1982, 30 % seulement des facteurs fraîchement recrutés avaient leur bac. [...]

Et que dire des innombrables candidats qui dissimulent leur véritable diplôme — comble de la modestie — et n'avouent que leur B.E.P.C., de peur que leur trop-plein de diplômes ne les desserve... *« Cette situation n'est pas sans poser de problèmes*, explique Dominique Le Vert, directeur général de l'Administration et de la Fonction publique. *S'il faut se réjouir de l'élévation générale du niveau, il faut en revanche se préoccuper des bouleversements que cela entraîne. »*

Comment regretter, en effet, qu'un nombre croissant de gardiens de la paix ou de facteurs soient bacheliers ? Mais comment adapter par ailleurs une administration routinière et hiérarchisée à ce nouveau flux de surdiplômés ? D'une part, c'est la notion même d'égalité des chances qui se trouve affectée. Un concours où moins de 1 % des candidats sont reçus finit par ressembler à une loterie. [...] D'autre part, beaucoup de fonctionnaires surdiplômés manifestent des exigences de carrière inhabituelles. Parce qu'ils jouissent d'un niveau d'études supérieur aux responsabilités qu'on leur confie, ils éprouvent la tentation permanente de contester leur hiérarchie et profitent de toutes les opportunités de carrière par le biais des concours internes. Ce faisant, ils ralentissent la promotion sociale à l'intérieur de l'Administration. [...]

LE POINT N° 754 - 2 MARS 1987 -
SOPHIE COIGNARD et CHRISTIAN MAKARIAN.

■ VOCABULAIRE ET EXPRESSIONS

collecteur d'impôts (un)	= un percepteur
préposé aux P.T.T. (un)	= un postier, un facteur
surdiplomite (la)	= *(néologisme)* la situation dans laquelle un candidat cumule trop de diplômes pour un poste donné
surqualification (une)	= *(prof.)* une qualification excessive par rapport au niveau du poste

□ QUESTIONS SUR LE DOCUMENT

1) Sur quel jeu de mots est construit le titre de cet article ?
2) Combien de concours sont organisés chaque année par l'Administration française ?
3) Combien de candidats se sont présentés en 1984 ?
4) Combien de postes étaient à pourvoir ?
5) Pourquoi tant de jeunes veulent-ils entrer dans l'Administration ? Est-ce un problème nouveau ?
6) Pourquoi certains candidats cachent-ils leurs diplômes ?
7) Quels problèmes pose à l'Administration et aux candidats la « surdiplomite » ?
8) Pourquoi « la notion même d'égalité des chances » se trouve-t-elle affectée par la situation actuelle ?

Chômage : le choc du futur

En France, 3,6 millions de personnes devraient être touchées par le chômage à la fin de 1992, cela en raison d'une croissance insuffisante de l'économie dans les prochaines années. Telles sont les conclusions d'une étude que publie le Sénat, et selon laquelle 550 000 emplois pourraient disparaître d'ici à 1992.

Pour stabiliser le chômage, il faudra créer 2,3 millions d'emplois d'ici à 2003. C'est ce qui ressort d'une étude de l'I.N.S.E.E. sur la projection de la population active disponible entre 1985 et 2010. La population active va continuer d'augmenter jusqu'en 1990 à un rythme très soutenu : 0,8 % par an, soit un apport annuel de 190 000 personnes, puis de plus en plus lentement : + 0,6 % entre 1990 et 1995, + 0,4 % entre 1995 et 2010.

LE POINT N° 769 - 15 JUIN 1987.

A.N.P.E. : l'antichambre

[...] Quand un garçon sur quatre et une fille sur trois sont au chômage — c'est le cas en Loire-Atlantique —, l'A.N.P.E. prend fatalement à certaines heures, des allures de maison des jeunes. Depuis quinze ans, au plan national, les effectifs recensés y ont été multipliés par huit, mais les membres de ce club-là ont de singulières motivations : ils le fréquentent avec d'autant plus d'assiduité qu'ils aspirent à s'en évader !

L'EXPANSION - 25 NOVEMBRE 1987 - BERNARD LALANNE.

La carte de France du chômage - © LE POINT N° 772 - 6 juillet 1987

Enseignants : drôle d'image

Une société a l'école qu'elle mérite

De l'estime, sans doute, et peut-être même de la considération ; du prestige, certainement pas. Vous venez, comme moi, de prendre connaissance de ce sondage Sofres sur l'image des enseignants auprès du grand public : il est contradictoire. Ne cherchons surtout pas à y introduire une cohérence artificielle. Car ces contradictions sont significatives des sentiments ambivalents des Français à l'égard de ces femmes et de ces hommes qui ont pour mission d'instruire ou d'éduquer leurs enfants. De part et d'autre, c'est le malaise. [...]

Une société a l'école qu'elle mérite, on me pardonnera ce truisme nécessaire. Une société qui repeint ses commissariats de police avant ses salles de classe fait évidemment un choix politique. On n'en a pas conscience, mais elle le fait. Une société qui met les éleveurs de chevaux à cent coudées* au-dessus des éducateurs d'enfants avoue ses véritables priorités. Une société qui paie Collaro dix ou vingt fois plus qu'un professeur au Collège de France ne sait peut-être pas ce qu'elle fait, mais le fait bien. Et qu'on ne me dise pas que l'exemple n'est pas significatif. Dans une société « libérale », l'échelle des rémunérations traduit fidèlement l'ordre des préférences. Dis-moi où tu mets ton fric*, je te dirai où tu mets ton cœur.

Cessons donc de raconter des histoires édifiantes et de verser des larmes de crocodile*. Si l'enseignement a si peu d'argent, si peu de prestige social, c'est parce qu'il n'est plus considéré comme une chose importante par les classes privilégiées. [...] Que désormais, dans le stock des connaissances des adultes, l'école ne compte plus que pour la moitié est une chose normale. Mais que les Français ne comprennent pas que l'école, comme ordonnatrice du savoir, n'en est que plus essentielle est une chose triste au pays de Descartes. La vérité est que nous sommes entrés dans une époque obscurantiste qui, tout normalement, méprise ses enseignants. Notre époque est obscurantiste non à cause d'un défaut de lumières, mais à cause de la dictature des plus bornés. [...]

LE NOUVEL OBSERVATEUR - 10 SEPTEMBRE 1987 - JACQUES JULLIARD.

■ VOCABULAIRE ET EXPRESSIONS

à cent coudées au-dessus	= très au-dessus
fric (le)	= (pop.) l'argent
verser des larmes de crocodile	= (fam.) se comporter de manière hypocrite

□ QUESTIONS SUR LE DOCUMENT

1) Quelle image les Français ont-ils de leurs enseignants ?
2) Pourquoi consacre-t-on si peu d'argent à l'enseignement ?
3) Quels exemples l'auteur donne-t-il pour décrire l'échelle de valeurs de notre société ?
4) Quel devrait être, d'après l'auteur, le rôle de l'école ? Pouquoi ?
5) Pourquoi notre époque est-elle « obscurantiste » ?

Avez-vous le sentiment qu'aujourd'hui l'image des enseignants auprès des Français est plutôt en train de s'améliorer ou de se détériorer ?

	%
Elle s'améliore	10
Elle se détériore	59
Ni l'un ni l'autre	23
Sans opinion	8
	100

Parmi les qualificatifs suivants, quels sont les deux qui, selon vous, s'appliquent le mieux aux enseignants ?

	%	Rang
Dévoués	54	1
Paresseux	7	6
Motivés	24	4
Privilégiés	28	3
Travailleurs	19	5
Découragés	35	2
Sans opinion	6	
	(1)	

(1) Le total des pourcentages est supérieur à 100, les personnes interrogées ayant pu donner deux réponses.

LE NOUVEL OBSERVATEUR - 10 SEPTEMBRE 1987.

Pourquoi vos enfants lisent si mal

Statistique effrayante mais aujourd'hui incontestée : un élève sur cinq qui franchit les portes du collège n'a pas réglé ses défaillances de lecture. Tous ceux-là partent dans la course aux diplômes avec un handicap très lourd à remonter : comment comprendre un problème de maths quand on peine pour en saisir l'énoncé ? Comment assimiler une leçon d'histoire ou de géographie sans posséder le sens de l'écrit ? Pour la plupart, le drame de l'échec scolaire, enclenché dès le cours préparatoire, débouche sur les voies de garage* et les culs-de-sac de l'Éducation nationale. Les statistiques sont claires : le butoir* de la lecture détermine largement l'avenir scolaire de chaque enfant. [...]
Les arguties* sans fin sur la pédagogie et l'analyse comparée des différentes méthodes d'apprentissage de la lecture continuent de sévir. En fait, cette querelle stérile et interminable masque trop souvent les vrais problèmes. La responsabilité de l'école dans ce désastre éducatif ne peut en effet être passée sous silence. Compte tenu des divers règlements administratifs, comme du manque de coordination au sein des écoles, chaque enfant est tenu d'apprendre à lire entre 6 et 7 ans. Malheur au pauvre retardataire à qui l'envie de découvrir l'écrit ne viendra que passé son septième anniversaire. Il sera probablement, entre-temps, entré dans le cercle vicieux de l'échec scolaire. Malheur également aux petits précoces, qui manifestent trop tôt le désir de déchiffrer. [...]

La participation des parents est un des nœuds du problème. Si les enfants considèrent la lecture comme une activité uniquement scolaire, déconnectée de leur vie quotidienne, ils risquent de ne jamais s'y consacrer volontairement. Voir ses parents lire à la maison, recevoir des encouragements à la lecture, permet souvent d'éviter une telle coupure. Mais 26 % de la population adulte ne lit *jamais*, et 20 % des Français ne possèdent aucun livre chez eux. L'environnement de l'enfant, enfin, s'est modifié très rapidement au cours des vingt à trente dernières années. La télévision ou les jeux vidéo sont des distractions qui réclament peu d'efforts et de concentration. Quand il entre en cours préparatoire, l'enfant n'a pas acquis les facultés de concentration indispensables à la lecture. [...]

Tandis que la scolarité s'allongeait et mettait en lumière les carences du système scolaire, les exigences de la société se sont fortement accrues. Hier encore, des capacités de lecture mal assurées n'interdisaient pas de trouver une place dans la société, qui ne réclamait rien de plus que l'alphabétisation du plus grand nombre. Aujourd'hui, accepter que 20 % des jeunes connaissent des difficultés de lecture flagrantes, c'est les condamner, de manière presque irrémédiable, à l'exclusion. Quel métier évite encore toute référence à l'écrit ? Quelle activité associative dispense de savoir lire ? L' « honnête homme », à l'approche de l'an 2000, doit aussi être un lecteur. C'est un impératif social. C'est aussi une exigence économique.

LE POINT Nº 791 - 16 NOVEMBRE 1987 - SOPHIE COIGNARD et VÉRONIQUE MAUMUSSON.

■ **VOCABULAIRE ET EXPRESSIONS**

argutie (une)   = *(ici)* une discussion, une chicane
butoir (un)   = *(fig.)* limite à laquelle on se heurte
voie de garage (une)   = une situation sans issue

□ **QUESTIONS SUR LE DOCUMENT**

1) Quel est la proportion des enfants qui entrent au collège sans savoir lire ?
2) Pour quelles raisons cette insuffisance constitue-t-elle un handicap très lourd ?
3) Pour quelles raisons l'enfant n'est-il pas motivé à lire ?
4) Quel est le rôle de l'école et celui des parents dans le processus d'apprentissage de la lecture ?
5) Pourquoi le fait de ne pas savoir lire est-il un handicap particulièrement grave à notre époque ?

1868 - Alphonse Daudet se souvient...

« Le pion »

*Le maître d'école -
Gravure (XIXᵉ)*

Je pris donc possession de l'étude des moyens.

Je trouvai là une cinquantaine de méchants drôles, montagnards joufflus de douze à quatorze ans, fils de métayers enrichis, que leurs parents envoyaient au collège pour en faire de petits bourgeois, à raison de cent vingt francs par trimestre.

Grossiers, insolents, orgueilleux, parlant entre eux un rude patois cévenol auquel je n'entendais rien, ils avaient presque tous cette laideur spéciale à l'enfance qui mue, de grosses mains rouges avec des engelures, des voix de jeunes coqs enrhumés, le regard abruti, et par là-dessus l'odeur du collège... Ils me haïrent tout de suite, sans me connaître. J'étais pour eux l'ennemi, le Pion ; et du jour où je m'assis dans ma chaire, ce fut la guerre entre nous, une guerre acharnée, sans trêve, de tous les instants.

Ah ! les cruels enfants, comme ils me firent souffrir !... Je voudrais en parler sans rancune, ces tristesses sont si loin de nous !... Eh bien ! non, je ne puis pas ; et tenez ! à l'heure même où j'écris ces lignes, je sens ma main qui tremble de fièvre et d'émotion. Il me semble que j'y suis encore.

Eux ne pensent plus à moi, j'imagine. Ils ne se souviennent plus du petit Chose, ni de ce beau lorgnon qu'il avait acheté pour se donner l'air plus grave... Mes anciens élèves sont des hommes maintenant, des hommes sérieux. Soubeyrol doit être notaire quelque part, là-haut, dans les Cévennes ; Veillon (cadet), greffier au tribunal ; Loupi, pharmacien, et Bouzanquet, vétérinaire. Ils ont des positions, du ventre, tout ce qu'il faut.

Quelquefois, pourtant, quand ils se rencontrent au cercle ou sur la place de l'église, ils se rappellent le bon temps du collège, et alors peut-être il leur arrive de parler de moi.

— Dis donc, greffier, te souviens-tu du petit Eyssette, notre pion de Sarlande, avec ses longs cheveux et sa figure de papier mâché ? Quelles bonnes farces nous lui avons faites !

C'est vrai, messieurs, vous lui avez fait de bonnes farces, et votre ancien pion ne les a pas encore oubliées...

Ah ! le malheureux pion ! vous a-t-il assez fait rire ! L'avez-vous fait assez pleurer !... Oui, pleurer !... Vous l'avez fait pleurer, et c'est ce qui rendait vos farces bien meilleures...

Que de fois, à la fin d'une journée de martyre, le pauvre diable, blotti dans sa couchette, a mordu sa couverture pour que vous n'entendiez pas ses sanglots !...

C'est si terrible de vivre entouré de malveillance, d'avoir toujours peur, d'être toujours sur le qui-vive, toujours méchant, toujours armé, c'est si terrible de punir — on fait des injustices malgré soi —, si terrible de douter, de voir partout des pièges, de ne pas manger tranquille, de ne pas dormir en repos, de se dire toujours, même aux minutes de trêve : « Ah ! mon Dieu !... Qu'est-ce qu'ils vont me faire maintenant ? »

Non, vivrait-il cent ans, le pion Daniel Eyssette n'oubliera jamais tout ce qu'il souffrit au collège de Sarlande, depuis le triste jour où il entra dans l'étude des moyens.

LE PETIT CHOSE - ALPHONSE DAUDET

UN PARFUM

AU SOMMAIRE DU DOSSIER 3

D' EXCELLENCE...

LA RÉGION

ÎLE-DE-FRANCE - PARIS

Paris, quais de la Seine. Au fond l'île de la Cité

Capitale de la France, Paris *intra-muros* compte 2 600 000 habitants. Depuis vingt ans, Paris est le lieu d'un exceptionnel mouvement de création architecturale : la Défense et son Arche, Beaubourg, La Villette, le musée d'Orsay, le Grand Louvre, l'Opéra de la Bastille, etc. Les moyens de communication ont été améliorés (implantation du R.E.R., ouverture du périphérique et des voies sur berges).

Le Paris traditionnel reste toutefois vivace, notamment les quais dont les poètes ont célébré le charme.

LE SECTEUR D'ACTIVITÉ

La parfumerie-cosmétologie est l'une des activités les plus réputées de l'industrie de luxe française. Au cours des années 80, cette branche a connu un véritable renouveau grâce à la modernisation des équipements de production et au regroupement d'entreprises autrefois artisanales.

CÔTÉ COUR...

Un parfumeur part en campagne

L'ENTREPRISE

Le laboratoire FARLA est l'un des chefs de file de la cosmétologie française. Réputé pour la qualité de ses produits, il a cherché à se diversifier en créant la ligne de parfums *Volupté*.

Son siège est installé dans un hôtel particulier du quai Henri-IV à Paris.

L'entreprise a participé au concours organisé par un magazine des affaires, « le Grand Prix de l'Excellence », qui récompense chaque année l'entreprise la plus performante dans le domaine de la qualité.

LA SITUATION

Lucien de MAILLEUR anime, dans son bureau, la réunion de travail hebdomadaire à laquelle participent son assistant Daniel ROLLIER et sa secrétaire Élizabeth MONTRON.

PROFILS

LUCIEN DE MAILLEUR
32 ans
Chef de Produits chez FARLA
Institut des sciences politiques, Institut supérieur de la Communication

DANIEL ROLLIER
26 ans
Chef de Produits adjoint
École supérieure de Commerce de Paris

LUCIEN DE MAILLEUR — Bonjour, Élizabeth, bonjour Daniel ! Ce matin, notre réunion sera brève, car je dois partir à 10 h. Élizabeth, pouvez-vous nous rappeler l'ordre du jour ?

ÉLIZABETH MONTRON — Tout d'abord les emballages de la ligne* *Volupté* :
5   nous devons prendre une décision en ce qui concerne la présentation-cadeau que vous souhaitiez mettre en place pour les fêtes de fin d'année.

DANIEL ROLLIER — J'ai contacté les fournisseurs capables de répondre à ce type de demande. Vous aurez une liste des propositions pour vendredi au plus tard. Cela vous convient ?

10 LUCIEN DE MAILLEUR — C'est parfait ! Mais vous pouvez dès à présent appeler l'agence de pub* : maintenant que le concept* « cadeau » est défini, ils peuvent plancher* sur les grands axes de la campagne pluri-médias...

DANIEL ROLLIER — Je les contacte ce matin. Mais êtes-vous sûr que le président ne risque pas de tout remettre en question ?

15 LUCIEN DE MAILLEUR — J'en fais mon affaire ! *(riant)* Du moment qu'on ne lui propose pas de parfumer le métro...

ÉLIZABETH MONTRON et DANIEL ROLLIER — Quoi ? Le métro ?

LUCIEN DE MAILLEUR — Oui, oui, parfumer les stations de métro... on en parle très sérieusement...

(Le téléphone sonne. Élizabeth MONTRON décroche.) 20

...

ÉLIZABETH MONTRON — Veuillez ne pas quitter, s'il vous plaît, je vous le passe *(à Lucien de MAILLEUR.)* C'est DARMON, le rédacteur en chef de *Hommes et affaires !*

LUCIEN DE MAILLEUR — *(au téléphone)* Lucien de MAILLEUR, je suis très 25 heureux de vous entendre, monsieur DARMON...

...

LUCIEN DE MAILLEUR — Ah ! vous m'en voyez ravi ! C'est une distinction très flatteuse, croyez que nous y sommes extrêmement sensibles !

... 30

LUCIEN DE MAILLEUR — Quand a lieu la remise des prix ?

...

LUCIEN DE MAILLEUR — Je suis persuadé que notre président souhaitera participer en personne à cette prestigieuse manifestation.

... 35

LUCIEN DE MAILLEUR — Je vous remercie : je suis à votre disposition si vous avez besoin d'informations particulières pour le reportage et le dossier de presse.

...

LUCIEN DE MAILLEUR — C'est entendu : nous restons en contact. Je vous 40 remercie encore. Au revoir monsieur ! *(Il raccroche et se tourne vers ses collaborateurs)* Je pense que vous avez compris ?

DANIEL ROLLIER — Ça y est... vous l'avez ?

LUCIEN DE MAILLEUR — *Nous* l'avons : le prix de l'Excellence...

ÉLIZABETH MONTRON — Formidable ! 45

DANIEL ROLLIER — Bravo !

LUCIEN DE MAILLEUR — Oui, cette fois-ci, nous sommes vraiment les meilleurs... et <u>ce n'est plus nous qui le disons,</u> c'est un jury international ! Je préviens le président : s'il est d'accord (et il sera certainement d'accord !), nous allons essayer de faire mousser* ce prix ! 50

ÉLIZABETH MONTRON — Que diriez-vous d'un cocktail ?

DANIEL ROLLIER — ... Sur une péniche amarrée à quelques mètres d'ici, le long du quai Henri-IV ? Nous pourrions inviter le maire de Paris : pour célébrer la rénovation du quai... : qualité des produits... et qualité de l'environnement... cela ferait un beau thème ! 55

LUCIEN DE MAILLEUR — En effet, c'est <u>séduisant...</u> mais je dois d'abord en informer le président... Élizabeth, pouvez-vous m'appeler sa secrétaire ? Nous poursuivrons après.

E - Les accords particuliers du verbe

F - Le participe présent - L'adjectif verbal

Un parfum pour belle-maman

La scène se déroule dans une parfumerie. Un client entre dans le magasin. Une vendeuse l'accueille.

LA VENDEUSE — Bonjour Monsieur, je peux vous renseigner ?

LE CLIENT — Oui, s'il vous plaît. Je cherche un parfum. C'est pour offrir.

LA VENDEUSE — C'est pour une dame ou une jeune fille ?

LE CLIENT — Ce serait pour ma belle-mère.

5 LA VENDEUSE — Oui, c'est une personne d'un certain âge...

LE CLIENT — Oui...

LA VENDEUSE — Comment est-elle ? Je veux dire comment s'habille-t-elle ? jeune ? classique ?

LE CLIENT — Plutôt classique, mais ça dépend des fois.

10 LA VENDEUSE — Bon et elle a le teint plutôt clair ou plutôt mat ?

LE CLIENT — Plutôt... clair.

LA VENDEUSE — Je vois. Alors j'ai quelque chose de très bien : *Volupté* de chez FARLA. C'est le tout dernier de la gamme, tenez...

LE CLIENT — Vous croyez que pour ma belle-mère... ?

15 LA VENDEUSE — Elle est brune ou blonde ?

LE CLIENT — C'est-à-dire qu'elle est plutôt poivre et sel, disons plutôt sel...

LA VENDEUSE — Alors je crois que *Volupté* lui ira très bien.

LE CLIENT — Ce n'est pas un peu fort ?

LA VENDEUSE — Pas du tout monsieur : vous savez, un parfum, ça sent très fort quand on le met et puis après, ça s'estompe... 20

LE CLIENT — Ah !...

LA VENDEUSE — Il est un peu capiteux, bien sûr, mais en même temps discret et sucré, avec une petite note orientale. Ça se fait beaucoup en ce moment, c'est très élégant, très mode !

LE CLIENT — Oui, justement ! C'est peut-être un peu trop mode, non ? 25

LA VENDEUSE — Sinon, j'ai ceci, qui est alors vraiment très très classique, de chez GALAIN.

LE CLIENT — Et il fait combien ?

LA VENDEUSE — 300 F le petit modèle, comme celui-ci.

LE CLIENT — Heu... oui. Vous n'avez rien d'un peu moins cher, mais qui 30
présente bien, avec une jolie boîte... qui fasse cadeau ?

LA VENDEUSE — Justement ! FARLA fait un conditionnement spécial-cadeau pour les fêtes de fin d'année. Tenez, regardez, voici le flacon petit modèle de *Volupté*, avec sa boîte... il vous fait seulement 250 F. Et je vous assure qu'il plaît beaucoup ! 35

LE CLIENT — Bon, eh bien, allons-y pour *Volupté !* Vous me faites un paquet-cadeau ?

LA VENDEUSE — Bien sûr, monsieur, et vraiment, je crois que vous avez fait le bon choix.

CÔTÉ COUR

■ VOCABULAIRE ET EXPRESSIONS

concept (un)	=	*(ici prof.)* l'idée, le thème de la campagne
faire mousser	=	*(fam.)* mettre en valeur
ligne (une)	=	*(ici prof.)* une ligne de produits, une gamme de produits
plancher	=	*(argot ici)* faire un exposé
pub (la)	=	*(fam. prof.)* la publicité

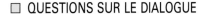

□ QUESTIONS SUR LE DIALOGUE

1) Quel est l'objet de la réunion ? Qui y participe ?
2) Pourquoi la réunion doit-elle se terminer avant 10 h ?
3) Que doit faire Daniel ROLLIER ?
4) Que doit faire l'agence de publicité pour cette campagne ?
5) Qui est M. DARMON ?
6) Quelle nouvelle annonce-t-il à Lucien de MAILLEUR ?
7) Qui Lucien de MAILLEUR souhaite-t-il prévenir en premier ?
8) Quelle manifestation Daniel ROLLIER propose-t-il d'organiser ?

CÔTÉ JARDIN

□ QUESTIONS SUR LE DIALOGUE

1) Quel portrait le client trace-t-il de sa belle-mère ?
2) Quels arguments la vendeuse utilise-t-elle pour convaincre le client de choisir *Volupté ?*
3) Quelles réserves le client formule-t-il à l'encontre de ce parfum ?
4) Quel autre parfum la vendeuse lui propose-t-elle ?
5) Quel argument va finalement emporter la décision du client ?

PARFUMERIE - COSMÉTOLOGIE

Le printemps des parfums

Contre-offensive du parfum
français, après la percée américaine
des années soixante-dix.
Sur un marché
qui s'élargit : longtemps
délaissé pour la vue et l'ouïe,
l'odorat retrouve son rôle culturel

La France a failli perdre son hégémonie dans l'industrie du parfum vers la fin des années soixante et le début des années soixante-dix. Les parfumeurs français avaient alors courbé l'échine sous l'assaut, répété et en règle, des parfumeurs américains, dont les chefs de file étaient — et sont toujours aujourd'hui — Avon et Estée Lauder. S'inspirant des techniques françaises de création, en faisant notamment appel à des « nez* » nationaux, les Américains avaient su « marquer » leur avantage grâce à un marketing* parfaitement rôdé : études poussées du produit avant le lancement, agressivité commerciale sur le terrain, appuyée par des investissements publicitaires et promotionnels colossaux.

Les parfumeurs français ont contre-attaqué tardivement, comme le boxeur groggy* qui vient de prendre un uppercut*, mais efficacement. « L'accident a finalement été salutaire », commente aujourd'hui M. Robert Leduc, président de la Fédération française de l'industrie des produits de parfumerie, de beauté et de toilette (F.F.I.P.P.B.T.). Coup sur coup, avec Opium d'Yves Saint-Laurent en 1977 et Anaïs-Anaïs de Cacharel en 1980 (L'Oréal), les parfumeurs français ont pu endiguer provisoirement l'offensive américaine, en attendant celle des Japonais (Shiseido, Kanebo).

Même si elle n'a pas perdu son cachet* de métier artisanal (dans la préparation des formules, par exemple), la parfumerie française est une industrie à part entière : avec ses usines, ses chaînes de conditionnement et d'emballage, ses investissements de productivité. « Le marché de la parfumerie est devenu un marché de très haute compétition », explique M. Michel Piétrini, président de Chanel. [... L'un] des hommes qui ont renouvelé la profession avec leur expérience de gestionnaire ou d'industriel.

De nombreuses maisons ont en effet ressenti à un moment ou à un autre de gros besoins de capitaux frais* pour financer leur développement, pour s'ajuster à la compétition internationale. [...]

L'élaboration d'un parfum est l'aboutissement du travail, souvent sur plusieurs années, d'une équipe menée par un décideur qui « assume » le lancement ou le

« non-lancement » du produit. Les grands noms de cette industrie ont tous connu, au moins une fois dans leur existence, le goût amer de l'échec.

Une stratégie de lancement repose, au départ, sur de l'intuition, la sensibilité du ou des « nez ». Mais elle suppose ensuite des investissements importants (achats de matières premières et de flacons, publicité) et parfois même des prouesses technologiques dans le détail. [...]

Le coût moyen d'un lancement mondial de parfum varie aujourd'hui entre 100 et 150 millions de francs, absorbés en grande partie par les médias (battage publicitaire* dans les magazines, à la radio, à la télévision et la publicité sur le lieu de vente, ou P.L.V. (présentoirs, échantillons). [...]

La technique d'approche en vue du lancement d'un nouveau parfum diffère selon les maisons. Les plus nombreuses privilégient le *jus* (le produit) et n'élaborent le discours publicitaire qu'en dernier lieu. D'autres procèdent en sens inverse : « *Il faut qu'il y ait une grande cohérence entre la marque, le jus, l'emballage et le discours publicitaire*, souligne M. Edme Nérot, président de la Française de soins et de parfums, filiale du groupe Unilever. *Le succès est assuré lorsque le discours arrive en premier. Il faut qu'il soit cohérent avec ce que fait le couturier.* »

Tous les couturiers ont leur parfum : de Lanvin à Jean-Louis Scherrer en passant par Courrèges, Nina Ricci, Cacharel... En propre ou, le plus souvent, sous forme de licence cédée à un industriel (L'Oréal par exemple). Cette liaison organique entre le parfum et la mode existe depuis plus de soixante-dix ans. Le premier est le prolongement naturel du second : il *se porte*, embellit, séduit, personnalise, il se change au gré des occasions, des saisons et de l'humeur. [...]

Il a fallu attendre les vingt dernières années pour voir s'entrouvrir le marché de la parfumerie alcoolique pour hommes, avec *Habit Rouge* de Guerlain, *Paco Rabanne* de Paco Rabanne, et *Eau Sauvage* de Christian Dior. Les hommes se parfument de plus en plus : le monde serait entré dans l' « ère de l'olfactif ». [...] Longtemps délaissé au profit de la vue et de l'ouïe, l'odorat, selon cette analyse, reviendrait peu à peu au premier plan. Or, chaque odeur a son histoire : elle suggère, de façon variable d'un individu à l'autre, des besoins inconscients, évoque des souvenirs. Le parfum a le privilège de transcender ces besoins et ces impressions. [...]

PERSPECTIVES - MAI 1985 - MICHAËL DEFOMBEAU.

Distillation de pétales de roses dans une parfumerie à Grasse

■ VOCABULAIRE ET EXPRESSIONS

battage publicitaire (le)	= *(fam.)* publicité tapageuse, exagérée
cachet (le)	= *(ici)* le style, la caractéristique
capitaux frais (des)	= de nouveaux capitaux
groggy	= *(anglais)* assommé
marketing (le)	= *(anglicisme)* l'ensemble des techniques d'étude du marché et de commercialisation d'un produit (publicité, choix du conditionnement, promotion des ventes, etc.)
nez (un)	= *(ici prof.)* un spécialiste capable de créer de nouveaux parfums
uppercut (un)	= *(anglais-boxe)* un violent coup de poing

□ QUESTIONS SUR LE DOCUMENT

1) Quand et pourquoi l'industrie française du parfum a-t-elle failli perdre son premier rang mondial ?
2) Quels étaient les atouts de ses concurrents ?
3) L'industrie du parfum est-elle un artisanat ou une industrie à part entière ? Pourquoi ?
4) Qui décide du lancement d'un parfum ? Selon quels critères ?
5) Quel est le coût moyen du lancement d'un nouveau parfum ?
6) Comment a évolué le marché des parfums pour hommes ? À votre avis, pourquoi ?

1857 - Charles Baudelaire évoque...

Parfum exotique

Quand, les deux yeux fermés, en un soir chaud
[d'automne,
Je respire l'odeur de ton sein chaleureux,
Je vois se dérouler des rivages heureux
Qu'éblouissent les feux d'un soleil monotone ;

Une île paresseuse où la nature donne
Des arbres singuliers et des fruits savoureux ;
Des hommes dont le corps est mince et vigoureux,
Et des femmes dont l'œil par sa franchise étonne.

Guidé par ton odeur vers de charmants climats,
Je vois un port rempli de voiles et de mâts
Encore tout fatigués par la vague marine,

Pendant que le parfum des verts tamariniers,
Qui circule dans l'air et m'enfle la narine,
Se mêle dans mon âme au chant des mariniers.

CHARLES BAUDELAIRE - *LES FLEURS DU MAL.*

Parfum de rames

Une bonne nouvelle pour les narines sensibles : la R.A.T.P. va parfumer les stations de métro. Un gadget mis au point par les techniciens de la Régie qui ne savent plus à quel « monsieur propre » se vouer pour décrasser l'image du réseau. Trois senteurs différentes ont été très sérieusement mises au point à Grasse, dans des usines spécialisées, et seront répandues par des voitures laveuses.

GAULT MILLAU - NOVEMBRE 1987.

Les parfums sur ordinateur

Les scientifiques français travaillent à la mise en place de la première banque de données de parfums du monde

Un parfum aujourd'hui n'est plus seulement une création due au talent d'un « nez », c'est aussi le résultat de formulations chimiques, de mélanges hautement étudiés d'essences (souvent de synthèse) qui correspondent aux goûts bien définis de la clientèle. En un mot, la parfumerie, c'est maintenant aussi de la science.

Consciente de cette évolution, la Fédération française des produits de la parfumerie, de beauté et de toilette, a défini avec le Centre national de la recherche scientifique (C.N.R.S.), il y a moins d'un an, un accord de coopération afin de développer plusieurs axes de recherche.

C'est ainsi que les professionnels de la parfumerie vont disposer bientôt d'un nouvel outil : l'informatique. Les scientifiques du C.N.R.S., en effet, en accord avec des professionnels, travaillent à la mise en place de la première banque de données des parfums du monde. Cette tâche colossale ne consiste pas seulement à répertorier les plus de dix mille molécules odorantes que l'on connaît aujourd'hui, mais aussi à comprendre comment les combiner pour donner naissance aux différents arômes.

« L'objectif des chercheurs est de permettre au parfumeur de visualiser sur un écran le parfum qu'il veut créer », précise Jean-Noël Jaubert, biochimiste au C.N.R.S. Visualiser n'est pas, bien entendu, sentir : mais si l'on en croit les experts en la matière, un nez est capable d'humer un parfum simplement en décryptant sa formulation chimique, à l'instar d'un musicien qui entend la musique à la lecture d'une partition.

Cette conception par ordinateur entraîne de nombreuses remises en question. « La parfumerie, souligne

« Nez » et orgue à parfums chez Robertet

Jean-Noël Jaubert, *est un milieu où l'intuition a longtemps été reine.* » Les ordinateurs pour qui cette qualité fait entièrement défaut ne peuvent travailler que sur des bases rationnelles. D'où la nécessité d'étudier avec précision les différentes combinaisons moléculaires. Sachant que pour les odeurs, l'élément clé n'est pas uniquement la nature des atomes qui la compose, mais aussi leur disposition dans l'espace.

MARTINE CASTELLO.
Avec l'aimable autorisation du journal LE FIGARO -
Copyright LE FIGARO 1988.

☐ QUESTIONS SUR LE DOCUMENT

1) Qu'est-ce qu'un parfum aujourd'hui ?
2) Qui a conclu un accord de coopération avec le C.N.R.S. ?
3) À quoi travaillent actuellement les scientifiques du C.N.R.S. ?
4) Quel est l'objectif des chercheurs ?
5) En quoi cette recherche remet-elle en question les habitudes des parfumeurs ?

Bataille pour la qualité

Il ne suffit pas de produire pour produire.
Encore faut-il répondre aux besoins du marché.
Le lien entre ces deux exigences
est désormais bien perçu :
c'est le combat pour la qualité

« La qualité, chacun s'y met, tout le monde y gagne », proclament les affiches de quatre mètres sur trois signées par le ministère de l'Économie et des Finances.

L'objectif est de sensibiliser l'opinion publique (et les dirigeants d'entreprise) au fait que la qualité n'est pas seulement un idéal mais un véritable enjeu économique. Et que cela concerne chacun à son niveau.

La qualité, qu'il s'agisse d'un produit, d'un système de fabrication ou d'une organisation de travail, est le signe d'une efficacité plus grande. Elle est le résultat de nombreuses initiatives où la formation et la mobilisation des compétences jouent le premier rôle.

Pour les entreprises, on estime le gisement d'économies réalisables entre 20 % et 30 % du chiffre d'affaires par la mise en place d'une « action-qualité ». Cela est surtout vrai pour les entreprises dynamiques qui investissent et font des profits.

La qualité n'est pas dissociable des facteurs matériels — emploi et capital — qui sont à la base de la production. Elle est un moyen de mettre l'accent sur ses aspects le plus souvent négligés en France et que l'on peut résumer d'un mot : le service du client.

Les entreprises dépensent trop souvent pour produire des biens et des services mal adaptés aux besoins d'un marché de plus en plus exigeant parce que plus concurrentiel.

Le projet qualité a pour but d'éviter de tels gaspillages. Le service du client doit être pris en compte dès la conception du développement, et tous les partenaires de la production doivent y être associés. Une étude réalisée il y a un an à l'étranger sur l'image industrielle de la France montre que, si les produits eux-mêmes ont généralement bonne réputation, ce qui les entoure amène de nombreuses critiques : non-respect des délais (de livraison notamment), impuissance du service après-vente, manque d'agressivité commerciale.

Au-delà donc des cercles de qualité qui, après le Japon et les États-Unis, se sont développés en France depuis quelques années — et qui concernent plus particulièrement la production — c'est bien le concept de « qualité totale », de « qualité globale », qu'il faut à présent intégrer dans les mentalités : la qualité s'étend à l'ensemble des activités des hommes dans l'entreprise et aux conditions dans lesquelles elles s'exercent.

FRANCE INTER - 29 JUIN 1987 -
ALAIN SCHMIT (cité dans VALEURS ACTUELLES).

☐ QUESTIONS SUR LE DOCUMENT

1) Qui mène une campagne pour promouvoir la qualité en France ?
2) Quel est l'objectif de cette campagne ?
3) Qui est concerné par la qualité ?
4) Quel pourcentage d'économies peut-on réaliser en mettant en place une « action-qualité » ?
5) Quand doit-on commencer à se préoccuper du service au client ?
6) Qu'appelle-t-on « qualité totale » ou « qualité globale » ?

Les 10 commandements de la qualité

1
La qualité c'est la satisfaction du client par le meilleur produit au meilleur prix.

2
La qualité est un état d'esprit. Chacun doit le créer et l'entretenir.

3
La qualité ne s'improvise pas. Elle s'apprend.

4
La qualité se construit. Elle exige temps, constance et rigueur.

5
L'organisation de **la qualité** est fonction de la qualité de l'organisation.

6
La qualité est l'affaire de tous en permanence. Elle associe fournisseurs et sous-traitants.

7
Organisation du travail et motivation sont plus nécessaires à **la qualité** que la multiplication des contrôles.

8
Les suggestions de tous sont une ressource nécessaire à **la qualité** dans l'entreprise.

9
Viser **la qualité** internationale, c'est déjà assurer le succès sur le marché national.

10
Le seul juge final de **la qualité** reste le client.

GILBERT RAVELEAU (AFCERQ) - JANVIER 1987.

Les 5 principes de l'Excellence

Conformité
entre la demande exprimée par le client et son besoin réel.

Prévention :
agir de façon préventive

Conjuguer les efforts pour que le résultat soit parfait : réduction des aléas.

Mesure
Le management de la qualité passe par la mesure des progrès réalisés.

Responsabilité
« J'ai le droit de tout faire, sauf ce que l'on m'a interdit de faire. »

Excellence
Satisfaction du client au moindre coût et non la perfection du chef-d'œuvre.

MINISTÈRE DE L'ÉDUCATION NATIONALE.

ARTS ET PATRIMOINE : ORSAY

Orsay

Le musée du XXIe siècle

Toute la peinture et les arts plastiques entre 1848 et 1914, dans l'ancienne gare d'Orsay. Cela apparaissait comme un impossible défi. Aujourd'hui, c'est une réussite du génie français

[...] Construite par Victor Laloux sur l'emplacement de la Cour des comptes incendiée en 1871 par les communards, la gare que Detaille qualifiait de « superbe » ne devait avoir qu'une brève carrière. Dès 1939, sa déchéance était prononcée. Il lui fallait renoncer à desservir nos provinces du Sud-Ouest, et ne plus lancer ses trains au-delà de la banlieue parisienne. Ce trafic réduit ne justifiait plus son entretien. Une vingtaine d'années plus tard, elle était désaffectée, puis menacée d'une destruction totale.

Pour la remplacer, les projets se succèdent, et parmi eux, la construction d'un hôtel international d'un millier de chambres. L'intervention de Jacques Duhamel, alors ministre des Affaires culturelles, lui épargne cette ultime épreuve, en la faisant classer, en 1973, « monument historique ». Mais quelles fonctions attribuer à ce gigantesque bâtiment ?

La direction des Musées de France propose alors de l'aménager en un musée du XIXe siècle, ce qui permettrait de dégager le Louvre d'une partie de ses collections et de mieux présenter des pièces plus anciennes qu'il conserve. La proposition est finalement adoptée.

Cependant le XIXe siècle commence en pleine période davidienne. Or il ne peut être question de transporter à Orsay les œuvres de David et de ses disciples néoclassiques, pas plus que celles des grands romantiques.

[...] La période 1848-1914 est finalement retenue. Orsay sera donc essentiellement le musée de la seconde moitié du XIXe siècle.

L'impressionnisme et les mouvements qui l'ont suivi doivent y être généreusement représentés, puisque le nouveau musée se trouve pratiquement légataire du musée du Jeu de Paume, disparu. Mais l'académisme, si vilipendé au cours de ces dernières décennies que certaines de ses toiles les plus représentatives ne sont plus exposées, ne sera pas négligé. Il sera tiré de son exil non seulement en peinture, mais en sculpture, car celle-ci était alors l'objet d'une faveur considérable. Au musée d'Orsay, elle paraît même privilégiée, puisqu'elle occupe dès l'entrée, sous la haute verrière, l'immense superficie de la nef centrale. [...]

Tout au long de la nef centrale, selon le dispositif conçu par l'architecte milanaise Gae Aulenti, les bas-côtés sont partagés en une suite de salles attribuées à la peinture. [...]

L'impressionnisme triomphant est représenté au niveau supérieur du musée, sous un éclairage qui valorise des œuvres dont certaines n'avaient jamais été exposées dans des conditions aussi favorables.

Il n'est entré publiquement dans l'Histoire qu'en 1874, lorsqu'une trentaine d'artistes s'associent pour présenter leurs œuvres hors des salons officiels. [...]

En peinture, le naturalisme et le symbolisme se confrontent, le temps ayant dissipé leurs différends. La juxtaposition des genres a en effet résolu les contradictions. Il faut d'ailleurs considérer qu'elles étaient beaucoup moins absolues qu'on ne l'a cru généralement. Entre eux, même les novateurs étaient partagés. [...]

En les réunissant aujourd'hui, le musée d'Orsay résout le manichéisme séculaire selon lequel il fallait choisir les uns ou les autres. Il accueille, sagement, les uns et les autres.

LE SPECTACLE DU MONDE - JANVIER 1987 - MAURICE COTTAZ.

☐ QUESTIONS SUR LE DOCUMENT

1) Reconstituez à partir de cet article l'histoire de la gare d'Orsay.
2) Quel avantage y avait-il à classer la gare d'Orsay « monument historique » ?
3) Pourquoi a-t-on retenu la période 1848-1914 pour ce musée du XIXe siècle ?
4) Quelles sont, d'après ce texte, les écoles représentées dans le nouveau musée ?

Orsay en chiffres

Le bâtiment a 220 m de long et 75 m de large, la nef 138 m de long, 40 m de large et 32 m de haut (Notre-Dame : 130 m de long, 48 m de large et 35 m de haut). 12 000 tonnes de structures métalliques (la tour Eiffel 7 300). 35 000 m^2 de verrières abritent 50 000 m^2 de planchers et, accessoirement, 10 escaliers mécaniques. Les travaux ont duré six ans, mobilisé 100 entreprises et parfois jusqu'à 1 200 ouvriers travaillant simultanément. Le musée a créé 628 emplois. Les collections rassemblent 2 300 peintures, 250 pastels, 1 500 sculptures, 100 objets d'art et 13 000 photographies.

Le musée d'Orsay permet l'exposition permanente de 4 000 œuvres à travers 80 salles ou galeries qui occupent 16 000 m^2 sur 47 000 m^2 de surface utile. 1 200 m^2 sont réservés aux expositions temporaires et autant au café et au restaurant.

L'ÉVÉNEMENT DU JEUDI - 20 AU 26 NOVEMBRE 1986.

Un musée sur disque compact : texte, image et son !

Le musée d'Orsay ? [Grâce au disque compact], on pouvait le « visiter » — en partie — la semaine dernière, à Avignon, au Congrès de l'intelligence artificielle, sur un écran vidéo relié à un micro-ordinateur. La qualité graphique du C.D.-R.O.M. est remarquable. [...] Le réalisme des tableaux y est impressionnant.

Nouveauté : ce « musée d'Orsay » est piloté par Nexpert, l'un des logiciels d'intelligence artificielle — français — pour micro-ordinateur les plus célèbres. On peut programmer « sa visite » du musée, choisir un ou plusieurs itinéraires à l'intérieur de celui-ci, regrouper des tableaux, des meubles, géographiquement éloignés. Réaliser ce « musée imaginaire » prévu par André Malraux, voilà près de quarante ans. [...]

LE POINT - 1er JUIN 1987 - DANIEL GARRIC.

Les « sages » font les commissions

Alibi, parapluie ou centre de décision ? À ce jeu, le pouvoir peut se piéger.

« *Quand on veut enterrer une loi, on crée une commission.* » Si cette affirmation de Georges Clemenceau était exacte, les législateurs français devraient aujourd'hui porter le deuil. Que de commissions, conseils, observatoires, comités, voire hauts comités créés en une année ! On trouve vraiment de tout parmi ces nouvelles instances, depuis le Conseil de la concurrence jusqu'à la commission chargée de coordonner les actions de la gendarmerie et de la police, en passant par le Comité de réflexion sur le sida, la Commission de la privatisation et la Commission sur la réforme du code de la nationalité [...]. Une floraison qui peut masquer des dossiers épineux, en valoriser d'autres ou les apprivoiser.

En fait, deux modes différentes se développent. D'abord, celle des « autorités administratives indépendantes », modèle C.N.C.L. (Commission nationale de la communication et des libertés), qui a attribué les chaînes de télévision privées. Ces structures bénéficient de services, de locaux, d'un budget propre et d'un statut indépendant. Leurs membres, en outre, sont irrévocables pendant la durée de leur mandat. [...] Le Conseil de la concurrence, qui veille au respect de la nouvelle loi en ce domaine, appartient à cette catégorie.

Seconde tendance : les instances de réflexion créées au gré de l'actualité ou des embûches rencontrées par le gouvernement. [...]

Six, sept, onze, treize... Le nombre des sages affectés à chaque instance varie selon des règles obscures et complexes. Seule certitude : chaque nomination fait l'objet d'une intense cogitation*. [...] « *Mais peu importe qu'on nomme des magistrats ou des industriels,* commente un haut fonctionnaire, *l'essentiel, c'est d'en trouver qui soient sages, indépendants et pas trop gênants politiquement. Un choix vraiment compliqué...* » Et qui semble parfois exiger une moyenne d'âge d'environ soixante-dix ans. Rares sont les commissions qui accordent de la place aux générations montantes.

L'État semble en effet s'ingénier à transformer les commissions des sages en « commissions des papys* ». « *Si on souhaite coopter des professionnels de haut niveau qui n'exercent plus de responsabilités dans les domaines qu'ils sont appelés à étudier, on ne trouve que des retraités* », répond-on simplement rue de Rivoli. Beaucoup de sages, d'ailleurs, consacrent l'équivalent d'un mi-temps à ces activités sans aucune contrepartie financière. [...]

« *Le vivier* des sages prêts à s'investir gratuitement sur un sujet est très réduit,* ironise un haut fonctionnaire. *Il y a trente personnes compétentes sur un sujet précis, dont vingt déjà occupées, malades ou indisponibles. Alors, si le mouvement continue, on va manquer de sages.* » La pénurie, d'ailleurs, a commencé. Jean Choussat, directeur de l'Assistance publique, et le professeur Jean Bernard « donnent* » déjà deux fois : pour la Sécurité sociale et pour le sida !

Mais à quoi servent vraiment ces nobles aréopages ? À garantir l'indépendance des décisions et à s'assurer que les problèmes de société les plus graves seront traités avec compétence, répondent invariablement les pouvoirs publics. Il fallait couper le cordon ombilical* entre l'audiovisuel et le pouvoir : on a créé la Haute Autorité, remplacée, dès l'alternance*, par la C.N.C.L. Il fallait éviter toute spoliation de l'État dans les dénationalisations : les sages de la Commission de la privatisation offrent une garantie de compétence.

La réalité, pourtant, est plus paradoxale. « *Il n'est pas indifférent que ces commissions se généralisent en*

© *Dessin de Piem*

période de cohabitation*, déplore un grand commis* de l'État. *Quand le pouvoir politique hésite à assumer ses orientations ou ses décisions, il renvoie en touche* les problèmes délicats, et utilise les sages comme autant de parapluies qui le protègent des critiques.* » Avec une relative unanimité, les experts impliqués dans ces diverses instances déplorent ainsi de devoir gérer la politique immédiate du gouvernement. « *S'il jette la copie* de la commission, comme il l'a fait avec les mesures de la Sécurité sociale, le gouvernement qui a nommé les sages se déjuge et entame sa crédibilité ; s'il suit les avis de la commission, on dira qu'il l'a manipulée* », observe un sage. Ces institutions trouvent, en revanche, grâce aux yeux des experts dès qu'elles disposent de vraies attributions et de réels pouvoirs de décision. L'indépendance se conquiert alors par deux voies : la capacité des membres à s'informer sans passer par l'administration, et l'autonomie habituelle de chacun à l'égard du pouvoir politique.

Ainsi, à force de répéter qu'elles n'ont de comptes à rendre à personne, certaines commissions finissent par le croire. La semaine dernière, par exemple, le tout nouveau Conseil de la concurrence n'a pas hésité à infliger des amendes aux pharmaciens, dans le cadre de ses décisions sur les produits d'hygiène et de beauté. Une sanction que le gouvernement aurait sans doute préféré éviter. Preuve qu'au grand jeu des commissions le pouvoir peut se retrouver piégé.

LE POINT - 22 JUIN 1987 - SOPHIE COIGNARD.

■ VOCABULAIRE ET EXPRESSIONS

alternance (l')	=	*(ici politique)* le changement de majorité au pouvoir
cogitation (une)	=	*(fam.)* une réflexion
cohabitation (la)	=	*(ici politique)* le partage du pouvoir par des personnalités appartenant à des tendances politiques opposées
couper le cordon ombilical	=	séparer, couper le lien de subordination, de dépendance
donner	=	*(fam.)* participer à titre bénévole
grand commis de l'État (un)	=	un haut fonctionnaire
jeter la copie	=	*(fig.)* rejeter les propositions
papy (un)	=	*(ang.)* un vieillard, un grand-père
renvoyer en touche	=	*(fig. sport)* emprunté au rugby - remettre à plus tard l'étude..., classer provisoirement
vivier (un)	=	*(imagé)* une réserve

□ QUESTIONS SUR LE DOCUMENT

1) Expliquez le jeu de mots du titre de cet article.
2) Pourquoi les législateurs devraient-ils aujourd'hui « porter le deuil » ?
3) Quelles sont les deux principales catégories de commissions qui fonctionnent actuellement ?
4) Pourquoi la moyenne d'âge des membres de ces commissions est-elle si élevée ?
5) À quelles difficultés se heurtent les commissions ?
6) Comment se conquiert l'indépendance d'une commission ?

Les porte-plume de la République

Aucun homme politique ne s'en passe. De Gaulle lui-même y avait recours.

« *Trouvez-moi un normalien* qui sache écrire* », réclamait le général de Gaulle sitôt nommé chef du gouvernement provisoire de la France libre. On lui présenta un certain Georges Pompidou. [...]
Quoi de plus normal ? Aucun homme politique accédant aux postes les plus élevés de la hiérarchie ne peut raisonnablement mener de front* ses activités quotidiennes et la rédaction d'interviews, articles, interventions au Parlement et autres discours publics. D'où le recours aux services d'une « plume » agile qui offre toutes les garanties. Il existe ainsi des nègres* en politique comme en littérature. Par tradition autant que par efficacité, le normalien ou l'agrégé de lettres sont les « plumes » particulièrement prisées des hommes politiques. [...]
Diplôme ou pas, ce qui compte avant tout pour ces nègres de la politique, c'est d'établir avec leurs commanditaires un climat de confiance, consolidé, on s'en doute, par des affinités intellectuelles et idéologiques. Jouer ainsi les doublures sur papier requiert non seulement une aptitude à saisir la pensée de l'autre, mais aussi un don pour l'exprimer, en tenant compte de ses tics de langage, de sa morphologie, bref, de tout son comportement. [...]

Quand un homme politique a trouvé porte-plume à sa main, il le garde. Longtemps. Des couples solides se sont ainsi formés dans tous les partis, méconnus du public, mais respectés dans les entourages politiques. [...]
Tous ces écrivains de l'ombre ont un souci commun : restreindre à l'envi leur rôle pour mettre en valeur celui de leur mentor, et pour vanter les mérites du travail collectif. [...]
Parallèlement, la multiplicité des interventions rend parfois nécessaire la création d'un véritable « staff* d'écriture ». Diplomates du quai d'Orsay chargés de rédiger un toast* en l'honneur d'un hôte étranger ou conseillers ministériels « taxés* » d'un texte à l'occasion

d'un voyage officiel accomplissent un travail collectif qu'il s'agit de plus en plus souvent de coordonner. À la « plume » attitrée de jouer ensuite le rédacteur en chef. [...]

Cette « négritude » volontaire comporte ses servitudes, d'autant plus que les « plumitifs » n'ont pas de statut, à la différence de leurs homologues américains, les *speech-writers**. Pas plus qu'ils n'ont de recours contre les facéties et les humeurs du patron. Tels tribuns font parfois distribuer à l'issue d'un meeting* un discours écrit, « *au demeurant excellent* », mais fort différent de celui qu'ils viennent de prononcer. Tels autres déchirent et font refaire la copie* à l'infini, ou déclament le texte « officiel » avant d'enchaîner sur un second laïus*, totalement improvisé. Contraints à la modestie, les auteurs ainsi frustrés se révoltent rarement. Nègres en littérature politique ou plumes pour orateurs en mal* d'inspiration, aucun n'envisagerait d'imiter le général de Gaulle. Sollicité par Pétain dans les années trente pour rédiger un ouvrage sur l'armée française, et réalisant que son œuvre lui échapperait, il décida en effet de le signer seul !

LE POINT N° 775 - 27 JUILLET 1987 - MARIE-THÉRÈSE GUICHARD.

■ VOCABULAIRE ET EXPRESSIONS

en mal de	= en manque de
laïus (un)	= *(fam.)* une allocution, un discours
meeting (un)	= *(ang.)* une grande réunion politique
mener de front	= s'occuper simultanément
nègre (un)	= en littérature, celui qui écrit une œuvre signée par un autre
normalien (un)	= un ancien élève de l'École normale supérieure
refaire la copie	= recommencer le texte (comme un élève)
speech-writer (un)	= *(ang.)* un rédacteur de discours
staff (un)	= *(ang.)* une équipe
taxé	= *(ici)* se voir imposer un travail
toast (un)	= *(ang.)* un bref discours prononcé en l'honneur d'une personne ou d'un événement, lors d'une réunion - Porter un toast

□ QUESTIONS SUR LE DOCUMENT

1) Pourquoi les hommes politiques ont-ils besoin de ce type de collaborateurs ?
2) Quel est le profil des « doublures sur le papier » des hommes politiques français ?
3) Quelles sont les conditions de leur réussite ?
4) Quel est le souci commun de ces « écrivains de l'ombre » ?
5) Qui participe également à la rédaction des textes politiques ?
6) Quel rôle complémentaire joue parfois le « porte-plume » ?
7) Quelles sont les servitudes du métier ?

Anouilh l'intransigeant

*Jean Anouilh, autoportrait,
Collection de l'auteur*

« L'homme est un animal inconsolable et gai », explique le général à son jeune fils dans *L'Hurluberlu*. La phrase résume l'œuvre de Jean Anouilh, et probablement son auteur. [...] Il nous laisse, nous aussi, gais et inconsolables. Et riches de près de cinquante pièces, qui constituent le monument théâtral le plus impressionnant du xxᵉ siècle.

Car Anouilh a eu cette particularité, autrefois plus répandue mais devenue rarissime, de s'exprimer exclusivement sur la scène, comme Molière, Corneille ou Labiche. [...] À l'exception d'un petit recueil de fables, et de ses tout récents souvenirs de jeune homme, Anouilh n'a eu besoin, sa vie durant, que de « deux planches, deux tréteaux et une passion », selon la définition du théâtre par Lope de Vega.

D'où cette œuvre complexe, fourmillante de personnages, et qui explore tous les genres, de la farce à la tragédie, toutes les voies, du théâtre grec aux jeux pirandelliens* *(La Grotte)*, voire, à l'occasion, l'« effet de distanciation » cher à Brecht, par l'interférence entre un commentaire et l'action *(Antigone)*.

Une vie tout entière vouée au travail : « Je n'ai pas de biographie, et j'en suis très content », [déclarait] un jour Jean Anouilh [...] et, après avoir retracé en quelques phrases les grandes lignes de cette existence laborieuse, Jean Anouilh concluait : « Le reste de ma vie, et tant que le Ciel voudra que ce soit encore mon affaire personnelle, j'en réserve les détails. » [...]

Très jeune, il commence à écrire des tragédies en alexandrins. À dix-huit ans, une représentation du *Siegfried* de Giraudoux à la Comédie des Champs-Élysées le bouleverse. C'est dit, il sera auteur dramatique.

En attendant, il fait, sans enthousiasme, des études de droit. [...] Les Grands Magasins du Louvre l'embauchent au service des réclamations. [...]

Au bout d'un mois, il quitte la place, et entre dans une agence de publicité. [...] Il se fait introduire auprès de Louis Jouvet, qui l'engage comme secrétaire général de son théâtre. Hélas, Jouvet ne pourra jamais admettre que son employé soit un génie de l'art dramatique. Aveuglé, sans doute par cette relation de patron à subordonné, lui, l' « inventeur » de Giraudoux, et qui a lancé Jules Romains, il laisse à Pierre Fresnay, à Georges Pitoëff et à André Barsacq la gloire et l'honneur de découvrir Jean Anouilh.

Le premier, enthousiasmé, joue *L'Hermine* en 1932. Le deuxième monte *Le Voyageur sans bagages* en 1937, et *La Sauvage* l'année suivante. Le troisième remporte un triomphe avec *Le Bal des voleurs*, au moment des accords de Munich. Le temps de la « vache enragée* » semblait fini pour le jeune auteur, qui, avant le succès de *L'Hermine*, avait connu trois ans de misère noire. Mais la guerre éclate. [...] Entre 1940 et 1945, il fait jouer *Léocadia* [...], *Le Rendez-Vous de Senlis*, autre « pièce rose* » et poétique, *Eurydice* et surtout *Antigone*, chef-d'œuvre incontesté de cette première période. La vérité personnelle s'y oppose à la raison d'État, la morale individuelle à celle de la Cité. Conflit sans autre issue que la mort, tragédie où chacun trouve à renforcer son opinion. À telle enseigne* que les Allemands, d'abord, puis la Résistance, applaudirent la pièce.

À partir de 1946, ce qu'on sait de la vie de Jean Anouilh se confond avec son œuvre : des titres, des dates, quarante ans de succès ininterrompu, et un point de repère central : *Pauvre Bitos*. Cette pièce, en effet, créée en 1956 au Montparnasse, consacre le rejet unanime d'Anouilh par l'intelligentsia* parisienne, qui, jusqu'alors, ne savait trop sur quel pied danser* : était-il de gauche, de droite, anarchiste, royaliste, pétainiste* ?

Pour aggraver son cas, après « Bitos », Anouilh enchaîne directement avec *L'Hurluberlu*, sorte d'Alceste furibond confronté à la France d'après-guerre, à la morale nouvelle des combines* et des compromis, et qui constate que « les vers sont dans le fruit ».

Puis, soudain, changement de registre : Anouilh revient aux « pièces costumées », genre qu'il avait inauguré en 1953 avec *L'Alouette*, où Suzanne Flon (Jeanne d'Arc) s'était taillé un triomphe.

Dans *Becket ou l'honneur de Dieu* (1959), il ne se mesure plus à Molière, comme dans *L'Hurluberlu* et *Ornifle*, ou à Marivaux comme dans *La Répétition*, mais à Shakespeare, dont il a adapté cinq pièces, parmi lesquelles *Richard III* et *Le Marchand de Venise*.

Shakespearienne par l'atmosphère et la peinture des caractères, « Becket » est aussi une tragédie cornélienne par son conflit : le déchirement de deux hommes, entre l'amitié qui les unit et la conception qu'ils se font de leur devoir, d'État pour Henry II, d'archevêque touché par la grâce pour Thomas Becket.

Pendant vingt ans, Anouilh va continuer à marquer de sa griffe l'actualité du théâtre. De la noirceur absolue au sarcasme, d'un classicisme un peu raide à une désinvolture de forme sans égale, l'évolution apparente de son art ne doit pas dissimuler une continuité d'inspiration qui fait de l'œuvre d'Anouilh un ensemble d'une rare homogénéité.

LE SPECTACLE DU MONDE N° 308 - NOVEMBRE 1987 -
MICHEL MOURLET.

■ VOCABULAIRE ET EXPRESSIONS

à telle enseigne que	= tellement que
combine (une)	= *(pop.)* un moyen astucieux, mais souvent malhonnête
intelligentsia (l')	= *(russe)* les intellectuels
ne pas savoir sur quel pied danser	= *(fam.)* ne pas savoir quoi faire ni quelle attitude prendre
pétainiste	= partisan du maréchal Pétain
pièce rose (une)	= les pièces de Jean Anouilh sont classées selon leur genre : les « pièces roses », les « pièces grinçantes », les « pièces noires », les « pièces costumées »
pirandellien	= qui évoque les œuvres de Luigi Pirandello
vache enragée (la)	= la misère noire

□ QUESTIONS SUR LE DOCUMENT

1) De quoi est constituée l'œuvre de Jean ANOUILH ?
2) En quelles circonstances a-t-il découvert le théâtre et décidé d'être auteur dramatique ?
3) Quel fut son premier succès ?
4) À quelle pièce l'auteur de l'article fait-il allusion en parlant de « point de repère central » ?
5) Quelle fut la conséquence de cette pièce ?
6) À qui se mesure ANOUILH dans *Becket ou l'honneur de Dieu* ?
7) Comment évolue son style au cours des vingt dernières années de sa carrière ?

DE LA MINE

AU SOMMAIRE DU DOSSIER 4

AU TUNNEL

LA RÉGION

NORD-PAS-DE-CALAIS

Le Nord-Pas-de-Calais a été fortement touché par la crise des industries traditionnelles qui ont fait sa fortune au cours de la première moitié du siècle : l'industrie minière, la sidérurgie, l'industrie ferroviaire, le textile.

Cette région bénéficie d'une position géographique exceptionnelle et reste une plaque tournante commer-ciale à moins de 300 km de Paris, Londres, Bruxelles, mais aussi de Cologne, Anvers, Rotterdam.

Quelques entreprises dynamiques, chefs de file dans leur spécialité, se sont installées dans l'agglomération Lille-Roubaix-Tourcoing. La construction du tunnel sous la Manche constitue un atout certain dont les retombées concernent l'ensemble de la région.

Paysage de Flandre

LE SECTEUR D'ACTIVITÉ

Les métiers du transport se sont profondément trans-formés pour répondre aux exigences de la distribution moderne (qualité du service, rapidité de l'ache-minement).

Au cours des dix dernières années, le transport par voie d'eau (maritime et fluvial) et le chemin de fer ont régressé au profit du transport routier. Celui-ci a su s'adapter plus vite que ses concurrents aux nouvelles formes de trafic de marchandises et notamment à la révolution informatique.

CÔTÉ COUR...

Deux transporteurs et un buffet

L'ENTREPRISE

René MONTABERT dirige depuis 1977 TRANS-NORD, une entreprise de transport routier (120 personnes) spécialisée dans les transports internationaux en liaison avec les pays de l'Europe du Nord.

PROFILS

RENÉ MONTABERT
40 ans
Président de
TRANSNORD
École de commerce

LA SITUATION

René MONTABERT et Laurent DANIEL participent à une réunion professionnelle organisée par le Conseil régional. À l'issue de la séance de travail, un cocktail réunit les participants qui discutent en faisant honneur au buffet.

LAURENT DANIEL
58 ans
Directeur de VALLEC,
transports frigorifiques
C.A.P. de transporteur
routier

LAURENT DANIEL — Que pensez-vous de l'exposé du conseiller technique ?

RENÉ MONTABERT — Je voudrais partager son optimisme, mais si certaines de nos entreprises ont des atouts, globalement, la région n'est pas au mieux de sa forme.

5 Nous n'en finissons pas de digérer la fermeture des mines, la déroute de la sidérurgie, sans compter la crise du textile !

LAURENT DANIEL — Vous avez vu les dernières statistiques ? Nous sommes pratiquement la lanterne rouge* de la France pour le chômage. Et ce n'est pas le tunnel sous la Manche...

10 MARTINE LEVASSEUR — Excusez-moi d'intervenir dans votre conversation...

RENÉ MONTABERT — Ah ! madame LEVASSEUR, permettez-moi de vous présenter monsieur DANIEL, directeur de la société VALLEC. Laurent, madame LEVASSEUR, responsable du bureau d'action économique au Conseil régional.

15 LAURENT DANIEL — Très heureux, madame.

MARTINE LEVASSEUR — Enchantée ! Je connais le dynamisme de vos deux entreprises, messieurs, et je trouve votre pessimisme pour le moins... étonnant.

RENÉ MONTABERT — Pessimisme, non, madame, parlons plutôt de réalisme.

20 Notre région a été sinistrée plusieurs fois...

MARTINE LEVASSEUR — ... mais nous disposons d'un potentiel considérable et, dans beaucoup de domaines, le Nord est maintenant à l'avant-garde : regardez le Val à Lille ! Sans parler du tunnel !

RENÉ MONTABERT *(riant)* — Mais de la mine au tunnel, le chemin est encore long et... difficile !   25

LAURENT DANIEL — Vous êtes bien placée pour parler d'avenir, madame ; j'espère que nous autres, industriels, nous pourrons aussi compter sur une meilleure compréhension des pouvoirs publics : nous dépendons encore trop de Paris pour toutes les décisions importantes...

MARTINE LEVASSEUR — Croyez que je m'y emploie. C'est ma principale 30
mission ; mais la région est un concept très récent... et mal digéré par les instances parisiennes... Les mécanismes d'auto-régulation vont se mettre en place, peu à peu. Ce n'est qu'une question de temps, mais, à mon avis, le mouvement est irréversible... Oh ! excusez-moi, mais j'aperçois... je vous laisse...   35

LAURENT DANIEL — Il est temps aussi que je rentre. René, à une prochaine fois.

RENÉ MONTABERT — Au revoir Laurent, à bientôt !

(Il est interpellé par Pierre LELONG, un ami et client qui dirige TRICOLUX une petite entreprise de bonneterie de la banlieue de Lille.)   40

PIERRE LELONG — René ! Comment vas-tu ?

RENÉ MONTABERT — Bien, mais je suis content de te voir : j'ai à te parler. C'est au sujet de ton service de livraison. Tu sais, on continue à avoir des pépins*...

PIERRE LELONG — Oui, je suis au courant : on n'était pas prêt quand ton 45
camion s'est pointé* pour enlever la marchandise. C'est encore à cause de Robert : tu le connais, c'est un bon chef magasinier, ou plutôt c'était... parce que maintenant... ce n'est pas tellement qu'il soit vieux à cinquante-huit ans, mais il s'est laissé dépasser, la boîte a grandi trop vite !

RENÉ MONTABERT — C'est grave !   50

PIERRE LELONG — Oui, pour lui et pour nous. J'ai embauché un jeune qui a travaillé aux expéditions à la REDOUTE : il en veut* et il a de l'expérience. Je ne peux pas balancer* Robert comme ça, mais comme il est près de la retraite, on va le pousser doucement vers la sortie... c'est le seul moyen.

RENÉ MONTABERT — Dommage pour lui, c'est un brave type... mais comment 55
faire autrement ?

F.G

H - l.e.participe passé des verbes pronominaux

« La retraite !

À ton âge ! »

La scène se passe dans la salle à manger de Robert, le chef magasinier de TRICOLUX. Robert est attablé en compagnie de son épouse, Germaine.

GERMAINE — Qu'est-ce que tu as, Robert ? Tu n'as pas l'air dans ton assiette* aujourd'hui !

ROBERT — C'est rien, c'est rien !

GERMAINE — Mais si, je le vois bien, tu ne manges pas et tu as l'air furieux.

5 ROBERT — Eh bien, oui, là ! Puisque tu veux savoir ! Figure-toi que ce matin M. Pierre m'appelle dans son bureau et il me dit, texto* : « Robert, on est des vieux de la vieille*, mais ce n'est pas parce qu'on a usé nos culottes courtes* sur les bancs de la même communale* qu'on peut tout se passer dans le travail... »

10 Moi, quand on commence à mettre sur le tapis* la communale, je n'aime pas ça. J'attends de voir où il veut en venir.

Et voilà que tout à coup il me sort* : « Robert, je sais que cela va te faire un choc... mais je crois vraiment qu'il faut envisager une retraite anticipée. »

15 GERMAINE — Une quoi ?

ROBERT — Au départ, je n'ai rien compris à ses salades*, je me demandais ce qu'il me voulait... et puis tout à coup, j'ai pigé* : la retraite, il veut me mettre à la retraite !

GERMAINE — À la retraite ! Mais ce n'est pas possible : tu n'as même pas
20 encore soixante ans !

ROBERT — C'est ce que je lui ai dit. Alors il m'a parlé de plan social*, de possibilités intéressantes, il m'a même dit que c'était une occasion à ne pas manquer... Tu parles ! En fait, je suis saqué* !

GERMAINE — Mais ils ne peuvent pas te faire ça... Le fils LELONG... tu le
25 connais depuis qu'il est né ! Et tu as travaillé avec son père : on ne met pas les gens à la porte, comme ça, après quarante ans de service !

ROBERT — Eh bien ! Si, justement ! On ne met pas à la porte, on met à la retraite, on se débarrasse des vieux, quoi !

GERMAINE — La retraite ! À ton âge ! Mais qu'est-ce que tu vas faire, toute la journée ? 30

ROBERT — Tu sais ce qu'il m'a dit : « Tu pourras pêcher, bricoler, t'occuper de tes petits-enfants, vivre quoi ! » Vivre ! Alors que ma vie à moi c'est l'atelier, le boulot*, les copains !

GERMAINE — Mais pourquoi ?

ROBERT — Il paraît que la boîte* a grandi trop vite, que je n'ai pas suivi... 35

GERMAINE — Qu'est-ce que tu comptes faire ?

ROBERT — Qu'est-ce que tu veux que je fasse ? Je vais essayer de revoir M. Pierre demain, et je vais en parler au délégué*.

GERMAINE — Mange, Robert... ça va être froid !

G - Le participe passé invariable

CÔTÉ COUR

■ VOCABULAIRE ET EXPRESSIONS

balancer	= *(argot)* licencier, se débarrasser de
lanterne rouge (la)	= le dernier
pépin (un)	= *(pop.)* un ennui, un problème
pointer (se)	= *(argot)* se présenter, arriver
vouloir (en)	= *(fam.)* avoir de l'ambition

■ VOCABULAIRE ET EXPRESSIONS

CÔTÉ JARDIN

assiette (ne pas être dans son assiette)	= *(fam. - imagé)* ne pas être à l'aise, ne pas être en forme
avoir usé ses culottes courtes	= *(fam.)* avoir été jeune
boîte (une)	= *(fam.)* une entreprise
boulot (le)	= *(pop.)* le travail
communale (la)	= l'école primaire
délégué (le)	= le délégué du personnel, le représentant élu du personnel dans l'entreprise
être des vieux de la vieille	= *(fam.)* être de vieux amis, de vieux compagnons
mettre sur le tapis	= *(fam.)* parler de
piger	= *(argot)* comprendre
plan social (un)	= nom donné à un plan de licenciement économique assorti de mesures sociales destinées à faciliter le départ des intéressés
salade (une)	= *(pop.)* une histoire compliquée
saquer	= *(pop.)* licencier, mettre à la porte
sortir	= *(fam.)* dire, déclarer
texto	= *(pop.)* textuellement

□ QUESTIONS SUR LE DIALOGUE

1) Où se situe le dialogue ?
2) Qui est Martine LEVASSEUR ?
3) Que pensent les différentes personnes présentes de la situation dans la région ?
4) Comment s'explique la différence entre les divers points de vue ?
5) Quelles sont les chances de la région ?
6) Quels sont les obstacles auxquels se heurtent les industriels de la région ?
7) Comment s'explique l'attaque de Laurent DANIEL contre l'administration parisienne ?
8) Quelles sont les relations entre René MONTABERT et Pierre LELONG ?
9) Quel problème Pierre LELONG doit-il résoudre ?

□ QUESTIONS SUR LE DIALOGUE

1) Qu'arrive-t-il à Robert ?
2) En quoi sa version des faits diffère-t-elle de ce que nous a appris le dialogue entre René MONTABERT et Pierre LELONG ? Expliquez les différences.
3) Quelle est la réaction de Robert ?
4) Comment réagit sa femme ?
5) Que va faire Robert ?

RÉGION : NORD-PAS-DE-CALAIS

Lille : les bons caps d'une capitale

Lille ville au futur, ou Lille villes au futur ? Comment, en effet, parler de Lille sans impliquer dans le même temps cette métropole d'un million d'habitants, coincée tout là-haut au nord, dans les méandres que dessine artificiellement la frontière franco-belge ? Est-ce Lille capitale régionale, ville chef-lieu d'une agglomération millionnaire ? Ou est-ce Lille « Clochemerle » en butte aux rivalités qui, depuis des siècles, l'opposent à ses sœurs voisines et rivales que sont les grandes cités textiles d'hier, Roubaix, Tourcoing... Faut-il encore mettre ces vieilles querelles sur la table ou les oublier pour ne s'intéresser qu'au présent et à l'avenir ?
L'avenir, c'est certainement un Lille affirmant de plus en plus son rôle de capitale régionale. [...]

Le passage du T.G.V. dans Lille, pour lequel le Nord se mobilise aujourd'hui, n'a pas d'autre enjeu. Lille peut retrouver cette vocation de carrefour de communications au cœur de l'Europe du nord-ouest qui fit sa richesse autrefois, au temps des riches drapiers de Flandre. Pour cela, elle veut, demain, être la plaque tournante au centre du dispositif des lignes T.G.V., à une heure ou un peu plus de Paris, de Bruxelles et aussi de Londres *via* le tunnel sous la Manche, la grande affaire du siècle. Il faut pour cela que les trains à grande vitesse passent et se croisent dans la ville, et non à quelques kilomètres au sud, en pleine campagne. [...] La région a [...] besoin de Lille. Inversement, Lille a besoin de la région. Pour assumer son rôle de capitale, au même titre que peuvent le faire, sous d'autres latitudes, Lyon, Marseille, Toulouse, Bordeaux... Contrairement à celles-ci, la capitale des Flandres n'a pas, à elle seule, avec ses 170 000 habitants, les moyens de ses ambitions. Comment, par exemple, peut-elle financer les équipements qu'appelle une métropole d'un million d'habitants ? [...]

Sur le terrain, les choses ne sont pas aisées. Car, bien que les chambres de commerce et d'industrie de Lille, de Roubaix et de Tourcoing aient fusionné en 1967 pour former une chambre métropolitaine, bien que la communauté urbaine de Lille existe maintenant depuis vingt ans, cette métropole est toujours éclatée, tiraillée (on a parlé d'une métropole en miettes) entre trois ou quatre pôles urbains importants. Il est certes plus facile de conjuguer ailleurs les intérêts d'une ville-centre avec ceux de sa banlieue que d'articuler ici les souhaits et les besoins de plusieurs grandes villes, pourtant condamnées à s'entendre. [...]

LE MONDE - SUPPLÉMENT AU N° 12874 - VILLES AU FUTUR - JEAN-RENÉ LORE.

Architecture lilloise

Jouer gagnant
sur le Nord

Aujourd'hui, le Nord ne s'appelle plus charbon ni uniquement sidérurgie, chantier naval, ou même textile. Il affiche désormais d'autres enseignes, qui ont nom Auchan (26 000 emplois créés en vingt-cinq ans dans la distribution), la Redoute (numéro un de la vente par correspondance en France, 12 500 salariés), groupe Maisons familiales de Cambrai (numéro un de la maison individuelle en Europe), Cristallerie d'Arques (premier fabricant mondial de verrerie de ménage [...]), Prouvost (numéro un mondial de la laine).

Et pourtant, prévaut encore une tout autre image dès que l'on prononce le mot « Nord » : celle tout en noir de la récession charbonnière, de la crise de la sidérurgie, des difficultés du textile.

Alors, commence-t-on à crier : « Halte au misérabilisme ! »

« Les gens en ont vraiment marre* des images négatives qu'on donne de cette région », proteste Bruno Libert, quarante-sept ans, homme du Nord, P.-D.G. du Crédit général industriel, [...] président du « Club Gagnants », une association toute nouvelle qui rassemble soixante entreprises performantes, modernes et dynamiques, de la région. Soixante entreprises qui « pèsent* » lourd : 160 000 emplois, 150 milliards de chiffre d'affaires.

Gagnants — le titre le dit lui-même — se veut un message de dynamisme et d'espoir pour la région. Depuis longtemps, ceux qui aujourd'hui l'animent ont choisi de prendre les choses par leur côté positif et de considérer qu'un verre est plutôt à moitié plein qu'à moitié vide. Considérer le verre à moitié plein pour le Nord, c'est dire, insiste Bruno Libert, que si cette région a perdu en trente ans 400 000 emplois dans les grands domaines traditionnels d'activité, elle en a dans le même temps créé 350 000 autres dans des secteurs nouveaux, performants et modernes. « Aucune autre région française n'a vécu dans une période aussi courte une aussi profonde mutation. » Et cela, ajoute le président de Gagnants, grâce à des entreprises, à des entrepreneurs, à des hommes et à leur savoir-faire.

Mais à présent, le savoir-faire ne suffit plus. Il faut aussi le « faire savoir ». Révolution culturelle dans une région où le secret — tout au moins la discrétion — était la règle dans le monde des affaires. [...]

« Je crois sincèrement qu'il y a dans cette région des valeurs tout à fait spécifiques, particulièrement à usage professionnel : valeurs humaines, tolérance, respect des autres, sens de l'accueil et de la parole donnée ; valeurs "professionnelles", sens du concret, pragmatisme, sens du travail et du travail bien fait... et puis il y a cette vitalité particulière qu'illustre, par exemple, le nombre de familles nombreuses... Autant de valeurs extraordinairement adaptées au management* futur de l'entreprise. À cela s'ajoute un sentiment de fierté d'appartenance à la région... Il faut y croire. »

LE MONDE - SUPPLÉMENT AU N° 12874 - VILLES AU FUTUR - JEAN-RENÉ LORE.

■ VOCABULAIRE ET EXPRESSIONS

en avoir marre	=	*(pop.)* en avoir assez
management (le)	=	*(ang.)* l'action de diriger
peser	=	*(ici)* valoir

☐ QUESTIONS SUR LES DOCUMENTS

1) Pourquoi l'auteur du premier document parle-t-il de Lille comme de « villes au futur » ?
2) Quelle bataille mobilise actuellement l'énergie des élus lillois ? Quel en est l'enjeu ?
3) Quelles difficultés rencontre Lille dans sa recherche d'hégémonie régionale ?
4) D'après le deuxième document, quelle est la nouvelle image du Nord ?
5) Quelle est la réputation de cette région ? Pourquoi ?
6) Quelle est la réaction des habitants du Nord ?
7) Quelles sont les valeurs qui doivent permettre le développement professionnel de la région Nord ?

Le bout du tunnel

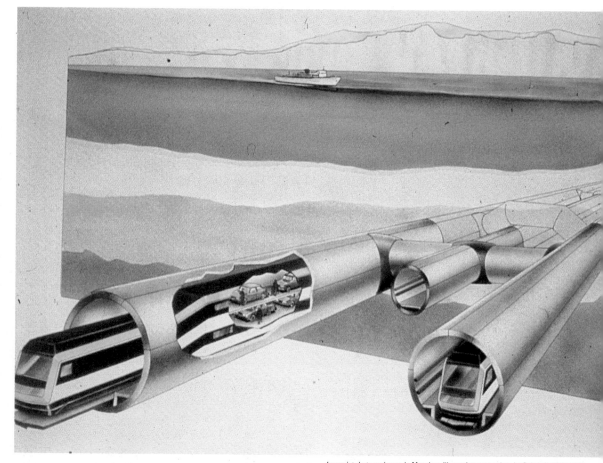

Le projet du tunnel sous la Manche : illustration parue dans Le Point du 27-01-1986

[...] La première idée d'une telle liaison remonte à 1802 : elle fut suivie d'un autre projet à la fin du xixe siècle qui connut un début de forage en 1882 ; puis de deux autres projets, en 1920 et enfin en 1970, avec à nouveau un début de forage abandonné. L'actuel projet de tunnel, ferroviaire, fut finalement retenu après d'autres formules de lien fixe, un tunnel mixte (fer et route) et le plus spectaculaire, présenté par Bouygues, un pont.

Techniquement, de quoi s'agit-il ? D'un ouvrage de 50 kilomètres de long, 4 kilomètres pour la partie souterraine française, 37 kilomètres à 40 kilomètres sous le fond de la mer, et 9 kilomètres pour la partie souterraine britannique. [...]

Depuis 1973, le trafic entre la Grande-Bretagne et le continent a déjà doublé et l'on prévoit un autre doublement d'ici à la fin du siècle. Dès 1993, il représentera 84 millions de tonnes de fret dont 15 pour Eurotunnel (société franco-britannique concessionnaire) ; et 67 millions de passagers, dont 30 pour Eurotunnel (55 % par chemin de fer et 45 % par route), autant que le trafic passagers des trois aéroports de Paris l'an dernier. Dès la première année de mise en service, Eurotunnel prévoit une exploitation bénéficiaire avec 4,7 milliards de francs de recettes. En l'an 2003, c'est sur 21 millions de tonnes de fret et 40 millions de passagers que compte Eurotunnel, soit 6 milliards de recettes.

M. Alastair Morton, homologue britannique de M. Bénard (coprésident pour la France d'Eurotunnel), va plus loin : selon lui les profits d'Eurotunnel pourraient financer une seconde liaison au début du xxie siècle.

VALEURS ACTUELLES - 22 JUIN 1987 - GUILLAUME DE TRUCHIS.

Le métro venu de l'espace

Le métro de l'an 2000, entièrement automatique, bardé de microprocesseurs, de capteurs à infrarouge et à ultrasons destinés à assurer à la fois la régularité d'exploitation et la sécurité des voyageurs viendra... de l'espace. [...]

« Dans l'espace, il est impossible d'aller réparer un satellite. Celui-ci doit donc être conçu pour se débrouiller au maximum par lui-même en cas de défaillance. Et pour que l'on puisse télécommander sa remise en service depuis le sol, s'il n'y parvient pas tout seul. C'est ce principe technologique que nous appliquons pour l'automatisation du métro », explique Daniel Ferbeck, un des responsables de la branche « transports » chez Matra, où l'on a décidé de transposer les connaissances acquises lors de la mise au point de satellites de télécommunications, du cerveau électronique de la fusée Ariane ou même du calculateur de bord du laboratoire Spacelab utilisé par la NASA aux réseaux ferroviaires tout à fait terrestres.

Déjà, depuis 1983, la firme a concrètement montré que cette retombée inattendue du spatial était intéressante : le Val, le métro mis en service à Lille, fonctionne depuis trois ans avec une fiabilité au moins égale à celle du réseau parisien, réputé dans le monde pour son excellente régularité. Tout en transportant plus de cent vingt mille voyageurs par jour, ce système de transport entièrement automatique présente un taux de régularité supérieur à 995 pour 1 000...

Au lieu de placer un conducteur en tête des rames pour assurer la conduite, ou au moins veiller à ce que tout se déroule correctement et « reprendre la main », en cas de problème, les ingénieurs de Matra ont décidé de s'appuyer sur des automatismes établis à tous les niveaux du réseau. À bord du matériel roulant, d'abord, des capteurs « lisent », toutes les 0,3 secondes, les informations fournies par une ligne de transmission qui court le long de la voie. À chaque station, ensuite, un ordinateur distribue les ordres de marche en fonction du retard ou de l'avance avec laquelle les rames se présentent en gare. Dans un poste de commandement central, enfin, une puissante informatique — en fait, le véritable « cerveau » du réseau — gère l'ensemble du trafic, avec un personnel humain réduit à cinq ou six personnes aux commandes... [...]

À Lille, l'automatisme intégral du métro ne veut pas dire déshumanisation, bien au contraire : des interphones placés dans chacune des voitures permettent à tout instant d'entrer en contact avec le poste de commandement central où 24 écrans de contrôle, reliés à un total de 260 caméras, donnent la possibilité de voir absolument tout ce qui se passe sur la ligne de 13 kilomètres de long actuellement en service. « Quant aux agents qui, sur des réseaux classiques, seraient enfermés dans la loge de conduite, ils sont ici employés à patrouiller dans les rames, pour offrir un contact beaucoup plus direct aux voyageurs » assure Daniel Ferbeck. [...]

D'ici la fin du siècle, estiment les ingénieurs, ordinateurs et microprocesseurs offriront des possibilités bien plus spectaculaires encore : en dotant toutes les voitures de métro de moteurs de traction et de systèmes permettant de recevoir les ordres circulant le long de la voie, il n'y aura plus besoin d'atteler physiquement les trains par exemple. Chaque élément circulera à quelques centimètres de ses voisins, avec une régularité parfaite provoquant moins de jeu entre les voitures que les actuels attelages.

Grâce à un tel principe, les rames pourront également se scinder instantanément aux bifurcations entre deux antennes de ligne, ou au contraire se former sans aucune intervention humaine sur les voies de garage, en exécutant des ordres programmés à l'avance. [...]

Le Val

☐ QUESTIONS SUR LE DOCUMENT

1) Qu'est-ce que le Val ?
2) En quoi ce système constitue-t-il une retombée de l'industrie spatiale ?
3) Où et depuis quand fonctionne le premier Val ?
4) Quels sont les résultats obtenus ?
5) Comment est assuré le contact avec le public ?
6) Quelle sera la prochaine étape de l'automatisation du Val ? Pour quand est-elle prévue ?

Création d'entreprises : la mobilisation

Créer 1,5 million d'entreprises
nouvelles à l'horizon 1992*,
tel est le pari du gouvernement.
Mais les banques hésitent
à s'engager.

La création, ou la reprise d'entreprises, est, on le sait, l'un des chevaux de bataille* du gouvernement. [...] Aujourd'hui, il veut mettre en place un réseau de points d'accueil (ils devraient être 400 à la fin de l'année) qui permette aux créateurs d'entreprises d'obtenir tous les renseignements dont ils ont besoin et de confronter leurs expériences.

Quelque 267 000 entreprises, représentant 480 000 emplois, ont été créées ou reprises l'an dernier. [...] À présent, le ministre a les yeux fixés sur l'horizon 1992*, avec l'espoir de voir naître à cette date 1,5 million d'entreprises nouvelles. Toutes, certes, ne survivent pas à la première expérience, mais au bout d'un an, 83 % d'entre elles tiennent toujours le coup*, et 57 % au bout de quatre ans.

Qui sont les créateurs ? Les candidats types ont trente-quatre ans, ils sont mariés, ont deux enfants. Ils ont le bac, deux années d'études et environ dix ans d'expérience professionnelle. Ils s'installent de préférence en région parisienne ou en Provence-Côte d'Azur, sinon dans leur région d'origine. L'entreprise a un capital initial de 50 000 F, elle a dans 52 % des cas une activité de services, dans 24 % de commerce, dans 9 % d'artisanat et, dans 7 % seulement des cas, d'industrie. Elle envisage un chiffre d'affaires d'un million de francs pour la première année. Enfin, les nouveaux entrepreneurs sont à 40 % des femmes.
Mais, en France, la création d'entreprises se heurte encore trop souvent au manque de fonds propres* pour démarrer. Les banques, en particulier, hésitent à prendre des risques. C'est pourquoi le gouvernement veut développer l' « épargne de proximité » — apports de la famille ou de proches, déductibles des impôts en cas d'échec. [...]

Tout comme il faudra inciter les créateurs à se tourner vers les techniques de pointe. L'an dernier, ils n'étaient que 800 à vouloir créer une entreprise innovante*. Par manque d'information sans doute sur les inventions, mais aussi parce que les nouveaux entrepreneurs manquent encore d'imagination.

ARNAUD RODIER.
Avec l'aimable autorisation du Journal LE FIGARO -
Copyright LE FIGARO 1988.

■ VOCABULAIRE ET EXPRESSIONS

cheval de bataille (un)	= un argument que l'on utilise constamment, un sujet favori
fonds propres (les)	= les capitaux apportés par les propriétaires de l'entreprise
horizon 1992 (l')	= en 1992, l'Europe sera unifiée sur le plan économique
innovant	= (néologisme) novateur
tenir le coup	= résister à des attaques, à des soucis, à une maladie

1) Quel est l'un des principaux chevaux de bataille du gouvernement ? Pourquoi ?
2) À quoi servira le réseau de 400 points d'accueil que le gouvernement veut mettre en place ?
3) Combien d'entreprises et d'emplois ont été créés en un an ?
4) Pourquoi le ministre a-t-il les yeux fixés sur l'horizon 1992 ? Qu'espère-t-il ?
5) Quel est le pourcentage d'entreprises qui passent le cap de la quatrième année d'existence ?
6) Quel est le portrait-robot du créateur d'entreprise ?
7) Comment se répartissent les nouvelles entreprises en fonction des secteurs d'activité ?
8) Pourquoi l'entreprise a-t-elle besoin de fonds propres pour démarrer ?
9) Quelles mesures le gouvernement veut-il prendre pour pallier l'excessive prudence des banques ?

© Dessin de Ric : Le Point n° 804, Février 1988

Traquer l'incompétence

Un lave-vaisselle en panne. Une voiture mal réglée. Une touche d'ordinateur cassée. Le calvaire quotidien du consommateur est l'exact opposé du bonheur promis par l'affiche et le spot* télévisé. On sourit au prospect*. On insulte le client. Qui oserait croire que cela puisse durer ?

Dans une société développée, le meilleur clignotant de santé, c'est l'artisan. On en compte en France 2,5 millions, répartis dans 850 000 entreprises de moins de 10 salariés. Par un singulier détour de notre histoire économique, ils sont aujourd'hui les dépositaires des nouvelles valeurs de l'entreprise. L'esprit de service, la formation en alternance*, la flexibilité*, les équipes autonomes*, la défense du métier, la capitalisation du savoir-faire : tous ces thèmes du management* d'avant-garde sont la simple transposition du vieux code de l'artisanat.

Or, il se trouve que le sanctuaire est en péril. L'idéologie corruptrice du « petit boulot » menace aujourd'hui l'héritage des hommes de métier. Déficience de la législation économique ? Affaiblissement des structures professionnelles ? Effondrement de l'enseignement technique ? Aujourd'hui, plus de 60 % des artisans n'ont pas le niveau C.A.P. et un Français sur deux se plaint de son dépanneur. La compétence n'est plus le fondement de la légitimité de la micro-entreprise. Les professions de l'artisanat ont compris le danger. Elles tentent par tous les moyens de stopper la dérive. Mais la leçon est rude pour tout le monde. Elle bouscule bien des idées reçues sur l'emploi, la crise et les affaires. [...] La déqualification* du personnel, le recours désordonné à l'intérim*, la perte de mémoire collective par l'élimination massive des cadres âgés sont des dangers mortels pour l'entreprise. Derrière les belles paroles sur la flexibilité, se cache parfois un vrai mépris pour le travail bien fait. Le marché sanctionne tôt ou tard ces tartuferies. Qui calculera un jour le coût de l'incompétence ?

L'ENTREPRISE N° 27 - OCTOBRE 1987.

■ VOCABULAIRE ET EXPRESSIONS

alternance (l')	= (ici) formation alternant enseignement théorique et application pratique en entreprise
équipe autonome (une)	= (ici) méthode de travail en entreprise qui laisse à chaque équipe la possibilité de s'organiser en fonction des objectifs qui lui sont assignés
déqualification (la)	= l'utilisation du personnel à un niveau de qualification inférieur à celui qui est le sien
flexibilité (la)	= (ici) la souplesse des horaires de travail
intérim (un)	= (abrév.) un travail temporaire
management (le)	= (ang.) la direction
prospect (un)	= (prof.) une personne prospectée, un futur client
spot (un)	= (ang. ici) un message publicitaire télévisé

☐ QUESTIONS SUR LE DOCUMENT

1) À quelles difficultés quotidiennes se heurte le consommateur ?
2) Pourquoi l'auteur de l'article peut-il dire qu' « on sourit au prospect. On insulte le client » ?
3) Combien y a-t-il d'artisans en France ?
4) Qu'appelle-t-on un artisan ?
5) Quelles sont les qualités de l'artisan traditionnel ?
6) Pourquoi le métier d'artisan est-il menacé ?
7) Quels sont les « dangers mortels » qui menacent l'entreprise ? Pourquoi ?

ARTS ET PATRIMOINE : JARDINS ET CHÂTEAUX

Jardins : un patrimoine bien cultivé

Malgré le temps maussade, 6 500 amateurs de plantes rares se sont précipités le mois dernier aux Journées des plantes du parc de Courson (Essonne), inaugurées en 1983, qui n'avaient cette année-là réuni que 400 personnes. Début mai, 4 500 autres botanistes impénitents avaient déjà fait le déplacement pour les Journées des plantes vivaces, organisées dans le domaine voisin de Saint-Jean-de-Beauregard, dont le potager fleuri de 2 hectares attire 10 000 visiteurs par an depuis son ouverture au public en 1985. Succès incontestable, mais encore très éloigné de celui des fameux jardins de Villandry, en Touraine (246 000 visiteurs en 1986). [...] Objet de délectation pour les promeneurs, d'inspiration pour les artistes et de spéculation pour les intellectuels, le jardin est finalement un lieu complexe

Véritable forêt de symboles, en effet, que le jardin dessiné. Et son évolution se rattache à l'histoire des idées plus encore qu'à l'histoire de l'art. [...]

Rien ne se prête mieux à la typologie savante que les jardins, avec leurs fonctions diversifiées (potagers pour le vivre, jardins dessinés pour la promenade et la méditation, parcs pour la chasse), leurs « époques » successives, leur vocabulaire architectural (fontaines, grottes, fabriques*) codifié par de nombreux traités, l'un des premiers en langue française étant celui de Bernard Palissy sur les « grottes rustiques » (1583). Mais peu d'œuvres d'art sont aussi éphémères, difficiles à conserver, problématiques à restaurer, coûteuses à entretenir. [...]

Aucun sociologue ne s'est encore penché sur cette nouvelle passion du public pour les fleurs, et aussi les choux verts, blancs ou roses, qui s'exprime à Villandry, Giverny, Dampierre ou Saint-Jean-de-Beauregard. On médite, cependant, au ministère de la Culture, sur les enquêtes de l'I.N.S.E.E. qui indiquent une montée en flèche* du poste « jardin » dans les dépenses des ménages. « *Au fond,* conclut Bertrand du Vignaud, à la Caisse des monuments historiques, *le jardin historique joue un rôle pédagogique, en restituant au public français son passé oublié de grand peuple jardinier.* » [...]

LE POINT - 8 JUIN 1987 - MARYVONNE DE SAINT-LAURENT.

Villandry : le château

Villandry : partie du jardin du château

et même conflictuel. « *Le jardin est, davantage encore qu'une maison, une affaire passionnelle* », dit Patrice Fustier, qui restaure depuis dix ans le parc familial de Courson. « *La création d'un jardin, outre qu'elle est généralement plus coûteuse que celle d'un château, suppose une pensée à long terme,* commente Monique Mosser. *C'est un acte de foi, hypervolontariste, et en grande partie symbolique.* »

Veillée au Puy-du-Fou

Son et lumière au « Puy-du-Fou »

Il y avait quelque folie dans l'idée du Puy-du-Fou, spectacle d'une ampleur unique qui a célébré, le 12 juin, le 10ᵉ anniversaire d'un succès grandissant.

Le Puy-du-Fou, un lieu-dit, un château en ruine et sans vraie beauté, c'est pourtant là que s'est reconstruite, il y a dix ans, l'identité vendéenne.

Le conseil général de la Vendée avait racheté cette maison de briques et de granit à l'abri du bocage* vendéen. Un étudiant de vingt-sept ans (diplômé de l'École nationale d'administration, il est vrai) prend le pari de créer, dans ce site, une « cinéscénie » : un grand cinéma de plein air.

Ils sont d'abord quatre jeunes gens puis cinquante, qui décident d'unir leurs efforts. Premier spectacle : 150 acteurs improvisés trouvés dans les villages d'alentour. Le principe est simple : animer les ruines par un gigantesque embrasement. Tel est le fond d'une mise en scène au départ sommaire, empruntée à l'histoire des guerres de Vendée.

Aujourd'hui, l'aire scénique la plus impressionnante du monde, 12 sous-marins et toute l'efflorescence de la « pyroscénie* ». [...]

Les vingt-deux soirées estivales du Puy-du-Fou, qui accueillent maintenant de toute la France plus de deux cent mille spectateurs, sont le fruit d'un entraînement quotidien de la population : répétition des musiques, des fanfares, des cascades, des voltiges, de la chorégraphie, chaque soir, quand les commerces et les ateliers ont fermé.

Alors ce n'est pas encore la fête mais le labeur, sous l'autorité bénévole et exemplaire d'un homme dont le destin résume à lui seul cette entreprise collective. C'est Jacquy Sabiron, paysan vendéen.

Philippe de Villiers m'a raconté son histoire : « Avant, il avait été mitron chez un boulanger — renvoyé parce qu'il ne faisait rien — puis pion* dans un collège — licencié à nouveau... — Comme acteur, il s'est révélé. Il se donne tellement qu'il pleure chaque soir en jouant son rôle. C'est devenu un passionné de théâtre et de musique, un travailleur infatigable, plein d'idées, d'une étonnante culture... »

Et l'argent ? Une subvention du ministère de la Culture, des collectivités ? Des assemblées générales de machinistes, la contrainte des syndicats ? Rien de tout cela. Et ce n'est pas le plus petit miracle : Philippe de Villiers le dit clairement : « Le Puy-du-Fou, chaque année, reverse au département et aux pouvoirs publics une subvention, ce qui est naturellement très original. » Curieux retournement ! Le Puy divertit, et fait vivre les Puy-Folais. [...]

VALEURS ACTUELLES - 15 JUIN 1987 - PIERRE-ÉTIENNE PAGES.

■ VOCABULAIRE ET EXPRESSIONS

bocage (le)	= prés entourés de haies et de butées de terre plantées d'arbres
fabrique (une)	= *(ici)* un petit édifice dans un parc
montée en flèche (une)	= une croissance rapide
pion (un)	= *(fam.)* un surveillant dans un collège
pyroscénie (la)	= *(néologisme)* mise en scène utilisant les effets de la lumière

☐ QUESTIONS SUR LES DOCUMENTS

1) Quels exemples prouvent l'engouement du public pour les jardins historiques ?
2) Pourquoi la création d'un jardin suppose-t-elle un acte de foi, une volonté très forte ?
3) Qui a rédigé l'un des premiers traités du jardin en langue française ?
4) Quel est le rôle sociologique du jardin pour le public français ?
5) Qu'est-ce que le Puy-du-Fou ?
6) Quelle fut l'idée de départ de ce « son et lumière » ?
7) Donnez quelques exemples illustrant l'importance de cette manifestation.
8) Quelle est la caractéristique financière de cette opération ?

Médias : le quatrième pouvoir

Une constellation de thèmes que l'on ne peut ni séparer les uns des autres ni traiter tous ensemble imprime en général aux considérations sur la presse et les médias* une congénitale confusion. Il y a d'abord le thème de la liberté d'expression, droit inscrit dans l'acte de naissance de toutes les démocraties : la presse est libre. Il y a ensuite la mise en circulation, le service, le marché, le métier et la consommation de l'information, ce qui est différent. La liberté d'expression ne garantit pas la qualité de l'information, ni sa richesse. Mille opinions diverses peuvent être mille opinions fausses. La liberté est sans prix : elle n'est pas l'infaillibilité. Le cliché selon lequel il suffit qu'une information soit « pluraliste* » pour être bonne est absurde. C'est l'opinion qui est pluraliste ; l'information, elle, est exacte ou inexacte, importante ou secondaire, abondante ou rare. Les médias électroniques sont probablement bons porteurs des échanges d'opinions, moins bons de l'information approfondie, vérifiée, complète.

Il y a encore tous les problèmes de l'influence des médias sur l'opinion, sur les acteurs politiques, et réciproquement. Les médias tiennent-ils à leur merci* l'opinion publique ? Ou ont-ils la haute main* sur les politiques, pour qui, semble-t-il, la devise du jour est : la médiatisation*, ou la mort — quand ce n'est pas la mort par la médiatisation ? Ou est-ce qu'au contraire ce ne sont pas les politiques qui désormais manient et manipulent à leur guise l'opinion à travers les médias ? Ou bien les uns et les autres suivent-ils de plus en plus servilement l'opinion ? Dès lors, que conserve d'authentique l'exercice électoral de la démocratie représentative ?

Se pose ainsi une nouvelle question : quelle est la légitimité de ce « pouvoir » des médias ? Aux politiques enclins à se plaindre de la guerre de harcèlement que leur livre, selon eux, la presse, le journaliste répond que son rôle est celui d'un « contre-pouvoir ». Autre idée simpliste. Car être en permanence un contre-pouvoir impliquerait que le pouvoir eût en permanence tort, ce qui n'est pas possible selon le calcul des probabilités. Elle supposerait, en outre, que les gens de médias eussent le monopole de la compétence et de l'honnêteté. Dernier thème, enfin, lié à tous les précédents : celui de la modification par les médias de la façon même dont la société perçoit et fournit les éléments du débat public, le comprend, le retient, l'oublie.

Bref, quelle est la nature du « quatrième pouvoir », pour reprendre la célèbre expression ? L'émergence des médias de masse l'a-t-elle radicalement transformé ? Si oui, la vie démocratique en est-elle révolutionnée de fond en comble ? Telles sont les trois questions principales, intimement liées, auxquelles on peut probablement ramener la plupart des autres. Si le quatrième pouvoir, dès l'origine, est consubstantiel à la démocratie, la formule même n'a cependant de valeur que par analogie. Les trois autres pouvoirs sont définis par des textes constitutionnels. Les hommes et les femmes qui les exercent doivent, pour être légitimes, se recruter selon des règles précises — l'élection, le concours, la nomination par les autorités qualifiées. Ils encourent des sanctions déterminées en cas d'abus, de forfaiture, d'erreur grave. Ces critères deviennent en revanche des plus vagues dès qu'il s'agit du pouvoir d'informer et de communiquer. Proposer au public des informations et des opinions, des images, des photos, des reportages, une exhortation à prendre un parti ou un autre, c'est un droit qui est inclus dans les droits généraux du citoyen. Le pouvoir qui en découle éventuellement provient du succès, c'est un pouvoir de fait, tout comme la légitimité conférée par le public, par l'audience, due à la bonne réputation professionnelle — ou à la mauvaise, dans le cas de la presse partisane, scandaleuse et diffamatoire. Car elle a ses amateurs.

On peut réussir, dans la presse et les médias, parce qu'on est scrupuleux, soucieux des faits, impartial dans l'analyse — ou à cause du contraire. [...]
Peu de sociologues songent à nier la métamorphose de la communication qui est en cours — mondialisation, instantanéité, amplification. Les historiens de la presse n'en rappellent pas moins d'illustres campagnes, menées ou lancées exclusivement sur le papier imprimé avant mais aussi après la naissance des médias électroniques. Les effets en sont souvent plus foudroyants que maintes émissions de télévision. C'est avec un porteplume qu' Albert Londres fit supprimer le bagne. [...] L'univers audiovisuel s'est surajouté à celui de la presse, il ne l'a ni détruit, ni remplacé, ni même toujours surpassé en puissance de choc. Il est d'un autre ordre.
Lequel ? Ce sont les politiques qui ressentent avec le plus d'intensité les pressions que la médiatisation de leurs activités fait subir, en démocratie, à l'exercice des responsabilités, aux réactions du public, à la capacité même d'agir. [...]
La primauté de l'instant, l'obligation de réagir immé-

QU'EST-CE QUI MORD ET QU'ON NE TIENT PAS EN LAISSE ?

LA PRESSE, JE SUIS CURIEUX, J'ACHÈTE.

MINISTÈRE DE LA CULTURE ET DE LA COMMUNICATION

diatement à tout événement, même s'il pose un problème grave et compliqué, l'impossibilité, désormais acquise, du secret, même dans les affaires internationales délicates, relèguent au second plan de la réflexion la perspective à long terme. [...]
Maints sociologues de la communication [...] ont démontré le caractère partiellement illusoire et mythique du dogme de l'« écran magique ». Mais, mythe ou pas, les politiques y croient, le public aussi, les journalistes des médias encore plus. Dès lors, le fait fondamental, c'est qu'ils ont tous adapté leurs comportements à ce mirage, qui, du coup, devient une réalité.

LE POINT N° 767 - 1er JUIN 1987 - JEAN-FRANÇOIS REVEL.

■ VOCABULAIRE ET EXPRESSIONS

avoir la haute main sur	= avoir autorité sur
média (un)	= un moyen d'information
médiatisation (la)	= *(néologisme)* l'utilisation des médias
pluraliste	= *(ici)* une presse qui exprime plusieurs opinions
tenir à sa merci	= tenir en son pouvoir

□ QUESTIONS SUR LE DOCUMENT

1) Quels sont les thèmes qu'évoque le mot « presse » ?
2) Comment se pose, d'après J.-F. REVEL, le problème de la liberté d'expression ?
3) En quels termes pose-t-il le problème de l'influence des médias ?
4) Pourquoi, d'après l'auteur, affirmer que la presse a un rôle de « contre-pouvoir » est « une idée simpliste » ?
5) Quelles sont les trois questions principales qui se posent quand on parle des médias ?
6) Pourquoi la formule de « quatrième pouvoir » n'a-t-elle de sens que de manière analogique ?
7) Qui ressent avec le plus d'intensité la pression des médias ?
8) Quelles conséquences cette pression a-t-elle sur les décisions de politique intérieure et internationale ? Pourquoi ?
9) Qu'est-ce que dénonce J.-F. REVEL en conclusion ?

1840
Honoré de Balzac dénonce...

« Le IVe pouvoir »

« La presse est, en France, un quatrième pouvoir dans l'État ; elle attaque tout et personne ne l'attaque. Elle blâme à tort et à travers. Elle prétend que les hommes politiques et littéraires lui appartiennent et ne veut pas qu'il y ait réciprocité ; ses hommes à elle doivent être sacrés. Ils font et disent des sottises effroyables, c'est leur droit ! Il est bien temps de discuter ces hommes inconnus et médiocres qui tiennent autant de place dans leur temps et qui font mouvoir une presse égale en production à la presse des livres. [...] Si la presse n'existait pas, il ne faudrait surtout pas l'inventer. »

LA REVUE PARISIENNE - HONORÉ DE BALZAC.

Province :
la métamorphose

1972 : la France, c'était
« Paris et le désert français ».
Paris a perdu de sa superbe,
la province a perdu ses complexes.
Elle existe, elle vit...

La province ne sent plus la province, ce fumet de charme désuet et de style rétro qu'évoquait — non sans hauteur — l'élite parigote* . En à peine dix ans, le vieillot-rétro* s'est réduit, tandis que le charme et le style, repeints aux couleurs du temps, demeurent.
La province n'est plus provinciale, c'est-à-dire gentiment rustique, largement démunie et franchement retardataire. En à peine dix ans ont surgi de vraies capitales régionales et émergé des villes modernes, quoique dites « moyennes ».

Le changement est radical. Spectaculaire. Tangible. Qu'il ne soit pas, également et partout, visible ne change rien à cette transformation majeure d'une France qui, encore en 1972, se réduisait à « Paris et le désert français ».

En septembre 1981, *Le Point* publiait une grande enquête : « Où vit-on le mieux en France ? » Tous les départements — et Paris — y étaient passés au tamis* de plusieurs critères : la santé, la culture, la crise économique, l'agrément, la criminalité, la richesse ou la vie collective. Et c'est Paris qui arrivait en tête, même si, déjà, commençaient de percer certains départements, plus rapides que les autres dans leur ébrouement industriel ou culturel.

Projet d'affiche pour le journal L'Éclair, par George Edward - 1897

Vitrolles (13) : logements

Poitiers (86) : le Futuroscope

◄ *St-Dalmas-de-Tende (06) : H.L.M. La Minière*

Serait-ce toujours le cas en 1987 ? Pas sûr. Paris a perdu de sa superbe* en même temps qu'il perd, année après année, de sa population. La province, elle, semble avoir perdu ses complexes. Elle s'affiche, s'expose, se vante. Elle se promotionne* avec un art consommé du marketing* municipal : la B.D. fait parler d'Angoulême et le printemps, de Bourges. Montpellier et Toulouse se haussent du col* à coups d'atouts, économiques ou artistiques. Jusqu'au « futile » — la mode et le stylisme — jusqu'à l'éphémère — la pub* — cantonnés longtemps aux snobismes et frivolités du champ clos* parisien, qui se mettent à naître en province, quitte à venir chercher gloire et fortune dans la capitale, en la colonisant...

Bref, la province existe. Elle vit. A appris à se coucher tard. Redécouvert la cuisine de terroir. Rénové ses centres-villes. Construit — souvent bien — ses quartiers d'affaires. Monté des technopoles*, le dernier rêve d'élus en mal* de Silicon Valley locales. Convié au spectacle ses habitants...

LE POINT - 6 JUILLET 1987 - MICHEL RICHARD.

La régionalisation

« L'effort multiséculaire de centralisation qui fut longtemps nécessaire pour réaliser et maintenir l'unité du pays... ne s'impose plus. Au contraire, ce sont les activités régionales qui apparaissent comme les ressorts de la puissance économique. »
Ces propos ont dix-huit ans. Ils furent tenus le 25 mars 1968 par le général de Gaulle. La région n'avait été jusque-là, depuis 1945, qu'un instrument de l'aménagement du territoire et de la planification. L'échec du référendum de 1969 interrompait le processus engagé. Le 24 novembre 1975, à Dijon, M. Valéry Giscard d'Estaing déclarait : « Le rôle de la région n'est pas d'administrer elle-même, ni de gérer elle-même, ni de substituer son intervention au pouvoir de décision des collectivités locales. »
Ce n'est que le 16 mars dernier que la région est devenue réalité : collectivité territoriale à part entière, administrée par une chambre élue au suffrage universel. [...]

VALEURS ACTUELLES - 12 MAI 1986 - M.L. BONAVITA
et P. MAILLARD.

■ VOCABULAIRE ET EXPRESSIONS

champ clos (un)	= un terrain de bataille
en mal de	= en manque de
marketing (le)	= *(ang. ici)* art de se faire connaître et de se vendre
parigot	= *(pop.)* parisien
passer au tamis	= passer au crible
perdre de sa superbe	= perdre un peu de son orgueil
promotionner (se)	= *(néologisme)* assurer sa propre promotion, sa publicité
pub (la)	= *(abrév. fam.)* la publicité
se hausser du col	= se mettre en avant
technopole (un) ou (une)	= *(néologisme)* zone créée spécialement pour regrouper des entreprises, des centres de recherche, des centres de formation.
vieillot-rétro (le)	= *(fam.)* se dit de ce qui est vieilli et rétrograde

□ QUESTIONS SUR LE DOCUMENT

1) En combien de temps s'est réalisée la transformation de la province ?
2) Comment se caractérise le « charme provincial » ?
3) Quelle ville arrivait en tête de l'enquête réalisée par *Le Point* en septembre 1981 ?
4) Quelle évolution connaît Paris depuis six ans ?
5) Citez quelques exemples qui prouvent la vitalité des villes de province.

La France riche et la France pauvre

Que l'Île-de-France caracole en tête des régions françaises, qu'elle « truste* » les sièges sociaux des grandes entreprises, qu'elle concentre les deux tiers des organismes de recherche, que le taux de chômage y soit moins fort qu'ailleurs, que le revenu par habitant dépasse nettement la moyenne nationale, que le marché immobilier des bureaux y soit florissant, tout cela personne ne l'ignore.
Les Français savent aussi que l'Île-de-France a bien de la chance puisque l'usager parisien paye le billet de son

métro bien moins cher que le Marseillais ou le Lyonnais, que les grands projets culturels le favorisent davantage que le Bordelais ou le Brestois, et puisque demain, sauf imprévu, Disneyland va injecter à Marne-la-Vallée des dizaines de milliards d'investissements et de courants commerciaux. Et sur 59 salons internationaux qui ont eu lieu en 1986, 45 se sont déroulés dans la capitale...

L'I.N.S.E.E., dans sa dernière livraison, apporte des éléments inédits qui confirment cette prépondérance de l'Île-de-France. En 1984, le produit intérieur brut (P.I.B.) de cette région a représenté 27 % du total national. Rhône-Alpes, avec 9,8 %, Provence-Alpes-Côte d'Azur (6,8 %) et le Nord-Pas-de-Calais (6 %) n'arrivent que loin derrière. En queue de peloton, la Basse-Normandie, la Franche-Comté, le Limousin et la Corse n'entrent chacune que pour moins de 2 % dans le P.I.B. de la nation.

Néanmoins, sur une longue période, si l'Île-de-France garde sans conteste la tête, l'effet conjugué* des difficultés industrielles et de la politique de décentralisation transparaît à travers le léger fléchissement du Nord, de l'Est et de la région parisienne, alors que le Sud-Ouest (Aquitaine et Midi-Pyrénées) et l'Ouest (Pays de la Loire, Bretagne) enregistrent un mouvement inverse et accroissent leur part dans le P.I.B.

Rapporté au nombre d'habitants, le produit intérieur place toujours l'Île-de-France en tête, mais elle est suivie, cette fois, par l'Alsace, la Haute-Normandie et Rhône-Alpes, tandis que la Bretagne et le Languedoc-Roussillon rejoignent, chez les retardataires, la Corse, le Limousin et Poitou-Charentes.

Entre le P.I.B. du Corse, du Corrézien, du Poitevin et celui de l'habitant d'Île-de-France, l'écart est de 1 à 2. L'I.N.S.E.E. compare enfin, pour l'année 1983, la part des activités agricoles, industrielles ou tertiaires (bureaux, recherche, administration, universités, services) dans la valeur ajoutée* de l'économie régionale. La région la plus industrielle est la Franche-Comté (45 % de la valeur ajoutée) à cause du poids de l'automobile à Sochaux, d'Alsthom, de Bull notamment dans la région de Belfort-Montbéliard et des industries micro-mécaniques. Les moins industrielles sont Provence-Alpes-Côte d'Azur, le Roussillon et l'Île-de-France. En revanche, la région parisienne et la Provence se détachent en tête (outre la Corse) pour le poids du secteur tertiaire (68 % à 69 %). La part de l'agriculture dans la valeur ajoutée a sensiblement diminué dans les régions où cette activité est traditionnellement essentielle : Bretagne, Languedoc, Limousin, Auvergne ; Champagne-Ardenne faisant toutefois

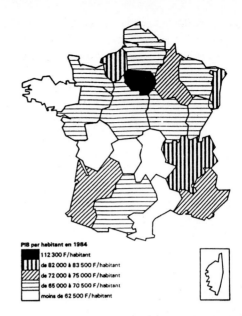

PIB per habitant en 1984
- ▉ 112 300 F/habitant
- ▤ de 82 000 à 83 500 F/habitant
- ◫ de 72 000 à 75 000 F/habitant
- ▨ de 65 000 à 70 500 F/habitant
- ☐ moins de 62 500 F/habitant

exception grâce au breuvage dont tout le monde connaît la valeur ajoutée et la valeur tout court...

L'étude de l'I.N.S.E.E. tombe à pic* au moment où les responsables de l'aménagement du territoire, épluchant* le rapport Guichard, cherchent les moyens de redonner vie à une politique en jachère* et où le 10 janvier à Nantes, autour d'Olivier Guichard précisément, Jacques Blanc, président de la région Languedoc-Roussillon, réunit ses collègues présidents des conseils régionaux. À l'ordre du jour : l'aménagement du territoire, nécessité ou utopie ?

LE MONDE - 11-12/1/1987 d'après une étude de l'I.N.S.E.E. - FRANÇOIS GROSRICHARD.

■ VOCABULAIRE ET EXPRESSIONS

effet conjugué de... (l')	= l'effet de... associé à l'effet de...
en jachère	= *(fig.)* en sommeil
éplucher	= *(ici fam.)* examiner avec la plus grande attention
tomber à pic	= *(fam.)* arriver au moment le plus opportun
truster	= *(ang.)* monopoliser
valeur ajoutée (la)	= *(prof.)* la richesse que produit la région à partir de ses ressources

□ QUESTIONS SUR LES DOCUMENTS

1) La notion de « région » en France est-elle une notion nouvelle ?
2) Citez quelques exemples de la prééminence de l'Île-de-France par rapport aux autres régions de France.
3) Quel est le rang de la région Nord-Pas-de-Calais dans le classement par P.I.B. ?
4) Quelles sont les régions qui ont fléchi sur une longue période ?
5) Quelle est la région la plus industrielle de France ? Pourquoi ?
6) Quelles sont les régions qui viennent en tête pour les activités tertiaires ?
7) Comment a évolué la part de l'agriculture ? Pourquoi ?

LE VENT

AU SOMMAIRE DU DOSSIER 5

SUR LE VIF

CÔTÉ COUR...

Un industriel de la plaisance consulte son banquier

... CÔTÉ JARDIN

« Obtenir un prêt, quel casse-tête ! »

LA REVUE DE PRESSE ÉCONOMIQUE ET SOCIALE

RÉGION : NORMANDIE

Union autour du technopôle bas-normand (L'EXPANSION)

PLAISANCE - CONSTRUCTION NAVALE

La plaisance française (LE SPECTACLE DU MONDE)
Le *Sovereign of the Seas:* le plus grand paquebot du monde (LE NOUVEL OBSERVATEUR)
L' « océanaute » (LE POINT)

BANQUE

La banque de l'an 2000 (VALEURS ACTUELLES)
Bourse : encore de beaux jours... (TERTIEL)
...un « mai 68 » de l'économie (LE POINT)

LE MAGAZINE DE L'ACTUALITÉ

ARTS ET PATRIMOINE :

L'ACADÉMIE FRANÇAISE

Être immortel ! (LES LIEUX DE MÉMOIRE, LA NATION - MARC FUMAROLI)

SOCIÉTÉ : SONDAGES D'OPINION

La « sondomania » des Français (LE POINT)
Jeunes, individualistes et généreux... (LE MONDE)

SPÉCIAL : GASTRONOMIE

Vive la France légère (GAULT MILLAU)
La haute cuisine, modèle haute couture (LE POINT)
45 000 (GAULT MILLAU)
Les tribulations d'un mangeur solitaire (LE NOUVEL OBSERVATEUR)
La grande bouffe (SANTÉ MAGAZINE)

CONTREPOINT

G. FLAUBERT décrit...
Un repas de noce en Normandie au XIXe siècle
MADAME BOVARY

 FICHES GRAMMATICALES
I. Tel - Tel que - Tel quel
J. Quoique - Quoi que

EN POUPE

LA RÉGION

NORMANDIE

LES SECTEURS D'ACTIVITÉ

C'est une très ancienne province française à vocation agricole (élevage de bovins, production de fromages et de produits laitiers réputés).

La vallée de la Seine est une importante voie de communication, avec Le Havre et Rouen, les avant-ports de Paris. Des zones industrielles actives concentrent des activités très diverses : raffineries pétrolières, textiles, chimie, construction navale. Le pont de Normandie (2 200 mètres au-dessus de l'estuaire de la Seine, deux pylônes de 212 mètres de haut supportant une travée centrale de 856 mètres) réunit la Haute- et la Basse-Normandie, le nord et le sud de la France.

La côte Normande abrite des stations balnéaires célèbres à proximité de Paris et de l'Angleterre (Deauville, Trouville, etc.).

La navigation de plaisance bénéficie de l'engouement du public pour tout ce qui touche aux loisirs ; les succès obtenus par les navigateurs français dans les grandes compétitions internationales ont beaucoup contribué à la promotion de cette activité.

Le secteur bancaire, en pleine mutation, est un rouage essentiel de l'économie française. Il regroupe les grandes banques de dépôt (B.N.P., Crédit Lyonnais, Société Générale...), des banques d'affaires et des établissements régionaux. La Caisse d'Épargne des P.T.T., implantée dans toute la France, constitue un redoutable concurrent pour tout ce qui concerne l'épargne privée.

Honfleur

CÔTÉ COUR...

Un industriel de la plaisance
consulte son banquier

L'ENTREPRISE

Le Grand Large est une petite S.A. créée en 1980 et spécialisée dans la fabrication et la vente de bateaux de plaisance « haut de gamme ». Une partie importante de sa production est destinée à l'exportation (plus de 40 %).

L'entreprise emploie 48 salariés. Elle est installée au Havre.

C'est une entreprise très dynamique, en pleine expansion, mais sa trésorerie est fragile et ses besoins financiers importants.

LA SITUATION

Richard LE GOEFF rend visite à son banquier, Jean PRO-GIER, pour étudier avec lui les possibilités de financement envisageables pour le développement de son entreprise.

PROFILS

RICHARD LE GOEFF
35 ans
Chef d'entreprise
Patron du Grand Large
Marin de père en fils

JEAN PROGIER
38 ans
Directeur d'agence à la Banque de Développement Industriel (B.D.I.)

| Tel - Tel que - Tel quel |

JEAN PROGIER — Bonjour M. LE GOEFF. Comment allez-vous ? Vous avez dû être satisfait des résultats de votre poulain* dans la dernière Pacific Cup !

5 RICHARD LE GOEFF — Et comment ! Vous savez, sans être chauvin, voir un jeune de chez nous remporter cette régate... Je vous avoue que cela nous a vraiment fait quelque chose...

JEAN PROGIER — Un succès tel que celui-ci, cela doit signifier aussi de nouveaux marchés pour le Grand Large...

10 RICHARD LE GOEFF — Justement, c'est de cela que je venais vous parler... Pour résumer la situation : nous nous développons très vite... trop vite...

JEAN PROGIER *(riant)* — Jamais trop...

RICHARD LE GOEFF — Si, presque trop pour notre taille de départ : avec notre capital, nous sommes vraiment gênés aux entournures*.

15 JEAN PROGIER — Vous avez le vent en poupe* : au train* où vous filez, vous pourrez bientôt songer au second marché* !

RICHARD LE GOEFF — Mais dans l'immédiat, il va nous falloir trouver d'autres solutions. D'ailleurs, nos besoins sont plutôt ponctuels*...

JEAN PROGIER — C'est-à-dire ?

RICHARD LE GOEFF — Il nous faudrait deux types de crédits : un crédit 20 d'équipement pour acquérir un matériel informatique : il existe maintenant sur micro* des logiciels très adaptés à nos besoins.

En second lieu, nous envisageons une importante action vers les États-Unis avec, sans doute, création d'une filiale locale en association avec un constructeur de Floride. Nous avons décidé de mettre le paquet* sur 25 l'export.

JEAN PROGIER — Ponctuels, ponctuels : pour le matériel informatique, d'accord, mais pour la création de la filiale, vous vous lancez dans une opération de longue haleine... attendez-vous à plusieurs années d'efforts financiers avant d'en récolter les fruits. 30

RICHARD LE GOEFF — Mon expert-comptable a préparé un dossier, le voici...

JEAN PROGIER *(feuillette le dossier)* — Vos marges* sont en progrès...

RICHARD LE GOEFF — Oui, nous avons fait des efforts de productivité très importants et notre trésorerie s'est beaucoup améliorée depuis un an... Les résultats des six premiers mois de cette année sont encore plus prometteurs. 35

JEAN PROGIER — Ah ! voici l'étude de vos besoins en financement. Fichtre* ! cela fait une belle somme...

RICHARD LE GOEFF — L'opération américaine est un gros morceau !

JEAN PROGIER — Je ne pense pas qu'on puisse éviter une caution personnelle... 40

RICHARD LE GOEFF — Je m'y attendais un peu, mais je trouve cela exorbitant ! Il faudrait voir quelles conditions vous nous faites : taux d'intérêt, délai de remboursement, etc.

JEAN PROGIER — Compte tenu du montant du prêt, je vais être obligé d'en référer à Paris... pour l'instant, avec ce que vous m'avez remis, j'ai 45 suffisamment d'éléments pour étudier le dossier et vous faire une, voire plusieurs propositions... Il existe actuellement quelques solutions intéressantes quoiqu'un peu compliquées...

J - Quoique - Quoi que

RICHARD LE GOEFF — Quand pourrez-vous me donner une réponse ?

JEAN PROGIER — D'ici une dizaine de jours, nous y verrons plus clair. Je vous 50 téléphone dès que je suis prêt.

RICHARD LE GOEFF — J'espère que nous n'aurons pas à attendre trop longtemps.

JEAN PROGIER — Vous pouvez compter sur notre diligence M. LE GOEFF.

« Obtenir un prêt, quel casse-tête ! »

La scène se passe dans le bureau du directeur d'une grande banque, en province.

M. DUBOIS — Bonjour, monsieur. Je suis Jean DUBOIS, je suis venu avec ma femme, nous avons rendez-vous...

LE DIRECTEUR — Oui, oui, en effet, M. et Mme DUBOIS. Entrez, asseyez-vous ! Si j'ai bien compris ce que m'a expliqué madame au téléphone, vous
5 envisagez d'acquérir un bien immobilier*.

MME DUBOIS — On a trouvé un appartement. Vous savez, on cherchait depuis longtemps, mais avec les prix... ça dépassait toujours ce qu'on pouvait mettre*, et on voulait quelque chose qui ne soit pas trop loin de notre travail...

10 LE DIRECTEUR — Donc, vous êtes sur le point d'acheter un appartement.

MME DUBOIS — Oui, on a trouvé quelque chose de bien, place de la Mairie, juste à côté du supermarché, deux pièces : c'est assez pour nous, vu qu'on n'a pas d'enfants. Avec une belle cuisine ; il y a même des placards...

M. DUBOIS — Nous n'avons pas encore signé, parce qu'on voudrait d'abord
15 savoir si on peut obtenir un prêt et de combien ?

LE DIRECTEUR — C'est un appartement neuf ou ancien ?

MME DUBOIS — C'est ultramoderne, avec un parking, des balcons...

LE DIRECTEUR — Avez-vous un compte épargne-logement* ?

MME DUBOIS — Euh ! oui, on en a un. Parce que ça fait très longtemps qu'on
20 cherche, vous savez, avec la crise du logement, c'est très difficile de trouver quelque chose de bien...

LE DIRECTEUR — En effet... donc vous avez un compte épargne-logement, cela permettra d'obtenir un prêt à un taux très intéressant et notre établissement pourra peut-être vous consentir* un prêt complémentaire...
25 Vous êtes bien salariés, n'est-ce pas ?

M. DUBOIS — Oui, on travaille tous les deux au Prisunic, vous savez...

LE DIRECTEUR — Très bien, très bien. Je vais demander à Mlle DAMIEN de prendre en charge votre dossier. C'est elle qui s'occupe des prêts à l'agence. Elle va vous donner toutes les explications et les papiers à remplir.

M. DUBOIS — Est-ce que ça va prendre beaucoup de temps ? Il ne faudrait 30 pas que cet appartement nous passe sous le nez* !

LE DIRECTEUR — Vous pouvez toujours signer une promesse de vente*. Si vous n'obtenez pas le prêt, la promesse est nulle et vous n'avez aucun engagement envers le vendeur. 35

MME DUBOIS — Tout de même, obtenir un prêt : quel casse-tête* ! Tu as compris ce qu'il faut faire ?

M. DUBOIS — Oui, oui, ne t'inquiète pas... et puis, on va pouvoir redemander à Mlle DAMIEN, elle nous expliquera. 40

CÔTÉ COUR

■ VOCABULAIRE ET EXPRESSIONS

au train où	= au rythme
avoir le vent en poupe	= *(fig.)* être dans une période de succès
être gêné aux entournures	= *(fig.)* être gêné financièrement comme par un vêtement trop étroit
fichtre !	= *(fam.)* exclamation qui exprime l'étonnement
marge (une)	= *(ici)* un bénéfice
mettre le paquet	= *(fam.)* concentrer tous ses efforts
micro (un)	= *(abr.)* un micro-ordinateur
ponctuel	= *(ici)* limité à quelques domaines précis
poulain (un)	= *(fam.)* un protégé
second marché (le)	= système de cotation boursière accessible aux entreprises qui n'ont pas encore la surface suffisante pour être cotées à la Bourse traditionnelle

□ QUESTIONS SUR LE DIALOGUE

1) Quelles sont les activités de Richard LE GOEFF et de Jean PROGIER ?
2) Où se situe l'action ?
3) Pourquoi Jean PROGIER fait-il allusion à la dernière Pacific Cup ?
4) Pourquoi Richard LE GOEFF a-t-il besoin d'argent ?
5) Que doit faire Jean PROGIER avant de donner sa réponse ?
6) Pourquoi Richard LE GOEFF devra-t-il donner sa caution personnelle ?
7) Quand Jean PROGIER pourra-t-il donner sa réponse ?

CÔTÉ JARDIN

■ VOCABULAIRE ET EXPRESSIONS

bien immobilier (un)	= un immeuble, un appartement
casse-tête (un)	= *(ici)* un problème compliqué
ce qu'on peut mettre	= *(fam.)* la somme que l'on peut consacrer à un achat
compte épargne logement (un)	= un compte d'épargne dont le montant peut être consacré à l'achat ou à la rénovation d'un logement ; ce compte donne également droit à des prêts à taux réduits
consentir	= *(transitif)* accorder
passer sous le nez	= *(fam.)* échapper
promesse de vente (une)	= un engagement signé entre le vendeur et l'acheteur par lequel le vendeur s'engage à céder un bien. Dans le cas d'un bien immobilier, la promesse de vente doit être confirmée par un contrat d'achat obligatoirement signé devant un notaire

□ QUESTIONS SUR LE DIALOGUE

1) Que vous révèle le dialogue sur la personnalité de Jean DUBOIS et de sa femme ?
2) Quelle est la réaction du directeur ? Pourquoi ?
3) Quelles aides financières le couple peut-il espérer ?
4) De quoi dépendra l'aide de la banque ?
5) Que doit faire Jean DUBOIS en attendant la réponse de la banque ?
6) M. et Mme DUBOIS ont-ils compris les explications du directeur ?

RÉGION : NORMANDIE

Union autour du technopôle bas-normand

Caen : l'abbaye aux Dames

Accompagné de quelques centaines de chercheurs, élus, industriels et responsables de formation, [...] le ministre de l'Industrie, des P. et T. et du Tourisme, a fait le tour des équipements qui forment déjà les éléments du futur technopôle* de l'agglomération caennaise. Un projet inscrit dans les priorités du Xe Plan par le conseil régional de Basse-Normandie et qui, jusqu'à présent, était envisagé de façon séparée (et concurrente) par les villes de Caen et d'Hérouville-Saint-Clair.

Le sénateur, maire de Caen, Jean-Marie Girault, est formel : « Il nous faut aller vers une fertilisation croisée*, une recherche de synergie*, un rapprochement de tous ces pôles. » Car l'agglomération ne manque pas d'atouts. Sur le plan de la formation d'abord, Caen est dotée d'une des plus anciennes universités françaises (18 000 étudiants) et des filières nouvelles se sont créées au fil des années : maîtrise informatique, langues vivantes appliquées. De même, l'Institut universitaire de technologie (I.U.T.), à travers ses quatre départements (biologie appliquée, mesures physiques, gestion des entreprises et des administrations, techniques commerciales), a eu la volonté de s'insérer dans l'économie régionale. [...]

Sur le plan de la recherche, Caen est le siège du Ganil (le Grand Accélérateur d'ions lourds), où des chercheurs du monde entier viennent effectuer leurs travaux. [...]

Les chefs d'entreprise intéressés par cet environnement spécifique ont progressivement créé un nouveau tissu industriel dont le niveau technologique est élevé. De son côté, la ville de Caen a fait aménager en 1984 [...] un parc d'activités technologiques (7,5 ha en première tranche) où se sont implantées une dizaine d'entreprises. [...] Des extensions sont envisagées sur le territoire d'autres communes de l'agglomération, car la ville de Caen ne dispose plus de terrains.

Précisément, l'un des gros atouts d'Hérouville-Saint-Clair réside dans son patrimoine foncier : 300 hectares au nord de l'agglomération. [...]

Bref, les deux villes ont décidé, aujourd'hui, de surmonter leurs divergences et d'harmoniser le développement de ce qui est appelé à devenir le technopôle bas-normand. [...]

L'EXPANSION - 2 NOVEMBRE 1987.

■ VOCABULAIRE ET EXPRESSIONS

fertilisation croisée (la) = *(ici)* l'enrichissement réciproque de différentes disciplines (industrie - recherche - enseignement)

synergie (une) = action coordonnée de plusieurs facteurs qui se renforcent mutuellement

technopôle (un) ou (une) = *(néologisme)* une zone située à la périphérie d'une grande ville où se trouvent associés des entreprises, des centres de formation et des laboratoires de recherche

□ QUESTIONS SUR LE DOCUMENT

1) Quelles sont les communes concernées par le technopôle de Basse-Normandie ?
2) En quoi les deux communes concurrentes sont-elles complémentaires ?
3) Quels sont les atouts de Caen dans le domaine de la formation ?

PLAISANCE - CONSTRUCTION NAVALE

La plaisance française

Course de catamarans

Avec ses 680 000 bateaux et ses 2,5 millions de pratiquants, la plaisance représente un marché porteur* et d'avenir, grâce au développement des loisirs. Et les industries nautiques connaissent une croissance accrue à l'exportation. [...]

La plaisance représente un chiffre d'affaires de 4,7 milliards de francs et emploie environ trente mille personnes. Les voiliers ne représentent qu'un tiers des bateaux, le reste est composé de navires voués à la pêche-promenade ou de bateaux à moteur. [...]

Depuis 1979, les chantiers nautiques ont développé une politique vers l'exportation très dynamique. Ses succès à l'étranger sont en partie dus à la promotion des compétitions nautiques, où nos navigateurs et la technologie française ont brillé sous les feux de l'actualité*.

[...] La balance commerciale de ce secteur est excédentaire d'un milliard de francs. Un marché international très ouvert, un marché intérieur en reprise : les industries nautiques françaises possèdent deux atouts sûrs.

LE SPECTACLE DU MONDE - JANVIER 1987 -
CHARLES-HENRI D'AUVIGNY.

■ VOCABULAIRE ET EXPRESSIONS

marché porteur (un)	= un marché porteur de promesses, prometteur
sous les feux de l'actualité	= éclairé par les projecteurs de l'actualité

☐ QUESTIONS SUR LE DOCUMENT

1) Comment se présente le marché de la plaisance en France ?
2) Comment est composé le parc des bateaux de plaisance ?
3) À quoi sont dus les succès de la voile française à l'exportation ?

Le *Sovereign of the Seas** : le plus grand paquebot du monde

Le Sovereign of the seas

[...] Vingt-cinq ans après le *France,* les Chantiers de l'Atlantique battent un nouveau record : 2 500 passagers pour ce dernier-né, contre 2 000 pour notre ancienne gloire nationale rebaptisée *Norway.* Les Français savent construire de beaux paquebots, mais pas les exploiter : les commanditaires de ce projet mégalo* sont, là encore, norvégiens. Ils trouvent, eux, que les monstres des mers sont rentables et apportent à Saint-Nazaire [...] une salutaire bouffée d'oxygène.

Le *Sovereign of the Seas* pèse deux fois le poids de la tour Eiffel et consomme autant d'électricité qu'une ville de 10 000 habitants. Des piscines, des cinémas, un théâtre, une imprimerie, le paquebot surpasse tous ses aînés. Des salles de restaurant donnant sur de grandes baies vitrées. Une décoration « Arts déco » : rosaces en plâtre ou moulures aux formes carrées. *« Nous avons essayé de donner un cachet français »,* explique l'ingénieur en chef Jean Le Tutour, le concepteur du paquebot.

Ou plutôt un style *frenchy*.* Le *Sovereign of the Seas* vise la clientèle américaine. Pas les milliardaires de Palm Beach mais les habitants du Midwest. Dès janvier ils pourront s'offrir des croisières de huit jours aux Caraïbes. Bar à champagne, stores tricolores, café « Gigi ». Le parfum de la douce France, plus le *way of life** du Nouveau Monde. Dans les cabines, l'indispensable *Holy Bible** trône sur la table de chevet, les oreillers roses garnissent la couverture jaune-poussin, et la télévision permet de capter toutes les chaînes américaines. Au casino, roulette française et feutre vert côtoient les machines à sous importées directement de Las Vegas.

Le kitsch* pompeux et l'hyperfonctionnel se mélangent. Au centre du navire, deux escaliers d'honneur s'entrecroisent autour d'ascenseurs panoramiques. Mais les chambres ressemblent à des compartiments de la S.N.C.F. et la vie à bord est plus proche de la gentille organisation du Club Med plutôt que des fastes du *Titanic.* Les Chantiers de l'Atlantique ont tenu leur promesse : fabriquer un navire capable de recevoir plus de passagers que le *France* en deux fois moins de temps. Il avait fallu cinq ans pour mettre à l'eau le transatlantique, contre moins de trente mois pour le *Sovereign of the Seas.* Jusque dans les années 60, les grands bateaux de ligne français sortaient tous des bassins de Saint-Nazaire. Mais ces mammouths ont disparu peu à peu avec le développement du trafic aérien. Les pétroliers prennent le relais jusqu'en 1977-1978, puis désertent les chantiers de l'Hexagone pour ceux de la Corée et du Japon. Sur les rives de la Loire comme à Dunkerque ou à La Ciotat, on plonge doucement dans la crise. Quand, en juillet 1985, Alsthom emporte à l'arraché l'appel d'offres norvégien, les commandes sont au plus bas. Les deux parties s'accordent sur la somme de 175 millions de dollars (un milliard de francs). Un contrat qui n'aurait pas pu être honoré sans les aides de l'État. [...]

Pour la France, la commande représente une chance inespérée. Elle procure 45 millions d'heures de travail en plus. De quoi maintenir les 4 800 emplois actuels.

L'« océanaute »

[...] Marier le plongeur au sous-marin pour intervenir en totale autonomie sur des champs pétroliers situés sous la banquise ou dans des mers difficiles, voilà le grand dessein d'Henri Delauze pour le XXIᵉ siècle.

La prochaine étape de la course aux profondeurs s'appelle « Saga ». Il s'agit du premier sous-marin capable d'emmener des plongeurs d'un forage à l'autre pour travailler sur des têtes de puits sans être obligés de remonter en surface après chaque intervention. [...]

« Saga » a fait sa première plongée le 28 février. Après expérimentation, il pourra naviguer trois semaines d'affilée en atteignant une profondeur maximale de 600 mètres. Henri Delauze prévoit déjà de remplacer son moteur électrique par un réacteur nucléaire. *« Lorsque j'ai fondé la Comex, nous rêvions de plonger un jour à 120 mètres. On nous prenait pour des fous. Aujourd'hui, nous travaillons couramment sous 450 mètres d'eau et nous battrons encore nos propres records. Seuls les Américains nous égalent. Si les Soviétiques ont envoyé le premier cosmonaute dans l'espace, nous, Français, avons inventé l'"océanaute". »*

LE POINT Nº 814 - 26 AVRIL 1988 - THIBAUD D'OIRON.

Sans compter un large appel à la sous-traitance. Une entreprise nantaise livre 1 000 sanitaires ; une autre fournit 20 000 mètres carrés de moquette. Le *Sovereign of the Seas* soutient l'ensemble de l'activité régionale. Aujourd'hui, seuls deux chantiers survivent : Le Havre et Saint-Nazaire. Coïncidence ? Ils construisent tous deux des bateaux de croisière. [...]

Les touristes yankees* sauveront-ils les derniers constructeurs navals français ? *« Dans ce créneau*, au moins, nous sommes les meilleurs*, insiste Pierre Brun (Directeur technique des chantiers de Saint-Nazaire). *Les Coréens, les Japonais et les Espagnols voudraient bien faire la même chose. Mais ça ne s'improvise pas. »* Depuis 1861, Saint-Nazaire a vu défiler plus de 80 navires de passagers. Grâce à ses menuisiers, ses décorateurs, ses ingénieurs, le port conserve toujours la première place. [...]

Saint-Nazaire serait-il donc condamné au ghetto* doré des bateaux de croisière ?

LE NOUVEL OBSERVATEUR - 21-27 AOÛT 1987 - CHRISTOPHE BOLTANSKI.

■ VOCABULAIRE ET EXPRESSIONS

créneau (un)	=	*(prof.)* un secteur d'activité
frenchy	=	*(ang. péjoratif)* français
ghetto (un)	=	un lieu protégé mais où l'on n'est pas libre
Holy Bible	=	*(ang.)* la Sainte Bible
kitsch	=	style qui combine plusieurs styles différents
mégalo	=	*(abrév. fam.)* mégalomane
yankee (un)	=	*(ang. - fam.)* américain
way of life	=	*(ang.)* le style de vie

□ QUESTIONS SUR LES DOCUMENTS

1) Combien de voyageurs peuvent être accueillis sur le nouveau paquebot ?
2) Comment se caractérise le style *frenchy* ?
3) Quelle est la clientèle visée par les commanditaires du bateau ? Pour quel type de croisières ?
4) Pourquoi peut-on dire que la commande représente une chance inespérée pour les chantiers navals de Saint-Nazaire ?
5) Pourquoi l'activité de construction des grands paquebots résiste-t-elle à la concurrence des chantiers étrangers ?
6) Pourquoi peut-on parler « du ghetto doré des bateaux de croisière » ?
7) Qu'appelle-t-on un « océanaute » ?
8) Qu'est-ce que le « Saga » ? Quelles sont ses particularités ?

La banque de l'an 2000

Électronique de banque

[...] Ce thème futuriste renvoie à l'évolution de l'outil informatique, appelé à transformer radicalement les conditions de l'exploitation et les structures du système bancaire. [...]

Or l'avenir dépendra moins de la nature des réseaux informatiques que de leur contenu, des services qu'ils offriront et de la capacité des usagers à en tirer parti. Sur ces deux terrains, des services offerts et de la formation du public, notre pays a d'ores et déjà pris un retard alarmant. [...]

Le retard de l'informatisation du public français, retard que l'équipement des lycées en micro* risque d'amplifier s'il ne débouche pas sur une vraie formation logique, pourrait laisser croire que les banques françaises disposent d'un répit par rapport à leurs concurrents (américains, japonais) obligés de répondre aux besoins d'un public plus évolué. Il n'en est rien. Avec la multiplication des satellites, l'interconnection inévitable de tous les réseaux, la possibilité d'offrir en tous points du globe des services et programmes plus élaborés, les banques étrangères seront en mesure d'écrémer* la clientèle française, de capter à leur profit les utilisateurs les plus intéressants : entreprises, mais aussi particuliers fortunés.

[...] Dès lors que, comme ce fut le cas pour l'automobile, l'informatisation est appelée à bouleverser l'environnement et les modes de vie, il est impossible de prévoir la nature des besoins susceptibles de s'exprimer sur le marché d'ici dix ans et plus. Le temps garde ses secrets, il peut offrir des issues inattendues à des problèmes, en apparence insolubles aujourd'hui. Mais, quelle que soit l'évolution du système bancaire, celle-ci ne pourra se faire sans drame que si les gestions retrouvent assez de souplesse et de liberté pour saisir les opportunités à venir.

VALEURS ACTUELLES - 10 MARS 1986 - PHILIPPE DURUPT.

■ VOCABULAIRE ET EXPRESSIONS

écrémer	= *(fam.)* choisir les meilleurs
micro la)	= *(abrév.)* la micro-informatique

☐ QUESTIONS SUR LE DOCUMENT

1) À quoi est liée l'évolution de la banque dans les prochaines années ?
2) Quels sont les domaines dans lesquels la banque française a pris du retard ?
3) En quoi le retard de formation des utilisateurs est-il inquiétant ?
4) La banque française est-elle à l'abri de la concurrence étrangère ? Pourquoi ?
5) Peut-on prévoir aujourd'hui quels seront les besoins futurs des clients en matière de services bancaires ?

Bourse : tel qui rit...

1. La Bourse avant le krach* : encore de beaux jours.

Question : Le marché, qui progressait sans cesse depuis plusieurs années, connaît un coup d'arrêt sensible. S'agit-il du renversement de tendance tant redouté ?

UN AGENT DE CHANGE — Le marché a en effet perdu 10 à 16 % au cours de ces dernières semaines, c'est assez sévère. Les trois quarts de la hausse de l'indice C.A.C. enregistrée depuis le début de l'année ont été absorbés, mais il reste tout de même une progression de 5 à 6 %. Je considère qu'il faudrait constater une baisse nette de 30 % pour pouvoir parler d'un véritable retournement de tendance.

Réfléchissons un peu ; quels sont les facteurs qui ont permis cette hausse continue depuis quatre ou cinq ans ? C'est d'abord une capacité d'épargne des ménages de plus en plus grande. Ensuite, on trouve une beaucoup plus forte propension des entreprises à réaliser des placements financiers destinés à compenser la faiblesse des investissements due au grand pessimisme des dirigeants quant aux possibilités de progression de la demande. Enfin, les Français ont pris conscience de la gravité du problème de la retraite et de la nécessité de rechercher des formes d'épargne plus performantes que l'« Écureuil ».

Ces trois facteurs étant toujours actifs, je ne vois aucune raison d'assister maintenant à un écroulement du marché.

TERTIEL Nº 26 - JUILLET 1987 - Propos recueillis par MICHEL ROLAND.

2. La Bourse après le krach : un « mai 68 » de l'économie.

La descente aux enfers des marchés financiers, quel que soit l'accordéon éventuellement plus plaisant des prochains jours, aura ouvert une crise aiguë, intrigante, et d'abord en ceci qu'elle n'est pas et ne sera pas vraiment maîtrisée. Née du désordre, cette crise répand le désordre dans les comptes des épargnants, la trésorerie des entreprises, la cervelle des citoyens. Elle frappe au cœur du marché, c'est-à-dire au cœur de l'organisation fondatrice du système occidental. Ses conséquences imploseront ou exploseront — plus ou moins fortement, selon la vertu des emplâtres — dans l'économie et dans les politiques tant nationales qu'internationales. Cette crise fera beaucoup « gamberger* ». Elle s'apparente à un « mai 68 » de l'économie : comme lui frénétique, psychotique. À la fois superficielle et profonde, elle tire une sonnette d'alarme. Elle tend un miroir à notre univers aux nerfs malades. Ni plus ni moins. [...]

LE POINT Nº 789 - 2 NOVEMBRE 1987 - CLAUDE IMBERT.

avant

après

■ **VOCABULAIRE ET EXPRESSIONS**

gamberger	=	*(argot)* penser
krach (un)	=	*(de l'allemand)* un effondrement des cours de la Bourse

□ **QUESTIONS SUR LES DOCUMENTS**

1) Quelles sont les raisons qui ont provoqué la hausse de la Bourse au cours des années précédentes ?
2) Pourquoi l'agent de change reste-t-il confiant ?
3) Pourquoi le krach boursier d'octobre est-il comparé à un « mai 68 économique » ?
4) En quoi une crise financière peut-elle être à l'image de « notre univers aux nerfs malades » ?

ARTS ET PATRIMOINE : L'ACADÉMIE FRANÇAISE

Être immortel !

La fondation de l'Académie française par Richelieu (en 1635) fixa définitivement les rites de passage de la vocation littéraire à la reconnaissance d'« utilité publique » et à l'entrée dans une sorte de panthéon national. Sur le théâtre de la cour, et selon une étiquette qui se précisera peu à peu, un parnasse est ménagé, où les gens de lettres ont leur place et qui leur donne le droit, avec les honneurs de la cour, de participer à l'immortalité et à l'autorité de la monarchie. [...] Cette légitimation est en son principe fort modeste. Appartenir à l'Académie française sous l'Ancien Régime ne préserve un homme de lettres de la condition commune que dans la mesure où là, et là seulement, il peut frayer de confrère à confrère avec des ministres d'État, de grands seigneurs, de hauts dignitaires de la cour qui donnent son véritable éclat à la Compagnie.

Mais c'est une compagnie royale, et les gens de lettres vont retirer de leurs représentants en son sein assez d'éclat pour conférer à leur propre groupe social l'autorité dont il va jouir sous Louis XV et Louis XVI,

et qui rivalisera, en effet, avec celle des autorités traditionnelles : magistrature, clergé, noblesse, cour. [...] Réapparue par étapes après sa suppression, en 1793, l'Académie post-révolutionnaire est plus que jamais une institution d'État, un grand corps qui atteste et assure que la littérature, en France, est d'utilité publique. Tous les grands romantiques, de Lamartine à Musset, finiront par y entrer, et Baudelaire lui-même considérera comme naturel d'y être candidat. [...]

Si bien que lorsque l'Académie elle-même a été rejetée, dénigrée, combattue, ses adversaires avaient assez intériorisé son principe pour le transporter dans leur camp. Les cénacles regroupés autour d'une revue, d'une maison d'édition, d'un manifeste, d'un grand homme, ne sont pas seulement tentés de reconstituer dans leurs rangs quelque chose des rites académiques : ils aspirent à occuper une place centrale, légitime, universelle dans la vie de l'esprit ; et bientôt dans la vie publique. Ce que nous appelons aujourd'hui la vie littéraire a beau s'être considérablement rétréci, avec ses prix et ses jurys saisonniers, elle est toujours l'image multipliée et éphémère du modèle solennel imprimé dans la mémoire nationale depuis 1671, date à laquelle fut décerné, pour la première fois, un prix d'éloquence par l'Académie française. Le roi et sa cour, dont l'Académie française reflétait et réfractait le prestige sur les gens de lettres, ont disparu : l'État et le Tout-Paris n'en trouvent pas moins, dans l'Académie et ses nombreux satellites, des médiateurs et échangeurs par où l'art de bien écrire fait accéder à la notoriété, à la visibilité, sinon au magistère. [...]

LES LIEUX DE MÉMOIRE LA NATION MARC FUMAROLI -
(Éd. GALLIMARD, Paris, 1986).

☐ QUESTIONS SUR LE DOCUMENT

1) Qui fonda l'Académie française ? Quand ?
2) Quel rôle a joué l'Académie française pour les gens de lettres ?
3) Qu'ont cherché à faire ses détracteurs ?
4) Quel rôle joue aujourd'hui l'Académie française pour les écrivains modernes ?

◀ *Académiciens*

SOCIÉTÉ : SONDAGES D'OPINION

La « sondomania » des Français

Les sondages sont partout ; on ne peut plus s'en passer.
Comme une prothèse.

Plus de cinq cents sondages politiques publiés chaque année, près de deux par jour ! Dans le « Grand livre des records », la France incontestablement occupe la première place de la rubrique « Sondomania* ». [...] L'avalanche ne fait que commencer, et nul ne pourra l'arrêter. Cette fièvre des sondages n'est pas en effet passagère. Elle a son histoire et des causes profondes. Le phénomène commence véritablement en France avec la Ve République et l'apparition, au début des années soixante, du baromètre de popularité Ifop-*France-Soir*. Mais ce n'est alors qu'un instrument dans les mains du gouvernement : en 1963, pendant la grève des mineurs, il est neutralisé. De même, tous les sondages seront suspendus pendant les événements de mai 68. Que de chemin parcouru ! Aujourd'hui, tout mouvement social est aussitôt disséqué, analysé, radioscopé*. La batterie des sondages opère à chaud* et en dehors de tout contrôle du pouvoir, soumis en permanence aux rafales de l'opinion. Le virus est devenu si puissant qu'il agit aussi dans l'arrière-boutique des partis politiques ou des gouvernants. [...] En politique, plus rien n'échappe donc au scanner* des sondages. Pour plusieurs raisons.

La première est institutionnelle. Selon Jérôme Jaffré, de la Sofres, tout remonte à l'élection présidentielle de 1965. « *Cette élection au suffrage universel*, explique-t-il, *personnalise fortement la vie politique et donne une importance considérable aux sondages de popularité, études d'images des leaders* et simulations de vote présidentiel.* » [...]

Mais il est aussi des explications plus sociologiques à cette floraison. La première tient, selon Jean-Marie Cotteret, d'Infométrie, aux Français eux-mêmes. « *Le Français*, constate-t-il, *n'aime pas se découvrir, il déteste se livrer individuellement. En revanche, il est très heureux de savoir ce que pensent les autres Français. Il se reconnaît à travers le sondage, et se livre, alors, collectivement.* »

Ce miroir dans lequel chaque Français s'observe et se compare s'inscrit aussi parfaitement dans une société où prime désormais l'*apparence*. La « nombrilisation* », la personnalisation, la culture du « look* » forment un système dans lequel le sondage a son rôle et sa place. Véritable cocon pour les sondages, notre société fonctionne, en outre, sur la magie du chiffre.

© Dessin de Piem

INSTITUT D'OPINION

« *En France*, explique Jean-Marc Lech [d'Ipsos], *le code de l'information, c'est le nombre. Toute l'information est chiffrée : indices économiques, résultats boursiers, statistiques de l'emploi, entrées des spectacles, écoute des radios et des télévisions, tirage des journaux, etc. Pourquoi la politique aurait-elle échappé à ce code ? Les élections nationales étant très espacées — cinq ou sept ans — le sondage emplit ce vide et fait entrer la politique dans le chiffrage de l'information.* »

Mais il y a peut-être plus grave. Le développement des sondages coïncide, de fait, avec une crise de la représentativité morale et politique. Les structures verticales de la société française — les partis, les syndicats, l'Église — sont ébranlées. Le doute s'installe entre les représentants et les représentés. [...] Dans ce chambardement*, les sondages évidemment prolifèrent. Faute de cap, ils permettent de naviguer à l'estime. Ils sont devenus le « braille » d'une société dont la vue se brouille.

LE POINT N° 761 - 20 AVRIL 1987 - DENIS JEAMBAR.

■ VOCABULAIRE ET EXPRESSIONS

chambardement (un)	=	*(pop.)* un bouleversement
leader (un)	=	*(ang.)* un chef
look (le)	=	*(ang.)* l'apparence
nombrilisation (la)	=	*(néologisme)* attitude qui consiste à « se regarder le nombril » ou à se considérer comme « le nombril du monde », c'est-à-dire à privilégier le « soi » et à se considérer comme le centre du monde
opérer à chaud	=	intervenir en urgence
radioscopé	=	*(néologisme)* être examiné par radioscopie
scanner (un)	=	*(ang.)* instrument électronique très perfectionné pour explorer et photographier (utilisé notamment en médecine)
sondomania (la)	=	*(néologisme)* la manie des sondages

□ QUESTIONS SUR LE DOCUMENT

1) Quel record la France a-t-elle établi en matière d'information ?
2) Quand commence le phénomène de la « sondomania » ?
3) Quelle différence existe-t-il entre les sondages réalisés au début de la Ve République et ceux pratiqués actuellement ?
4) Quelle est la raison institutionnelle de la prolifération des sondages en France ?
5) En quoi le sondage est-il « un miroir dans lequel chaque Français s'observe et se compare » ?
6) Pourquoi les sondages sont-ils si nombreux lorsqu'il y a crise de représentativité morale et politique ?

LA PEUR DE LA GUERRE

● Pourriez-vous dire ce qui vous fait le plus peur dans l'avenir ?

La guerre	34 %
Le terrorisme	18 %
Le chômage	16 %
Le racisme	13 %
Les centrales nucléaires	10 %
Le SIDA	8 %
Ne sait pas	1 %

● Êtes-vous favorable ou opposé à la peine de mort ?

Favorable	33 %
Opposé	56 %
Ne sait pas	11 %

L'AVENIR EN ROSE

● Êtes-vous plutôt optimiste, plutôt pessimiste sur l'avenir des jeunes en France ?

Plutôt optimiste	57 %
Plutôt pessimiste	38 %
Ne sait pas	5 %

● Et sur votre propre avenir ?

Plutôt optimiste	74 %
Plutôt pessimiste	19 %
Ne sait pas	7 %

● Aujourd'hui, diriez-vous que vous êtes très heureux, plutôt heureux, plutôt pas heureux, du tout ?

Très heureux	23	} 90 %
Plutôt heureux	67	
Plutôt pas heureux	7	} 8 %
Pas heureux du tout	1	
Ne sait pas	2 %	

NI SYNDICATS NI PARTIS

● Parmi les organisations suivantes, dans laquelle seriez-vous prêt à vous engager ?

	1er choix %	2e choix %	Total %
Une association de défense des droits de l'homme	25	23	48
Une association humanitaire	24	18	42
Une association de défense de la paix	23	21	44
Une association de protection de l'environnement	9	11	20
Un syndicat étudiant	4	5	9
Un syndicat professionnel	4	6	10
Un parti politique	4	3	7
Ne sait pas	7	13	20

SE MARIER UN JOUR

● Croyez-vous qu'un jour, vous vous marierez ?

Oui	72 %
Non	17 %
Ne sait pas	11 %

● Pensez-vous que vous aurez un jour des enfants ?

Oui	91 %
Non	4 %
Ne sait pas	5 %

LE MONDE, 30 SEPTEMBRE 1987.

Jeunes, individualistes et généreux...

Un sondage sur les 16-24 ans

[...] Elle est loin, la « bof génération* » ! Rien ne caractérise moins les 16-24 ans que le fatalisme et l'indifférence. Ils brillent au contraire par leur pragmatisme, leur souci de réussir, leur générosité et une étonnante « *conscience de classe* ». Classe d'âge s'entend, car les différences sociales s'estompent d'année en année : un fils d'ouvrier n'a jamais autant ressemblé à un fils de cadre supérieur ou de médecin. Et les filles n'ont jamais été si proches des garçons.

[...] « *Moi... et les autres...* », souligne Joël-Yves Le Bigot, président de l'Institut de l'enfant, qui réalise chaque année un « baromètre » des 15-25 ans. *L'égologie* a succédé à l'écologie. « *L'individualisme, qui devient peu à peu la seule valeur sûre, celle qui commande toutes les autres, va de pair* avec l'ouverture et la générosité : on peut parler d'un individualisme généreux.* » Si le tiers-mondisme ne fait plus recette, le tiers monde est très présent dans les préoccupations de cette tranche d'âge. Et d'une manière générale, tout ce qui concerne les laissés-pour-compte* et les droits de l'homme. [...]

Les jeunes Français acquièrent très tôt une certaine autonomie. [...] Mais paradoxalement, cette autonomie se perd par la suite : les jeunes adultes sont privés de l'indépendance à laquelle ils pourraient prétendre, puisqu'ils habitent massivement chez leurs parents : 75 % à vingt ans, et encore 24 % à vingt-quatre ans. Cette cohabitation prolongée est due, à la fois, à l'allongement des études et à l'augmentation du chômage. Les voilà producteurs de plus en plus tard, mais consommateurs de plus en plus tôt. Et quels consommateurs ! Ils achètent en moyenne six pantalons par an... Cette tranche d'âge « pèse* » plus de 200 milliards de francs en revenu annuel [...] soit le double, en francs constants, des revenus de la même tranche d'âge en 1965.

[...] « *La consommation est synonyme d'identité*, remarque Joël-Yves Le Bigot. *On ne se définit plus par rapport à la profession de ses parents ou à ses propres études, mais par son look*, son équipement, ses projets de voyage.* » [...]

Entre les jeunes et leurs parents, c'est une sorte de paix armée. Tout va bien tant que les seconds remplissent le frigo, financent les activités des premiers et évitent les sujets de friction... Mais il ne faut pas réduire la famille française à cette cohabitation forcée : les générations n'ont jamais été aussi proches les unes des autres... La famille est, aujourd'hui, malgré la multiplication des divorces, l'institution à laquelle les jeunes Français accordent le plus de crédit.

De la révolte à l'indifférence, de l'indifférence à l'angoisse... la « bof génération » d'hier, dit-on, est devenue une « flip génération* ». Ne découvre-t-elle pas la sexualité sur fond de SIDA et la vie professionnelle sous la menace du chômage ? [...]

Curieusement, les jeunes interrogés se déclarent deux fois moins inquiets par le chômage que par la guerre. *« Ce qu'ils redoutent, c'est surtout le chômage éventuel de leurs parents, dont ils sont très dépendants »* estime Joël-Yves Le Bigot. [...]

Quand on leur demande quel métier ils souhaiteraient exercer, les jeunes ne plébiscitent nullement les emplois garantis. Peu sont tentés par les ministères, les entreprises publiques ou les géants de l'industrie, alors que leurs suffrages se portent massivement sur les petites « boîtes » dynamiques nouvellement créées ou les agences de publicité. En d'autres termes, l'intérêt du travail et les contacts humains comptent davantage que la sécurité.

N'en déplaise aux Cassandre, 57 % des 16-24 ans sont plutôt optimistes sur l'avenir des jeunes en France. Et encore plus optimistes (74 %) sur leur propre avenir ! Mieux : ils sont heureux à une écrasante majorité. Oui, heureux tout simplement. Faut-il nécessairement s'en inquiéter ?

LE MONDE - 30 SEPTEMBRE 1987 - ROBERT SOLE.

SPÉCIAL : GASTRONOMIE

Vive la France légère !

La France « légère » est en train de l'emporter — largement — sur la France « lourde ». Il n'y a plus que 4 % des Français à penser qu'un bon repas est un « gueuleton* » et, en revanche, 22 % suivent un régime alimentaire... Il y a trois siècles, un Parisien aisé avalait entre 4 000 et 5 000 calories par jour. Aujourd'hui, sa ration oscille entre 1 800 et 2 000 calories. À ce rythme-là, dans trois siècles, les Français se nourriront de courants d'air ! Mais non, car ils sont toujours aussi gourmands, adorent la fête (le restaurant est plébiscité par 50 % des sondés) et, même à la maison, ils ne demandent pas mieux que de cuisiner. 11 % seulement se plaignent de passer trop de temps à leurs fourneaux. [...] GAULT MILLAU - NOVEMBRE 1987 - CHRISTIAN MILLAU.

■ **VOCABULAIRE ET EXPRESSIONS**

aller de pair	= aller en parallèle avec...
bof génération (la)	= la génération indifférente à tout
égologie (l')	= *(néologisme)* étude du « moi », intérêt centré sur soi-même
flip génération (la)	= *(de l'anglais)* génération déprimée
laissé-pour-compte (un)	= (un) exclu
look (le)	= *(ang.)* l'apparence
peser	= *(ici)* valoir

□ **QUESTIONS SUR LE DOCUMENT**

1) Quelles sont les qualités de la génération des 16-24 ans ?
2) Lorsqu'on parle de « classe » en ce qui concerne les jeunes, de quelle classe s'agit-il ?
3) Que signifie la phrase « l'égologie a succédé à l'écologie » ?
4) Pourquoi peut-on dire que les jeunes Français acquièrent puis perdent très tôt leur autonomie ?
5) En quoi les jeunes Français sont-ils considérés comme de grands consommateurs ?
6) Par quoi se définit un jeune, aujourd'hui ?
7) Pourquoi la jeune génération est-elle devenue une génération de l'angoisse ?
8) Quelles contradictions relevez-vous dans les réponses des jeunes interrogés ?

La haute cuisine, modèle haute couture

Un salon. Une chambre syndicale.
Une fondation.
La France déploie ses batteries*.

La gastronomie est à la mode et souvent mise à toutes les sauces*. Mais le paysage gastronomique français s'organise. L'art de la bonne chère a enfin son salon. [...] Un salon de la gastronomie riche en découvertes gourmandes, où la charcuterie fine tout comme les fruits de mer, les fromages et les vins ont chacun leur village. [...]

Soucieux de leur indépendance, les chefs sont par nature peu enclins à passer sous les « fourchettes... » Caudines* d'une organisation professionnelle. Ils viennent pourtant de créer la Chambre syndicale de la haute cuisine française, à l'image de la haute couture ou du parfum. « *Nous avons raté le rendez-vous de l'agro-alimentaire,* remarque Gaston Lenôtre ; *il faut rattraper le temps perdu, coopérer avec l'Institut national de la recherche agronomique et préparer le grand marché européen de 1992.* » Allemands et Japonais grignotent des parts de marché, et, hormis quelques grands chefs transformés en globe-trotters*, la cuisine aux couleurs de la France fait pâle figure* à l'étranger.

Pour remédier à cet étonnant isolement, la fondation Brillat-Savarin a été créée l'année dernière. Objectif : relever le défi du rayonnement mondial de la gastronomie française. [...] La fondation se propose de créer à Écully, près de Lyon, une grande école hôtelière. On y apprendra aussi bien la recette de la meringue pralinée que celle de la gestion du personnel. Mais la fondation Brillat-Savarin souhaite aussi devenir un centre de recherches voué à l'histoire de la gastronomie. Créer un musée [...], installer une bibliothèque spécialisée qui pourrait recevoir les secrets des grands chefs et les manuscrits de leurs recettes. [...]

LE POINT N° 793 - 30 NOVEMBRE 1987 - THIERRY DUSSARD.

45 000

Quarante-cinq mille tonnes de choucroute ont été produites en 85-86. Impressionnant, mais, en fait, la consommation stagne. Un comité interprofessionnel de la choucroute vient de s'ériger pour relancer ce plat vieux de plus de 2 000 ans. Objectif : démontrer qu'il peut accompagner d'autres mets que les traditionnelles charcuteries. Avec la complicité de grands chefs...

GAULT MILLAU - NOVEMBRE 1987.

■ VOCABULAIRE ET EXPRESSIONS

batterie (une)	= ensemble de moyens utilisés à la guerre ou en cuisine (batterie de cuisine)
faire pâle figure	= ne pas soutenir la comparaison
globe-trotters (un)	= *(ang.)* un grand voyageur
gueuleton (un)	= *(pop.)* un repas de fête
mettre à toutes les sauces	= *(pop.)* traiter, employer de toutes les façons
passer sous les fourches Caudines	= subir des conditions déshonorantes, honteuses

☐ QUESTIONS SUR LE DOCUMENT

1) Pourquoi la profession de la grande cuisine s'est-elle organisée si tardivement ?
2) Quelles sont les initiatives prises par les grands chefs ?
3) Quels sont les principaux concurrents de la France en matière de gastronomie ?
4) Quel est l'objectif de la fondation Brillat-Savarin ?
5) Qu'envisage-t-elle de créer ? Pourquoi ?

Les tribulations d'un mangeur solitaire

La grande bouffe

Le poireau* est un pigeon*. « *Vous êtes combien ?* », demande l'aubergiste. Que répondre ? Agressif : « *Ça se voit pas ?* ». Détaché : « *Je suis un.* » Modeste : « *Je suis tout seul.* » L'aubergiste jette alors un regard ennuyé sur la salle où les tables « *à deux couverts* » rangées au fond près des cuisines sont déjà occupées par d'autres poireaux mastiquant farouchement leur entrecôte, le journal coincé sous la salière. Il vous installe provisoirement à une « *table de quatre* » en vous prévenant qu'il faudra dégager* presto* si d'aventure « *quatre couverts* » se pointaient*. Le poireau aimerait bien un verre de vin « *mais nous n'avons que des demis* » ; un quart de Vichy, « *nous ne faisons que les grandes bouteilles* ».

Au coup de feu* de midi et sur la Côte en été, il n'y a jamais de place pour le poireau. « *C'est pour déjeuner ? Je vais demander à la patronne...* » « *Combien ?* entend-on la patronne hurler de la cuisine, *un couvert ? Désolée, nous ne servons plus.* » Le poireau peut alors se rabattre sur les restaus* de luxe qui sont toujours à moitié vides. Un personnel pléthorique et empressé lui videra son cendrier au premier mégot et lui remplira son verre à chaque gorgée. Seul mais bien entouré, le poireau n'osera pas mâchouiller distraitement sa « *gibelotte de sandre de nos rivières aux airelles sauvages* », le coude bloqué sur « *la Fée carabine* » (Pennac, Série noire), car il lui faudra tout au long du repas rassurer le maître d'hôtel et les serveurs qui s'inquiètent de son peu d'appétit. « *Monsieur n'a pas aimé ? — Chi, chi, ch'est très bon mais ch'est trop pour une seule personne.* »
D'ailleurs le poireau est trop pompette* pour se concentrer sur sa lecture puisque, en cet endroit, « *nous ne faisons pas les demi-bouteilles, monsieur* ».

LE NOUVEL OBSERVATEUR - 23 OCTOBRE 1987.

Chef de famille ou célibataire impénitent : le métier change le statut social. Indépendant, plus riche qu'un étudiant ou un apprenti, l'homme jeune assouvit quelques plaisirs rentrés : bonne table, bons vins ou nuits prolongées. Il savoure la liberté que donnent la responsabilité de soi et un peu d'argent personnel.
S'il est vrai qu'un bon « gueuleton » n'a jamais fait de mal à personne, en revanche les habitudes alimentaires prises dans les débuts de la vie sociale seront difficiles à perdre. C'est au long des années et dans le quotidien que se constituent les excès de cholestérol, d'urée.
Faut-il rappeler que le diabète gras est une maladie liée à une alimentation trop riche en graisses et en sucres. Que la consommation de poisson deux fois par semaine suffit à faire baisser les maladies cardio-vasculaires de moitié. Que l'activité sportive fait baisser le taux de cholestérol.
À chacun d'en tirer ses propres conclusions...

SANTÉ MAGAZINE Nº 143 - NOVEMBRE 1987.

■ VOCABULAIRE ET EXPRESSIONS

coup de feu (le)	=	*(pop.)* le moment de presse
dégager	=	*(pop.)* quitter, s'en aller
pigeon (un)	=	*(fam.)* un dupe, un gogo
pointer (se)	=	*(fam.)* se présenter
poireau (un)	=	*(pop.)* une personne seule qui attend
pompette	=	*(fam.)* un peu ivre
presto	=	*(fam.)* rapidement
restau (un)	=	*(abr. fam.)* un restaurant

☐ QUESTIONS SUR LES DOCUMENTS

1) Quel portrait l'auteur trace-t-il du mangeur solitaire ?
2) À quelles brimades le client solitaire est-il soumis ?
3) Quels sont les seuls restaurants où il peut trouver une place en période de presse ?
4) En quoi l'excès de prévenance est-il aussi un désagrément ?
5) Quelles sont les conséquences médicales des habitudes alimentaires prises au début de la vie professionnelle ?

1857 - Gustave Flaubert décrit...

Un repas de noce en Normandie au XIXᵉ siècle

Il y eut donc une noce, où vinrent quarante-trois personnes, où l'on resta seize heures à table, qui recommença le lendemain et quelque peu les jours suivants.

[...] C'était sous le hangar de la charretterie que la table était dressée. Il y avait dessus quatre aloyaux, six fricassées de poulets, du veau à la casserole, trois gigots et, au milieu, un joli cochon de lait rôti, flanqué de quatre andouilles à l'oseille. Aux angles se dressait l'eau-de-vie dans des carafes. Le cidre doux en bouteilles poussait sa mousse épaisse autour des bouchons, et tous les verres, d'avance, avaient été remplis de vin, jusqu'au bord. De grands plats de crème jaune, qui flottaient d'eux-mêmes au moindre choc de la table, présentaient, dessinés sur leur surface unie, les chiffres des nouveaux époux en arabesques de nonpareille. On avait été chercher un pâtissier à Yvetot, pour les tourtes et les nougats. Comme il débutait dans le pays, il avait soigné les choses ; et il apporta, lui-même, au dessert, une pièce montée qui fit pousser des cris. [...]

Jusqu'au soir, on mangea. Quand on était trop fatigué d'être assis, on allait se promener dans les cours ou jouer une partie de bouchon dans la grange, puis on revenait à table. Quelques-uns, vers la fin, s'y endormirent et ronflèrent. Mais, au café, tout se ranima ; alors on entama des chansons, on fit des tours de force, on portait des poids, on passait sous son pouce, on essayait de soulever les charrettes sur ses épaules, on disait des gaudrioles, on embrassait les dames.

GUSTAVE FLAUBERT - *MADAME BOVARY.*

Illustrations de Madame Bovary *- Gravure de A. de Richemont - 1857*

QUAND LE SUCCÈS

AU SOMMAIRE DU DOSSIER 6

TIENT À UN FIL

LA RÉGION   RHÔNE-ALPES

Rhône-Alpes est aujourd'hui la deuxième région économique de l'Hexagone. Sa capitale, Lyon — l'une des plus anciennes villes de France — est une métropole dynamique : patrie de la soie, centre très important de l'industrie chimique, elle est aussi un haut lieu de l'art et de la gastronomie.

Lyon.

LES SECTEURS D'ACTIVITÉ

La chimie française (agro-chimie, textiles synthétiques, pharmacie, etc.) s'est développée dans le cadre d'entreprises importantes, capables de réunir des moyens considérables de recherche et de production (Rhône-Poulenc, Sanofi, Roussel-Uclaf, etc.).

Le textile (et son complément : l'habillement) est un secteur en difficulté dont l'activité n'a cessé de décroître depuis les années 60. Le manque de compétitivité est l'un des handicaps dont souffre cet ensemble d'industries, autrefois l'un des fleurons de l'économie française.

CÔTÉ COUR...

Dans le laboratoire de
CHIMIE-RHÔNE

L'ENTREPRISE

BOSSEL S.A. est l'une des plus anciennes filatures lyonnaises spécialisées dans le travail de la soie. Depuis une dizaine d'années, l'entreprise, alliant savoir-faire traditionnel et recherche de pointe, s'est reconvertie dans la production de fils synthétiques très résistants.

LA SITUATION

Juliette NORMAN reçoit dans son bureau André BOSSEL, venu discuter du programme de recherche d'une nouvelle fibre synthétique à très haute résistance dont il a confié la mise au point à CHIMIE-RHÔNE.

PROFILS

JULIETTE NORMAN
47 ans
Responsable d'un laboratoire de CHIMIE-RHÔNE (important groupe chimique)

ANDRÉ BOSSEL
46 ans
Directeur technique de BOSSEL S.A. qu'il dirige avec ses deux frères

JULIETTE NORMAN — Ah ! je suis contente de vous voir M. BOSSEL : comme j'ai eu l'occasion de vous le dire par téléphone, nous brûlons* !

ANDRÉ BOSSEL *(riant)* — Au figuré, j'espère !

JULIETTE NORMAN — Quelle horreur ! Ne m'en parlez pas : avec l'incendie de vendredi, nous avons frôlé la catastrophe, heureusement que le service
5 de sécurité est intervenu très vite. La préfecture a été à deux doigts* de déclencher le plan ORSEC. Vous vous rendez compte, si le feu avait menacé la géode* d'ammoniac, c'est 3 000 personnes qu'il aurait fallu évacuer !

ANDRÉ BOSSEL — Mon frère habitait à quelques centaines de mètres de là,
10 du temps où cette banlieue était encore résidentielle. Quand il a vu sortir de terre les premières installations industrielles, il a tout de suite pris le large*. Il a eu le nez creux* ! Vous avez vu l'état du site, maintenant !

JULIETTE NORMAN — Oui ; je ne devrais pas vous le dire, mais je suis assez écolo* sur les bords* et je n'arrive pas à m'habituer à toute cette pollution.
15 Heureusement que les mesures de sécurité sont draconiennes, en tout cas,

chez nous ! Mais ce n'est pas suffisant ; quels que soient les résultats de l'enquête en cours, je demeure persuadée qu'il faudrait une réglementation supra-nationale, à l'échelon de l'Europe, par exemple, mais quelque chose de vraiment efficace...

Bon ! Où en étais-je ! Ah ! notre conversation d'hier : je pense que nous 20 tenons le bon bout*. Ce n'est pas encore parfait à 100 %, mais le cahier des charges est presque bouclé*. Il reste encore à vérifier quelques problèmes de coloris, mais toutes les spécifs* demandées : résistance, poids, corrosion, etc., tout y est.

K - Quel(s) que - Quelle(s) que

L - Quelque(s) - Quelque(s) ... que

ANDRÉ BOSSEL — Magnifique ! Cette fois, le succès tient à un fil ! 25

JULIETTE NORMAN — Solide, un fil solide, croyez-moi !

ANDRÉ BOSSEL — Bravo ! Cela ne m'étonne pas : car votre labo* est l'un des meilleurs que je connaisse et vous le dirigez de main de maître*...

JULIETTE NORMAN — C'est gentil, mais très exagéré : nous avons surtout beaucoup de moyens... 30

ANDRÉ BOSSEL — Bien utilisés. Nous allons déposer un brevet conjoint avec votre société : à votre avis, quand pourrons-nous entreprendre les formalités auprès de l'I.N.P.I. ?

JULIETTE NORMAN — Dès que nous aurons procédé aux derniers essais : dans une à deux semaines, mettons* vers la fin du mois. 35

ANDRÉ BOSSEL — C'est toujours SULARD qui s'occupe chez vous de la gestion des brevets ?

JULIETTE NORMAN — Oui, pour ce genre de matériau, c'est toujours la Direction des produits nouveaux : SULARD ou son adjoint, Jean-François DERNAIS, un jeune, tout juste diplômé de l'École supérieure de chimie. 40 Très sympa* quoiqu'un peu inexpérimenté encore : mais ça lui passera !

ANDRÉ BOSSEL — Parfait, je vais les contacter dès maintenant pour ne pas perdre de temps. LE GOEFF, vous savez, le patron du Grand Large, au Havre, s'impatiente : il nous attend pour lancer la fabrication de son dernier-né. 45

JULIETTE NORMAN — Ils ont encore gagné une course... j'ai vu ça dans un canard* sportif.

ANDRÉ BOSSEL — Oui, la Pacific Cup ! Rien que ça ! Ils sont vraiment fortiches* dans cette boîte ! Et de plus, très agréables comme clients.

JULIETTE NORMAN — Puis-je vous demander un service, à titre extra- 50 professionnel ? J'aimerais avoir leurs coordonnées : mon fils souhaite acheter un petit voilier...

ANDRÉ BOSSEL — Avec plaisir. Je vous les donne dès que je suis de retour à mon bureau. Vous pouvez appeler Richard LE GOEFF de ma part. Je suis sûr qu'il vous trouvera ce que vous cherchez. 55

JULIETTE NORMAN — Vous voulez joindre SULARD maintenant ? Vous pouvez lui téléphoner de mon bureau si vous le souhaitez.

ANDRÉ BOSSEL — Merci, mais je préfère l'appeler de mon bureau : mon frère Roland, qui s'occupe de toute la paperasse* au secrétariat général, voudra aussi le rencontrer et il faut que nous accordions nos violons*. 60

JULIETTE NORMAN — Comme vous voulez... je vous tiens au courant de nos travaux et je vous appelle dès que j'ai en main les comptes rendus des derniers essais.

ANDRÉ BOSSEL — Merci encore, au revoir, chère madame !

113

Pollution
le danger est à la porte

La scène se passe à Satolas, l'aéroport de Lyon, entre un chauffeur de taxi et son client parisien.

LE CHAUFFEUR DE TAXI — Bonjour, monsieur, je vous emmène où ?

LE CLIENT — Place Kléber !

LE CHAUFFEUR DE TAXI — Va falloir être patient ! Il y a plein de travaux partout ! Ça bourre* dès l'entrée de Lyon !

5 LE CLIENT *(après un silence)* — Dites-donc ! Vous l'avez échappé belle* !

LE CHAUFFEUR DE TAXI — Vous voulez parler de la fuite de gaz à la raffinerie ?

LE CLIENT — Oui ! Toute la presse en a parlé...

LE CHAUFFEUR DE TAXI — Oh ! On en a fait tout un plat*, parce que c'était l'été et que les journalistes n'avaient rien à se mettre sous la dent*.

10 Mais des accidents comme celui-là on en a souvent, je ne dis pas tout le temps, mais souvent.

Tenez, moi qui habite à côté, j'ai trois usines : une devant la maison, une derrière, une à gauche... À droite, c'est le Rhône, heureusement ! Sinon, on aurait aussi une usine !

15 LE CLIENT — Et vous n'avez pas peur ?

LE CHAUFFEUR DE TAXI — Peur de quoi ?

LE CLIENT — Je ne sais pas moi, vous avez tout de même quelques raisons d'avoir peur : les fuites de gaz toxiques, les explosions, les incendies...

LE CHAUFFEUR DE TAXI — Oh ! s'il fallait penser à tout ça ! On ne vivrait plus !

20 LE CLIENT — Justement, c'est dangereux !

LE CHAUFFEUR DE TAXI — On s'y fait*, vous savez. Les enfants sont nés ici, ma femme, toute la famille... Et d'ailleurs, on ne peut rien faire contre tout ça... Si vous croyez que la route, c'est moins dangereux ! 100 000 morts en 10 ans, qu'ils annonçaient ce matin à la radio, à cause des accidents !

25 LE CLIENT *(pensif)* — Oui, évidemment...

LE CHAUFFEUR DE TAXI — Vous êtes venu en avion ?

LE CLIENT — Oui.

LE CHAUFFEUR DE TAXI *(triomphant)* — Et vous n'avez pas peur ? Vous avez vu les accidents d'avion qu'il y a eu le mois dernier, deux en rafales*, la loi

30 des séries, à ce qu'il paraît.

Nous, ici, on vit peut-être sur un volcan, comme ils disent à la télé, mais c'est chez nous et on a l'habitude !

Voilà ! On est arrivé place Kléber, ça n'a pas été trop mauvais, mais cela vous fait tout de même 120 F au compteur plus la prise en charge à l'aéroport, 130 F.

35

LE CLIENT — Voilà, gardez la monnaie !

LE CHAUFFEUR DE TAXI — Merci !

LE CLIENT *(s'éloignant)* — Et... bon courage !

LE CHAUFFEUR DE TAXI *(maugréant)* — Ah ! ces Parisiens, tous les mêmes !

■ VOCABULAIRE ET EXPRESSIONS

accorder ses violons	= *(fam.)* se mettre d'accord
avoir le nez creux	= *(argot)* voir juste
bouclé	= *(fam.)* terminé
brûler	= *(fig.)* être très près de
canard (un)	= *(argot)* un journal
de main de maître	= avec beaucoup de compétence
écolo (un)	= *(abrév. - fam.)* un écologiste
être à deux doigts de	= être sur le point de
fortiche	= *(argot)* fort
géode (une)	= un bâtiment à forme sphérique
labo (un)	= *(fam.)* un laboratoire
mettons	= *(fam.)* mot de liaison superflu qui exprime un petit temps de réflexion
paperasse (la)	= *(fam.)* tous les documents administratifs
prendre le large	= partir
spécif (une)	= *(fam. - prof.)* une spécification, la liste des caractéristiques à respecter
sur les bords	= *(fam.)* un peu...
sympa	= *(abrév. - fam.)* sympathique
tenir le bon bout	= être près de la solution, être sur la bonne voie

□ QUESTIONS SUR LE DIALOGUE

1) Pourquoi André BOSSEL se trouve-t-il dans le laboratoire de CHIMIE-RHÔNE ?
2) À quel accident fait-il allusion ?
3) Sur quel matériau le laboratoire travaille-t-il actuellement ?
4) Sur quoi porte le brevet que les deux sociétés vont déposer ?
5) Quand le produit sera-t-il prêt ?
6) Qui prend en charge les problèmes administratifs du laboratoire de recherches ?
7) Expliquez les liens qui unissent LE GRAND LARGE, CHIMIE-RHÔNE et BOSSEL S.A. ?
8) À quel problème régional ce dialogue fait-il allusion ?
9) Pourquoi déposer un brevet ?
10) Quel service Juliette NORMAN demande-t-elle à André BOSSEL ?

■ VOCABULAIRE ET EXPRESSIONS

ça bourre	= *(argot)* la circulation est très dense, il y a des embouteillages
en rafales	= *(fam.)* l'un après l'autre
faire tout un plat de...	= *(argot)* exagérer l'importance de...
ne rien avoir à se mettre sous la dent	= n'avoir aucun sujet à traiter
on s'y fait	= on s'y habitue
vous l'avez échappé belle	= vous avez eu de la chance

□ QUESTIONS SUR LE DIALOGUE

1) Où le chauffeur de taxi prend-il en charge son client ?
2) Où doit-il le conduire ?
3) Le client peut-il espérer arriver rapidement à destination ? Pourquoi ?
4) À quel accident le client fait-il allusion ?
5) Quels arguments le chauffeur utilise-t-il pour minimiser l'accident ?
6) Pourquoi réagit-il ainsi ?
7) A-t-il réussi à convaincre son client ?

RÉGION : RHÔNE-ALPES

Une région
qui tient ses promesses

École supérieure de commerce de Lyon.

Un fleuve, le Rhône. Un massif montagneux, les Alpes. Suffisait-il d'accoler ces deux noms pour créer une unité humaine, économique, politique, une vraie « région Rhône-Alpes » ? Le paradoxe de cette région est d'être à la fois la deuxième de France par le poids démographique, industriel et scientifique après l'Île-de-France et en même temps celle dont les contours allaient si peu de soi* qu'ils suscitent encore des interrogations.

Qu'y avait-il, *a priori,* de commun entre les paysans haut-savoyards et les producteurs de fruits de la vallée du Rhône, les vignerons du Beaujolais et les chercheurs de Grenoble, entre le poulet de Bresse et la châtaigne ardéchoise, les protestants du sud de la Drôme et les catholiques lyonnais ? Pour créer administrativement cette région, il a fallu surmonter des incompréhensions, des rivalités de villes, associer des départements sans intérêts communs et au développement inégal, des secteurs ayant épousé la deuxième révolution industrielle et d'autres meurtris par les effets de la première.

Et pourtant, elle tourne. Rhône-Alpes, ou le ciment en train de prendre... Une homogénéisation politique se fait, au détriment des extrêmes, avec un point d'équilibre actuel qu'on peut situer au centre-droite. Des voies de communication rapides — le réseau autoroutier, l'un des plus denses de France, le T.G.V.

qui atteint la plupart des grandes villes — ont facilité les échanges à l'intérieur de la région et ont, par exemple, mis Grenoble à une heure de Lyon. Un ensemble culturel dont les différents pôles [...] ont fait sauter les particularismes et circuler le public. Une Bourse — celle de Lyon — dont le dynamisme s'affirme. Une région aussi, qui fournit à la France la plus grande partie de son électricité, qu'elle soit d'origine hydraulique ou nucléaire ce qui a, par contrecoup, contribué à faire de Rhône-Alpes la patrie des écologistes*. Jusqu'à la presse régionale qui a fait son unité autour de M. Hersant provoquant par là même les réactions de la presse nationale avec la création, début 1986, de l'édition Rhône-Alpes du *Monde* et celle, à l'automne 1986, de *Lyon-Libération.*

Les atouts de Rhône-Alpes sont ceux de la modernité : universités de haut niveau, notamment dans le domaine scientifique et médical, attirant — ainsi que les nombreux laboratoires du C.N.R.S. — les chercheurs français mais aussi étrangers ; industries nouvelles liées aux biotechnologies, à l'informatique, à la physique des particules ou au nucléaire ; tourisme « blanc » des champs de neige qui font des Savoies le plus grand domaine skiable d'Europe et d'Albertville la capitale des jeux Olympiques d'hiver de 1992, etc. Dans plus d'un domaine cette région occupe, en France, le premier rang. [...]

Des faiblesses, pourtant. Une région qui a paru longtemps mieux protégée face au chômage, mais qui s'y trouve désormais confrontée, le dynamisme des industries nouvelles ne parvenant plus à compenser la lente dégradation du tissu industriel traditionnel. Une agriculture diversifiée mais qui ne fait pas le poids face à d'autres régions. La résistance à l'unité qui fait de Lyon une capitale régionale pas complètement acceptée par les autres grandes villes ou par les départements éloignés qui lorgnent* vers la Suisse. Et un handicap né d'un avantage : en mettant Lyon à deux heures de Paris, le T.G.V. a-t-il, autant qu'on le croit, rendu service à la région ? À terme n'aboutira-t-on pas à aggraver la dépendance — notamment économique — par rapport à la capitale ? L'avenir le dira. Il reste que cette région, tout en supportant mal le fait qu'elle ait été, comme l'a démontré Fernand Braudel, trahie par l'Histoire qui lui a préféré l'Île-de-France, conserve les aptitudes de ses ambitions.

LE MONDE - DOSSIERS ET DOCUMENTS - JUIN 1987 -
BRUNO FRAPPAT.

Val Cenis - Vallée de la Maurienne.

■ VOCABULAIRE ET EXPRESSIONS

aller de soi = être évident, découler naturellement de...
écologiste (un) = *(néologisme)* un défenseur de la nature contre les pollutions industrielles
lorgner vers = *(fig.)* regarder avec convoitise

☐ QUESTIONS SUR LE DOCUMENT

1) Quelle est la place de la région Rhône-Alpes ? Dans quels domaines ?
2) Pourquoi la composition de cette région soulève-t-elle encore des interrogations ?
3) Qu'a-t-il fallu faire pour créer administrativement cette région ?
4) Quelle est l'orientation politique de la région ?
5) Quels sont les facteurs qui ont facilité les échanges à l'intérieur de la région ?
6) Pouvez-vous citer quelques-uns des apports de la région à l'économie française ?
7) Quels sont les atouts de Rhône-Alpes ?
8) Comment cette région réagit-elle face au chômage ? Pourquoi ?
9) Pourquoi la prééminence de Lyon est-elle contestée ?
10) En quoi le T.G.V. peut-il constituer un handicap pour cette région ?

Port Edouard-Herriot

— Atochem
— Rhône-Poulenc chimie fine
— Ciba
— Rhône-Poulenc chimie fine
— Atochem
— Rhône-Poulenc silicones
— L'Air liquide
— Rhône-Poulenc silicones
— Rhône-Poulenc pétrochimie

— L'Air liquide

— Elf France

— Rhône-Gaz

— Institut français du pétrole

◄ *Les établissements industriels au sud de Lyon.*　▲ *Incendie dans le dépôt d'hydrocarbures de la Shell*

Le couloir de tous les dangers

On a évité le pire dans la première poudrière chimique de France

Les traits tirés, la « gueule* » noire de fumée, ce pompier lyonnais laisse enfin échapper un soupir de soulagement : « *Ça a été dur, très dur même, mais on s'en tire finalement à bon compte.* » Mercredi 11 heures : après vingt heures de lutte, l'incendie qui a dévasté le complexe pétrolier du port Édouard-Herriot, à Lyon, est enfin maîtrisé. « À bon compte », alors qu'on dénombre au moins deux disparus et une vingtaine de blessés ? Oui. Car nous sommes ici sur la première poudrière chimique de France, le célèbre « couloir de la chimie ». Sur 10 kilomètres de long et quelque deux de large, se bousculent tous les grands noms de la branche : Rhône-Poulenc, Atochem, Ciba-Geigy, etc. En tout, quatorze complexes industriels où l'on produit, manipule et stocke des composés plus dangereux les uns que les autres. [...] Tous susceptibles d'exploser, de brûler, d'asphyxier.

Le risque technologique majeur est d'autant plus redouté ici que cette plate-forme chimique est noyée dans la banlieue sud de Lyon, mais aussi traversée, de part en part, à la fois par l'autoroute du Soleil et le T.G.V. Du coup, la question que se posent les spécialistes de la sécurité industrielle n'est plus : « *La région lyonnaise peut-elle connaître une catastrophe majeure ?* », mais : « *Quand aura-t-elle lieu et combien de morts occasionnera-t-elle ?* » [...]

Extraordinaire paradoxe : alors que la loi impose aux industriels de ne pas entreposer de produits dangereux à proximité des routes et habitations, la réciprocité n'est pas vraie. N'importe quel maire peut délivrer un permis de construire pour une habitation jouxtant une sphère de chlore ou d'ammoniac. D'après la Sécurité civile, rien que dans le « couloir de la chimie », cent mille personnes vivent ainsi à crédit, sous la menace directe d'un « pépin* » majeur.

Bien sûr, le pire n'est pas toujours sûr. Haroun Tazieff, lui-même, avoue que « *la France est l'un des pays les moins mal protégés* ». Les industriels consacrent beaucoup d'efforts à la sécurité : 1 milliard de francs pour Rhône-Poulenc et Atochem réunis. Bravo ! Hélas, trop souvent ces mêmes industriels se réfugient derrière le secret professionnel ou la peur de l'attentat pour ne pas répondre à toutes les questions de l'administration. [...]

Dans son rapport de 1986, le Département d'analyse de sûreté (D.A.S.) du C.E.A. écrit : « *Les divers plans d'organisation de secours que le D.A.S. a eu l'occasion de consulter sont inadaptés à la lutte contre les conséquences d'un accident d'origine chimique ou pétrolière...* » Et de regretter « *l'absence d'un responsable unique pour la conduite des opérations de secours, ainsi que celle de moyens radiophoniques pour avertir rapidement les populations* ».

Reste que l'urgence à Lyon, comme dans les autres sites à risque, c'est de stopper l'urbanisation progressive des abords de ces usines. [...] L'incendie du port Édouard-Herriot précipitera-t-il les choses ? [...] On veut le croire.

LE POINT N° 768 - 8 JUIN 1987 - FRÉDÉRIC LEWINO.

■ VOCABULAIRE ET EXPRESSIONS

gueule (une) = *(ici argot)* un visage
pépin (un) = *(fam.)* un accident

☐ QUESTIONS SUR LE DOCUMENT

1) Pourquoi le pompier lyonnais interviewé par *Le Point* estime-t-il qu' « on s'en tire finalement à bon compte » malgré le nombre des victimes ?
2) Qu'appelle-t-on le « couloir de la chimie » ?
3) Pourquoi cette zone est-elle particulièrement dangereuse ?
4) Combien de personnes vivent-elles ainsi en danger ?
5) Comment se situe la France dans le domaine de la protection contre les risques industriels ?
6) Qu'est-ce que le D.A.S. ?
7) Que doit-on faire, d'après le rapport du D.A.S., pour améliorer la sécurité dans cette zone ?

Fin du costard, renaissance du costume

Le vêtement masculin traditionnel ne risque pas de changer tant que l'homme actif s'habillera non par plaisir, mais par obligation. Et il continuera à devoir le faire aussi longtemps que les codifications de sa vie professionnelle l'y contraindront. L'explosion de la créativité dans la mode va de pair avec* la liberté des gens qui la portent. Or, la majorité des hommes qui atteignent une certain qualification professionnelle subit encore, comme un corset ou la preuve d'une certaine réussite, l'équation « costume, chemise, cravate ». Usage qui s'étend à nombre d'*executive women** qui arborent blazer, jupe droite et chemise masculine pour se rendre au bureau. Tandis que les professions privilégiées, intellectuels, enseignants, petits fonctionnaires, publicitaires ou travailleurs indépendants, agissent à peu près à leur guise. Et la fraction la plus branchée*, sinon la plus jeune, de la population revisite* le cher vieux costard* comme une ruine charmante dont elle s'était depuis longtemps évadée. De façon générale, depuis plusieurs saisons, on perçoit dans l'évolution du vêtement masculin un frémissement qui pourrait bien engendrer quelques changements de taille. Les principaux créateurs de la mode féminine ne s'y sont pas trompés, qui démarrent tous une ou plusieurs collections homme (Tarlazzi, Gaultier, Issey, Miyaké, Montana...). D'une part, la mode est à la mode ; de l'autre, tandis que le marché féminin paraît saturé, le marché masculin représente encore un potentiel énorme de conquête. [...]

Malgré ses efforts de modernisation, l'industrie française est loin d'atteindre au niveau technologique de ses principaux concurrents. Il faut dire qu'un Américain renouvelle son costume tous les deux ans, un Français tous les cinq, tandis qu'un célibataire italien consacre environ 60 % de son budget à se pomponner*. Réalisant un C.A. de 18,5 milliards de francs (hors taxe, prix usine), le vêtement industriel masculin se répartit en France sur un millier d'entreprises qui emploient quatre-vingt-trois mille personnes (soit 2 % de l'emploi industriel). Après trois années consécutives de stagnation, on assiste à une légère reprise. Mais la balance commerciale demeure lourdement déficitaire avec 2,3 milliards de francs d'exportation, contre 5,3 milliards de francs d'importation. Tandis que se creuse l'écart de nos coûts salariaux avec ceux des pays en voie de développement (de 1 à 4 avec Hong-Kong et Taïwan, mais de 1 à 22 avec le Sri Lanka). [...]

L'ÉVÉNEMENT DU JEUDI - 7 AU 13 MAI 1987 - FRANÇOIS BAUDOIN.

■ VOCABULAIRE ET EXPRESSIONS

aller de pair avec = aller en parallèle avec
branché = *(ici)* à la page
costard (un) = *(argot)* un costume d'homme
executive women = *(ang.)* femmes ayant des responsabilités de direction
revisiter = *(ici)* retrouver, redécouvrir
se pomponner = *(ironique)* se parer

□ QUESTIONS SUR LE DOCUMENT

1) Pourquoi le costume masculin n'est-il pas plus créatif ?
2) Quelles sont les tendances actuelles de la mode masculine ?
3) Pourquoi les principaux créateurs de la mode féminine s'intéressent-ils au costume masculin ?
4) Comment l'industrie française du textile se situe-t-elle par rapport à ses concurrents ?
5) En matière d'habillement, comment le consommateur français se situe-t-il par rapport à l'Américain et à l'Italien ?

Le soyeux tient le bon fil

À Lyon, chez Brochier, on était soyeux de père en fils. En 1987, le fil de soie a été remplacé par de la fibre de carbone noire, de verre ou de Kevlar. La maison n'habille plus les élégantes, mais les fusées, les Mirage 2000, avec des tissus composites enduits de résine. Reconversion réussie, tout en utilisant la tradition du filage. Brochier est devenu une industrie de pointe dont le chiffre d'affaires croît de 25 % par an. C'est ici qu'ont été tissés le nez de Concorde ou les voiles de Marc Pajot. Même l'armée américaine vient se fournir chez le soyeux, parvenu au top niveau des nouveaux matériaux, à la fois plus légers et plus résistants. « On a cinq à sept ans d'avance », estime le directeur, Jean Freidel. LE POINT Nº 773 - 13 JUILLET 1987.

Le Concorde

L'habillement rétrécit

La part des dépenses d'habillement diminue inexorablement dans le budget des Français. Le phénomène n'est pas nouveau et il se poursuivra quelle que puisse être par ailleurs l'évolution du pouvoir d'achat.

L'EXPANSION - 6 NOVEMBRE 1987.

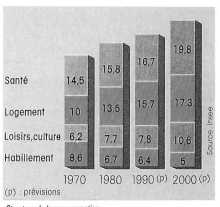

	1970	1980	1990 (p)	2000 (p)
Santé	14,5	15,8	16,7	19,8
Logement	10	13,5	15,7	17,3
Loisirs, culture	6,2	7,7	7,8	10,6
Habillement	8,6	6,7	6,4	5

Source : Insee

(p) : prévisions

Structure de la consommation des Français (en % de la consommation globale).

ARTS ET PATRIMOINE : CINÉMA ET TÉLÉVISION

Le cinéma-phénix

Un cinéma sur les Champs-Élysées

Le cinéma, industrie sinistrée ? Le syndrome italien frappe la France. La télévision vit du cinéma. Celui-ci peut en mourir. Ou en renaître.

L'industrie du cinéma pleure. Fréquentation des salles, recettes, productions : en baisse. Coût des investissements : en hausse. Qui est responsable ? La télévision, bien sûr. Mais la télévision, précisément, peut être aussi la chance du cinéma : elle qui ne vit que par le film se tuerait elle-même si elle le tuait. [...]
Après avoir atteint les 450 millions d'entrées il y a trente ans, les années d'or du cinéma, la fréquentation avait baissé de moitié en dix ans. [...]
Plus inquiétant, la part du cinéma français dans les recettes (autour de 4 milliards de francs) accuse une sérieuse baisse. Elle est tombée à 43 % l'an dernier. [...]

Le cinéma français semble mieux résister que d'autres à cette fameuse crise provoquée par la télévision et dont on dit qu'elle a ruiné les cinémas allemand, anglais et italien.
En 1986, les trois chaînes publiques (TF1, A2, FR3) auront diffusé 557 films. Canal Plus en a programmé 365 (plusieurs fois chacun). En 1987, avec la « Cinq » et M6, la télévision va présenter quelque 1 400 films ! Près de quatre par jour !

Deux exemples. Le 7 avril dernier, les six chaînes programmaient six films, et non des moindres, dans la même soirée, [...] le 28 avril, cinq films. [...]
Pour chacune de ces soirées, près de 20 millions de téléspectateurs auront regardé un film à la télévision, c'est-à-dire le huitième de la fréquentation annuelle des salles, alors qu'il n'en aura pas coûté aux chaînes plus de 5 millions de francs.

Les 163 millions de spectateurs de films en salles ont rapporté 3,8 milliards à l'industrie du cinéma, tandis que 5 milliards de spectateurs de films à la télévision ne lui ont procuré que 300 millions de francs de ressources (Canal Plus non compris).

La France est, avec l'Italie, le pays qui consomme le plus de films à la télévision. [...]

Diffusé chaque jour à domicile, le film de cinéma n'est plus qu'une distraction domestique banale. Les spectateurs qui vont voir un film en salle sont donc de plus en plus exigeants. Le succès des films « de prestige » américains vient le démontrer.

Combien de films, en une année, ont mérité cette « sortie » en offrant autre chose que ce que l'on peut voir chez soi ? Une dizaine si l'on s'en tient aux chiffres (ceux qui ont dépassé les 500 000 entrées). Et la moitié vient des États-Unis où la production audiovisuelle est la plus forte et où la fréquentation des salles reste aussi la plus élevée. [...] On peut donc jouer le grand écran contre le petit.

Mais à quel prix, et comment ?

Les coûts de production ont été multipliés par trois en dix ans. Un film français coûte en moyenne 15 millions de francs. Pour amortir cet investissement, il devrait dépasser le million d'entrées. Sur 130 longs métrages produits dans l'année, cinq ou six y parviennent. [...] Les autres finiront en « produits de consommation » pour télévision.

La carrière et la rentabilité d'un film se jouent désormais beaucoup plus sur le petit écran que sur le grand. C'est au point que la sortie d'un film en salle n'est souvent qu'un test pour sa programmation sur l'une des chaînes.

Certains producteurs de cinéma ne tiennent déjà plus compte de l'exploitation en salle. Leurs films sont de plus en plus conçus, esthétiquement et financièrement, en fonction du public de la télévision.

Les producteurs de cinéma se retournent donc vers les managers de télévision, et leur demandent d'augmenter massivement leur contribution au financement de la production. [...]

Mais le partenaire principal de l'industrie du cinéma reste l'État. Cette année, il y consacre, tout compris, 1 milliard de francs, quand le financement de la production s'élève à 1,4 milliard. [...]

Que le partenaire du cinéma soit la télévision ou l'État, tout commence et tout finit par le public. Ni audience ni argent sans public.

Le cinéma peut renaître. À la condition de redéfinir ses œuvres et de réinvestir dans une esthétique du grand écran par opposition au petit, mais aussi à la condition de réadapter ses structures d'exploitation.

Les multi-salles aux écrans à peine plus grands que celui de la télévision semblent avoir vécu. Sur cinq mille salles, deux mille vivent mal ; une vingtaine ont fermé à Paris depuis un an, transformées en restaurants ou en boutiques.

Il faudra sans doute revenir aux grandes salles d'autrefois (les « vaisseaux du rêve ») et ressusciter la magie du grand écran pour que la vision d'un film reste un événement. Le cinéma n'est pas un besoin. Il doit rester un plaisir.

VALEURS ACTUELLES - 24 AOÛT 1987 - NORBERT MULTEAU.

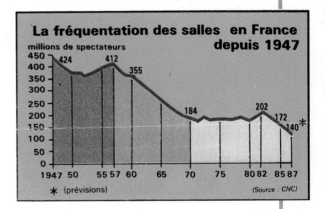

□ QUESTIONS SUR LE DOCUMENT

1) Quelle est la cause principale de la crise du cinéma français ? Motivez votre réponse.
2) Pour quelle raison cette cause de crise est-elle aussi la grande chance du cinéma français ?
3) Comment se traduit la crise du cinéma en France ? Citez quelques exemples.
4) Pourquoi le film de cinéma tend-il à se banaliser ?
5) Quelle est l'évolution des coûts de production ?
6) Où se jouent désormais la carrière et la rentabilité d'un film ? Quelles sont les conséquences de cette évolution ?
7) Qui est le partenaire principal de l'industrie cinématographique ?
8) « Le cinéma peut renaître... » : à quelles conditions ?

Côté spectateur

Née il y a cinquante ans, devenue adulte dans les années 50, la télévision a créé une manière de voir — la manière imposée par le robinet d'images sur le petit écran. Les enquêtes sur l'abrutissement consécutif à la saturation sont fausses, inutiles, hypocrites : ce sont les duretés de la vie qui abrutissent. Nous nous sommes habitués à la cohabitation avec les images, comme avec le ruban sonore des radios. Nous parlons moins en famille, mais nous écoutons, nous regardons mieux, nous avons appris à extraire ce qui nous intéresse, c'est devenu machinal. [...]

Les enfants vivent le monde des dessins animés, qui éveillent l'imagination. Prendre garde quand même qu'ils ne croient pas pouvoir réellement voler au-dessus des toits. La publicité les rend exigeants. Ils sont impitoyables pour ses mensonges.

La télévision éduque à domicile. Elle utilise largement le patrimoine cinématographique — et a tué les ciné-clubs et aussi les salles de quartier, les salles trop « mini ». Entre un nanar* chez soi et le même ou presque projeté n'importe comment, qui vous oblige à sortir, à payer, à être mal assis... il y a de quoi hésiter. Il paraît que si la population cinéphile est exangue*, c'est la faute de la télévision. [...]

LE MONDE TÉLÉVISION - 1er DÉCEMBRE 1986 - COLETTE GODARD.

■ **VOCABULAIRE ET EXPRESSIONS**

exangue = qui a perdu son sang - *(ici)* inexistante
nanar (un) = *(argot)* un mauvais film

Vivre sans télé, quel bonheur !

On parle actuellement de télévision à tout-va. On se scandalise aujourd'hui des sommes énormes pour l'octroi de telle ou telle vedette du petit écran comme autrefois on se scandalisait du transfert des joueurs de football. Tout a une fin et celle-là viendra bientôt.

Personnellement, ma télé est tombée en panne. Je la traînais depuis un an comme on traîne ses cigarettes. Pour quelques moments de plaisir, que de bouffées insipides ! Un peu de fatigue, une pression sur le bouton, un rapide tour des programmes et une soirée en fumée pour cause d'attentisme dans mon fauteuil.

J'aménage mes temps libres, de mieux en mieux d'ailleurs. C'est incroyable le temps dont on dispose quand soudain elle disparaît. Toutefois, j'aimerais émettre un regret : certaines émissions me manquent, quelquefois des retransmissions sportives, un regard sur le monde ou la vie. Un regard que rien d'autre ne pourra m'offrir. L'idéal serait un système par câble grâce auquel (par un système assez proche du Minitel) je pourrais appeler une chaîne de mon choix. Un abonnement sera peut-être nécessaire mais qu'on dise toujours un prix, on discutera après. Ayant accès à cette chaîne, je consulterais un menu. Infos, divertissement, catalogue de films ou divers autres types d'émissions.

Une anecdote pour finir. Quand je me suis débarrassé de mon téléviseur, j'en ai parlé à mon entourage. Chaque matin on me redemandait si j'avais vu tel film ou telle émission. Au début, j'expliquais ma situation. Désormais j'acquiesce et je participe même à la conversation. Pour cela, c'est simple, la première personne qui m'en parle, je l'écoute. Ensuite, dès qu'on me branche dessus dans la journée, tranquille, je me lance dans les détails.

LE NOUVEL OBSERVATEUR - 22/28 MAI 1987 -
PHILIPPE DESPROGES.

Médicaments :
faut-il les rembourser ?

[...] Si l'on désire voir clair, il est important d'examiner le problème d'un peu haut et en prenant un certain recul.

Il faut d'abord tordre le cou* à cette vieille utopie, dangereuse et perverse, qui a toujours cours* dans certains milieux retardataires, celle du mythe de la santé gratuite pour tous.

Un tel mythe est absurde, car finalement tout a un prix et tout doit être payé. La collectivité ou les systèmes d'assurances ou de solidarité ne règlent ou ne remboursent qu'avec l'argent que nous autres, les contribuables, nous leur donnons. « Faire payer les riches » est économiquement faux. Et où se situe la frontière entre richesse et pauvreté ?

De plus, ce concept est irréaliste. En effet, comment définir, les limites des dépenses de santé ? S'il est facile d'y inclure les frais d'hospitalisation, les consultations médicales, les examens et analyses, les médicaments, voire les journées d'arrêt de travail..., qu'en est-il des

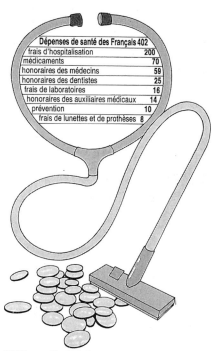

Dépenses de santé des Français 402	
frais d'hospitalisation	200
médicaments	70
honoraires des médecins	59
honoraires des dentistes	25
frais de laboratoires	16
honoraires des auxiliaires médicaux	14
prévention	10
frais de lunettes et de prothèses	8

Chiffres (1986) en milliards de francs.

cures thermales : santé ou non ? Et d'une alimentation saine et variée ? D'un logement salubre et bien chauffé l'hiver ? [...]

À travers ces exemples, on voit combien il est difficile de définir intégralement les dépenses de santé, et donc de décider de ce qui est remboursable ou pas.

Enfin, la santé gratuite serait dangereuse, car la consommation de santé n'est pas toujours rationnelle, ni toujours bénéfique. Il y a risque d'excès. [...]

On le voit, il est nécessaire, indispensable et sain que le consommateur de biens de santé, curative ou préventive, contribue personnellement de façon directe à ses dépenses. Mais comment procéder ?

SANTÉ MAGAZINE - NOVEMBRE 1987 -
PROFESSEUR JEAN-PIERRE BADER.

■ VOCABULAIRE ET EXPRESSIONS

avoir cours dans... = *(fig.)* être utilisé
tordre le cou à = *(imagé)* détruire, mettre fin à

L'Institut Pasteur

Institut Pasteur
1887-1987-2087
UN NOUVEAU SIÈCLE

À la veille de sa mort, Claude Bernard voulant consoler Pasteur des résistances rencontrées par ses théories sur les microbes, lui dit :
« Deux médecins sont venus ce matin sonder ma pauvre vessie. Le plus vieux s'est lavé les mains après, le plus jeune, qui se réclame de l'asepsie, se les est lavées avant. Voilà ce qui restera toujours, Pasteur, de vos travaux. »

Cela et l'Institut (Pasteur)... créé par décret du 4 juin 1887.
Impressionnée par la vaccination contre la rage du berger Meister le 4 juillet 1885, l'Académie des sciences déclarait le 1er mars de l'année suivante : « Il y a lieu de créer un établissement vaccinal contre la rage. »
Peu après, Louis Pasteur confiait à un journaliste son intention « de fonder à Paris un établissement modèle, sans avoir recours à l'État, à l'aide de dons et de souscriptions internationaux ».
Le monde entier répondit à son appel...

L'Institut joint depuis toujours la recherche appliquée à la recherche fondamentale, d'où l'hôpital Pasteur qui fut fondé par Émile Roux, successeur de Pasteur. [...]

Là furent expérimentés les premiers sulfamides, les vaccinations par le B.C.G., les applications du radium. L'hôpital est aujourd'hui spécialisé dans le traitement des maladies infectieuses et parasitaires, des maladies résultant de dérèglements de l'immunité, etc. Il est au troisième rang pour le traitement du Sida. [...]
Plus de deux mille personnes travaillent sur le campus dont 500 chercheurs permanents. [...]

De plus, l'Institut Pasteur accueille chaque année 300 élèves en cours de diplôme d'études approfondies (D.E.A.) et 600 stagiaires déjà confirmés, généralement en cours de thèse (dont 80 étrangers). [...]

L'indépendance de Pasteur n'est pas hypothéquée par la subvention que l'État lui accorde. Mais celle-ci ne fait que compenser des charges imposées qui ne rapportent guère : vaccinations publiques, laboratoires spécialisés et centres de référence. Ceux-ci sont des sentinelles permettant la surveillance de l'extension des épidémies de grippe, Sida, hépathites, peste, choléra...
« Pasteur » abrite quatorze des trente-deux centres nationaux et neuf des centres collaborateurs de l'Organisation mondiale de la santé (O.M.S.).
L'Institut possède une dimension internationale, au cœur d'un réseau de vingt-sept instituts répartis dans le monde...

VALEURS ACTUELLES N° 785 - 5 OCTOBRE 1987 -
DOCTEUR PHILIPPE BORNET.

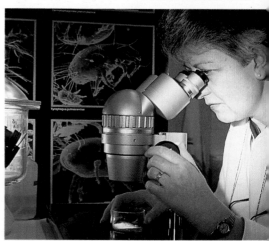

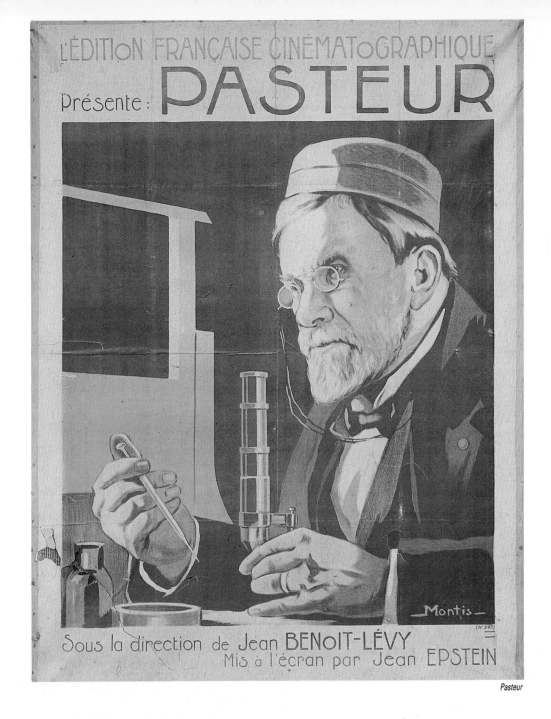

Pasteur

☐ QUESTIONS SUR LE DOCUMENT

1) En quoi l'exemple cité par Claude Bernard pouvait-il consoler Pasteur ?

2) Qu'a fait le médecin qui se réclamait la théorie de Pasteur sur l'aseptie ?

3) Quand l'Institut Pasteur a-t-il été créé ?

4) Quel financement souhaitait Pasteur pour son institut ? À votre avis, pourquoi ?

5) Pourquoi le successeur de Pasteur a-t-il tenu à créer un hôpital lié à l'Institut ?

6) Citez quelques exemples de traitements mis au point à l'Institut Pasteur.

7) Combien de personnes travaillent à l'Institut Pasteur ? Combien d'élèves y étudient ?

8) Quelles charges l'État impose-t-il à l'Institut Pasteur ?

QUELQUES POINTS DE REPÈRE

juillet 1885 : Pasteur administre pour la première fois à l'homme le vaccin contre la rage.

1898 : rôle de la puce dans la transmission de la peste (**Simond**).

1904 : premiers essais de chimiothérapie anti-infectieuse.

1910 : hypothèse de l'origine virale de certains cancers (**Borrel**).

1921 : mise au point du B.C.G. (**Calmette** et **Guérin**).

1927 : mise au point d'un vaccin contre la fièvre jaune (**Laigret**).

1936 : découverte de l'action anti-infectieuse des sulfamides (**Tréfouël, Nitti, Bovet**).

1937-1947 : travaux sur les premiers antihistaminiques et curarisants de synthèse (**Bovet**).

1954 : mise au point d'un vaccin contre la poliomyélite (**Lépine**).

1956 : découverte de l'allotypie des anticorps (**Oudin**).

1963 : découverte de l'idiotypie des anticorps (**Oudin**).

1983 : identification du virus du Sida (**Montagnier, Chermann, Barré-Sinoussi**).

D'après *Le Spectacle du Monde*, N° 310. Janvier 1988.

1923 Jules Romains présente...

Knock

Le docteur KNOCK a acheté, pour un prix modique, la clientèle quasi inexistante d'un confrère, le docteur PARPALAID, installé dans le canton de Saint-Maurice. Les deux médecins se retrouvent trois mois plus tard dans le cabinet du docteur KNOCK.

ACTE III SCÈNE VI

KNOCK

M. Mousquet vous a parlé de nos premiers résultats ?

LE DOCTEUR

On m'en a parlé.

KNOCK, *fouillant dans son portefeuille*

À titre tout à fait confidentiel, je puis vous communiquer quelques-uns de mes graphiques. Vous les rattacherez sans peine à notre conversation d'il y a trois mois. Les consultations d'abord. Cette courbe exprime les chiffres hebdomadaires. Nous partons de votre chiffre à vous, que j'ignorais, mais que j'ai fixé approximativement à 5.

LE DOCTEUR

Cinq consultations par semaine ? Dites le double hardiment, mon cher confrère.

KNOCK

Soit. Voici mes chiffres à moi. Bien entendu, je ne compte pas les consultations gratuites du lundi. Mi-octobre, 37. Fin octobre : 90. Fin novembre : 128. Fin décembre : je n'ai pas encore fait le relevé, mais nous dépassons 150. D'ailleurs, faute de temps, je dois désormais sacrifier la courbe des consultations à celle des traitements. Par elle-même la consultation ne m'intéresse qu'à demi : c'est un art un peu rudimentaire, une sorte de pêche au filet. Mais le traitement, c'est de la pisciculture.

LE DOCTEUR

Pardonnez-moi, mon cher confrère : vos chiffres sont rigoureusement exacts ?

KNOCK

Rigoureusement.

LE DOCTEUR

En une semaine, il a pu se trouver, dans le canton de Saint-Maurice, cent cinquante personnes qui se soient dérangées de chez elles pour venir faire queue, en payant, à la porte du médecin ? On ne les y a pas amenées de force, ni par une contrainte quelconque ?

KNOCK

Il n'y a fallu ni les gendarmes, ni la troupe.

LE DOCTEUR

C'est inexplicable.

KNOCK

Passons à la courbe des traitements. Début d'octobre, c'est la situation que vous me laissiez ; malades en traitement régulier à domicile : 0, n'est-ce pas ? *(Parpalaid esquisse une protestation molle.)* Fin octobre : 32. Fin novembre : 121. Fin décembre... notre chiffre se tiendra entre 245 et 250.

LE DOCTEUR

J'ai l'impression que vous abusez de ma crédulité.

KNOCK

Moi, je ne trouve pas cela énorme. N'oubliez pas que le canton comprend 2 853 foyers, et là-dessus 1 502 revenus réels qui dépassent 12 000 francs.

LE DOCTEUR

Quelle est cette histoire de revenus ?

KNOCK, *il se dirige vers le lavabo*

Vous ne pouvez tout de même pas imposer la charge d'un malade en permanence à une famille dont le revenu n'atteint pas douze mille francs. Ce serait abusif. Et pour les autres non plus, l'on ne saurait prévoir un régime uniforme. J'ai quatre échelons de traitements. Le plus modeste, pour les revenus de douze à vingt mille, ne comporte qu'une visite par semaine, et cinquante francs environ de frais pharmaceutiques par mois. Au sommet, le traitement de luxe, pour revenus supérieurs à cinquante mille francs, entraîne un minimum de quatre visites par semaine et de trois cents francs par mois de frais divers : rayons X, radium, massages électriques, analyses, médication courante, etc. [...]

KNOCK - JULES ROMAINS - 1923.

HOMMAGE À... LOUIS JOUVET

Affiche belge anonyme, vers 1945

Il y a cent ans naît à Crozon, d'un père corrézien et d'une mère ardennaise, un futur pharmacien nommé Louis Jouvet. Tel aurait dû être le destin de cet enfant sage qu'aucune fée ne visita à son berceau.

Aujourd'hui en kilt *(Drôle de drame)* ou en redingote *(Knock)*, il hante en deux dimensions les écrans blancs des salles obscures et des téléviseurs, et l'on célèbre, ici et là, cet impossible acteur qui avait le génie du théâtre.

Le physique décourageant d'un oiseau de proie qui aurait des yeux de poisson mort, une difficulté extrême à mener calmement les phrases à leur terme, une aridité funèbre mêlée de causticité : tout en Jouvet le renvoyait à la solitude des officines.

Et nul, sauf lui, ne pouvait imaginer un tel homme, dès l'adolescence caricatural, dans la peau d'un séducteur coriace arpentant chaque soir les planches sous l'œil d'un public médusé.

Si le miracle a eu lieu, c'est que Louis Jouvet l'a voulu, accentuant avec férocité sa nature jusqu'à rendre ses défauts si évidents qu'ils en devenaient spectaculaires, et comme montés en épingle pour surprendre et pour étonner. Ainsi devint-il lui-même par un pur entêtement de l'intelligence et une obstination lucide qu'il devait sans doute à ses ancêtres paysans. [...]

Décorateur, régisseur, machiniste, il est sur le plateau comme le peintre dans son atelier. Il se heurte à des formes et à des matières. Elles lui apprennent l'humilité. De cette humilité, il tirera son orgueil, orgueil d'artisan, sagesse d'artisan, et qui connaît la méchanceté des choses contre quoi la parole ne peut rien. Le metteur en scène, le professeur au Conservatoire doit tout à cet apprentissage. [...]

Gauche, traqueur*, incertain, morose, dès qu'il entre en scène sa voix saccadée nous agresse. C'est la voix du ventriloque, elle vient de nulle part. Elle trouble. [...]

En 1933, à 46 ans, elle résonne enfin avec *Topaze* et *Knock* dans les studios. Le cinéma embouche les trompettes de la renommée*, et Jouvet, qui avait en horreur la reproduction mécanique, grâce aux machines devient célèbre. Et c'est par elles qu'il s'affirme. Tout ici commence encore par *Knock*. C'est que l'acteur y a trouvé sa forme. Sous ce masque figé et ces yeux glauques se cache un automate qui, goguenard, pèse et mesure. Jamais dupe. C'est le théâtre désincarné, le comédien à l'état pur, emblématique. [...]

Qu'il soit l'inventeur de Jules Romains, de Jean Giraudoux, qu'il ait apporté au théâtre un peu de hauteur, qu'il ait appris à des générations de comédiens à être eux-mêmes compte moins que trois répliques de Jeanson ou de Prévert, d'*Entrée des artistes*, ou de *Drôle de drame*, qui sonnent à jamais dans nos têtes. Paradoxe cruel, Louis Jouvet survit par ce qu'il n'a jamais voulu être : un acteur de cinéma.

JOUVET TOUJOURS ET MALGRÉ TOUT -
LE POINT - 22 JUIN 1987 - PIERRE MARCABRU.

■ VOCABULAIRE ET EXPRESSIONS

emboucher les trompettes de la renommée	= claironner, annoncer partout la renommée
traqueur	= *(ici)* timide, sujet au trac

□ QUESTIONS SUR LE DOCUMENT

1) Quel était le métier auquel était destiné Louis Jouvet ?
2) Comment Jouvet a-t-il su tirer parti de son physique ingrat ?
3) Quelles fonctions Jouvet a-t-il assumées au théâtre ?
4) Quelles pièces ont rendu Jouvet célèbre ?
5) Qu'y a-t-il de paradoxal dans le fait que Jouvet survive essentiellement par le cinéma ?

LE VIN EST TIRÉ...

AU SOMMAIRE DU DOSSIER 7

Propriété dans le Bordelais

LA RÉGION

SUD-OUEST (AQUITAINE ET MIDI-PYRÉNÉES)

Bordeaux, capitale de la région Aquitaine, est avant tout un grand port de commerce... bien que situé à 98 kilomètres de la mer.

Le Bordelais abrite le plus grand de tous les vignobles de « vins fins ». 30 000 exploitants produisent chaque année 500 millions de bouteilles exportées dans 143 pays et plus de 130 000 personnes vivent de la production ou du commerce de vin.

Toulouse

Toulouse, première ville de la région Midi-Pyrénées, est devenue la capitale française de l'aéronautique. Elle s'enorgueillit de la plus ancienne université française. (C'est la deuxième ville universitaire de France.)

La région, très dépendante de l'agriculture et des industries traditionnelles (industrie alimentaire, ganterie, chaussure, etc.), retrouve un souffle nouveau avec le développement du secteur tertiaire et des industries de pointe (électrométallurgie, aérospatiale, etc.).

LES SECTEURS D'ACTIVITÉ

La viticulture est l'une des activités les plus prestigieuses de l'agriculture française... Les vins et le champagne jouissent d'une réputation internationale. Mais ce secteur, longtemps protégé, est en passe de perdre son monopole sous les assauts de la concurrence étrangère.

Le T.G.V., dernier-né de l'industrie ferroviaire française, a très vite connu une renommée internationale. Esthétique, vitesse, confort font de ce train un concurrent redoutable pour l'aviation intérieure. Grâce à lui, la S.N.C.F. espère exporter son savoir-faire à l'étranger.

CÔTÉ COUR...

Les problèmes d'un propriétaire
du Bordelais

L'ENTREPRISE

Un « château »* dans le Bordelais que Hubert LER-TON a acheté en 1952 et où il a mis en œuvre les méthodes les plus modernes de l'œnologie. Assuré d'une qualité régulière et fort de son expérience sur le marché national, Hubert LERTON a pour clients les principaux importateurs de vins américains, anglais et japonais.

HUBERT LERTON
53 ans
Propriétaire d'un « château »
dans le Médoc
École d'œnologie de
Bordeaux

JEAN-LOUIS DALLOS
30 ans
Conseiller en marketing
Maîtrise de communication
à l'université de Toulouse

LA SITUATION

Hubert LERTON va participer à l'exposition VINEXPO qui se déroule en juin à Bordeaux : il rencontre sur le lieu de l'exposition l'un des organisateurs de la manifestation, Jean-Louis DALLOS.

HUBERT LERTON — Vous avez vu l'esquintage* que la profession a subi dans la presse, ces dernières semaines ?

JEAN-LOUIS DALLOS — Hélas, oui ! Mais il est vrai que la prospérité du Bordelais fait des jaloux !

5 HUBERT LERTON — Ce qui m'a le plus frappé, c'est la critique unanime contre la soi-disant vétusté de nos installations et le manque d'hygiène !

JEAN-LOUIS DALLOS — Reconnaissez qu'il y a encore des propriétés qui fleurent leur xviie siècle et, pour les acheteurs américains, cela fait plutôt poussif et... pas net !

N - Même(s)

10 HUBERT LERTON — C'est vrai ! Mais il existe tout de <u>même</u> des exploitations ultra-modernes, informatisées !

JEAN-LOUIS DALLOS — Il n'empêche que le vent a bien tourné...

HUBERT LERTON — Il serait plus juste de dire que les choses redeviennent normales après plusieurs récoltes exceptionnelles. Mais quoi qu'en dise la

15 presse, l'effondrement des cours n'a pas eu lieu, tout du moins pour les bons crus : aucun « grand » n'a été boudé.

JEAN-LOUIS DALLOS — Oui, mais gare à nous si nous nous endormons sur nos lauriers* ! Pour en revenir à votre stand, il nous faudrait connaître le thème que vous avez choisi, disons... avant la fin de la semaine prochaine. Pour que le comité puisse donner son accord. 20

HUBERT LERTON — Nous sommes presque prêts. Nous nous faisons aider par une petite agence de Toulouse qui s'est spécialisée dans les foires-expositions à caractère agricole. Nous leur avons demandé une maquette de stand axée sur la technologie et nos réalisations à l'export.

JEAN-LOUIS DALLOS — Vous serez l'un des rares exposants à présenter 25 simultanément les aspects techniques et commerciaux de la viticulture. Dans la plupart des cas, chacun s'occupe de sa partie : le propriétaire se cantonne dans sa technique et le négociant s'emploie à vendre la récolte. Il faut reconnaître que les problèmes d'exportation sont devenus tellement complexes... 30

HUBERT LERTON — Certes, et confidence pour confidence, jamais je ne me serais lancé moi-même dans la commercialisation et l'export si mon fils Paul ne m'avait rejoint pour prendre en charge cette activité.

JEAN-LOUIS DALLOS — Il a fait Sup de Co Bordeaux, si je ne me trompe...

HUBERT LERTON — ... et sa première expérience professionnelle, il l'a vécue 35 dans un bureau du quai des Chartrons. Deux ans à exporter et à négocier, voilà qui l'a bien armé pour m'assister...
Au fait, comment va se résoudre le problème de l'hébergement des visiteurs ?

JEAN-LOUIS DALLOS — Mal... pour l'instant — et ce n'est qu'un début : je 40 n'ose imaginer ce qui va se passer avec le T.G.V. qui nous met à trois heures de Paris ! Notre capacité d'hébergement, à Bordeaux et dans les environs, n'est pas illimitée, quelque 800 chambres tout au plus alors que nous attendons des dizaines de milliers de visiteurs.

HUBERT LERTON — Ce qui signifie que nous devrons nous débrouiller avec les 45 moyens du bord. Pas question d'inviter nos acheteurs américains ou japonais dans une auberge de jeunesse !
Ah ! il est déjà très tard... il faut que je reparte ; quand nous revoyons-nous ?

JEAN-LOUIS DALLOS — Pour le travail... jeudi prochain vous conviendrait ? 50 Avec la première maquette du stand ?

HUBERT LERTON — Parfait. Mais j'espère que vous n'oubliez pas notre partie de tennis, samedi ! Vous me devez une petite revanche.

JEAN-LOUIS DALLOS — Oh ! Je regrette, mais samedi, je ne pourrai pas venir : vous savez, avec l'expo*, je suis obligé de mettre les bouchées doubles* ! 55

HUBERT LERTON — Je comprends ! Ce sera pour une autre fois ! À bientôt !

Au café du Commerce

La scène se déroule dans un café. Un petit groupe se presse au comptoir.

JULES — Ah! Gaston! On t'attendait! Grouille*!

GASTON — Quels embouteillages! Et impossible de trouver une place!

LE GARÇON — Et pour ces messieurs, ce sera?

LÉON — Cette question!

5 JULES — Le jour du Beaujolais nouveau!

GASTON — Il est bon?

LE GARÇON — Je ne veux pas vous influencer...

JULES — On va goûter!

GASTON — Oui, oui, il vaut mieux se faire son opinion!

10 JULES — Messieurs, à la vôtre!

LÉON — À la tienne!

JULES — ... Pas mal : il a du corps*...

GASTON — Oui, mais il est un peu vert*...

LÉON — Il paraît qu'il a un petit goût de banane, cette année...

15 GASTON — Tu trouves?

JULES — Faut vraiment le savoir pour le sentir...

LÉON — Moi, je le trouve bon!

JULES — Mais il ne vaut pas celui de 85 !

LÉON — Et celui de 83, tu te souviens ? Une vraie merveille !

LE GARÇON — Oui, mais c'étaient des années spéciales, avec la chaleur... 20

JULES — On n'en reverra pas une comme celles-là de sitôt.

GASTON — Moi, je continue à préférer les vins de Touraine. Rien de tel qu'un bon bourgueuil* !

JULES — Celle-là, je l'attendais ! Toi, sorti de ta Touraine...

LÉON — Et les cantonales* ? Le maire, il se présente ? 25

GASTON — Oui... Tu sais comme il est quand il s'y met ? Il veut être partout ! Il est vraiment increvable*.

LÉON — Il a ses chances !

JULES — Ce n'est pas joué !

LE GARÇON — Je vous remets ça* ? 30

JULES — C'est ma tournée* !

LÉON — Oui, oui !

GASTON — Pas pour moi, merci ! Je prendrai un petit noir*, avec un calva*.

LÉON — Je file ! À ce soir, pour la belote* ! 35

:.F.G

M - Quand - Quant

CÔTÉ COUR

■ VOCABULAIRE ET EXPRESSIONS

château (un)	= une propriété du Bordelais où l'on produit un grand cru
esquintage (un)	= *(pop.)* une critique très sévère
expo (une)	= *(abrév. - fam.)* une exposition
mettre les bouchées doubles	= *(fam.)* travailler deux fois plus
s'endormir sur ses lauriers	= s'endormir sur ses succès, ne plus progresser

☐ QUESTIONS SUR LE DIALOGUE

1) Comment la presse a-t-elle parlé de la profession des viticulteurs de « vins fins » de France ?
2) Tous les propriétaires sont-ils concernés par ces critiques ?
3) Qui est chargé d'aménager le stand d'Hubert LERTON ?
4) Quelle est la caractéristique professionnelle d'Hubert LERTON ? Qui l'aide dans son entreprise ?
5) Quel problème particulier soulève l'organisation de VINEXPO ? Pourquoi ?

CÔTÉ JARDIN

■ VOCABULAIRE ET EXPRESSIONS

avoir du corps	= *(spéc.)* avoir de la consistance, de la force
belote (la)	= jeu de cartes populaire
bourgueuil (un)	= nom d'un vin du Val de Loire
c'est ma tournée	= *(fam.)* c'est moi qui paye l'ensemble des consommations
calva (un)	= *(abrév. fam.)* un calvados - eau-de-vie de cidre fabriquée en Normandie principalement dans le département du Calvados
cantonales (les)	= les élections cantonales - élections locales
grouiller (se)	= *(argot)* se dépêcher
increvable	= *(pop.)* infatigable
je vous remets ça ?	= je vous sers à nouveau une consommation ?
petit noir (un)	= *(fam.)* un café noir, sans lait
vert	= *(fig.)* jeune

☐ QUESTIONS SUR LE DIALOGUE

1) Quel événement fête-t-on au café du Commerce ?
2) Que pensent les clients du vin qui leur est servi ?
3) À quoi le comparent-ils ?
4) Quels sont les sujets de conversation abordés au café du Commerce ?

RÉGION : SUD-OUEST

Bordeaux s'offre une école européenne des affaires

Une ville qui a des ailes...

[...] Résultat d'une convention signée à Bruxelles entre la Chambre de commerce et d'industrie de Madrid, la Chambre consulaire de Bordeaux, le Humberside College of Higher Education de Hull (Grande-Bretagne) et la Fachhochschule à Münster (R.F.A.), l'European Business Program sera accessible aux bacheliers. Chaque promotion comprendra cent vingt élèves pour une scolarité d'une durée de quatre ans. Répartie entre six semestres d'études et deux semestres de stages en entreprises, la scolarité s'effectuera pour moitié dans l'un des trois pays autres que le pays d'origine de l'étudiant. Elle sera sanctionnée par un double diplôme, celui de l'institut du pays d'origine et celui de l'institut du pays d'accueil.

Le contenu de la formation a fait l'objet de négociations entre les quatre instituts afin d'offrir une coordination rigoureuse à l'intérieur de chacune des neuf filières retenues : économie d'entreprise, économie politique européenne, droit, organisation et informatique, méthode quantitative et recherche opérationnelle, finances, marketing, sciences humaines et communication, langues.

Ainsi, un étudiant de Bordeaux pourra démarrer une formation dans sa ville et la poursuivre ailleurs avec des professeurs dont la langue, les méthodes et les habitudes culturelles diffèrent. La C.C.I. de Bordeaux, qui a joué un rôle d'entraîneur dans cette opération, se félicite des possibilités ainsi offertes à la capitale de l'Aquitaine d'accroître son ouverture sur l'Europe. « Nous allons pouvoir former un nouveau type de dirigeants alliant notamment le pragmatisme anglo-saxon et le cartésianisme français », déclare Paul Glotin, vice-président de la C.C.I. de Bordeaux.

LES ÉCHOS - 7 NOVEMBRE 1986 - GÉRARD MUTEAUD.

Toulouse est le principal centre français de l'industrie aéronautique, industrie qui emploie plusieurs milliers de personnes et fait vivre plus d'un Toulousain sur dix. D'où est venu ce développement surprenant ?

Les premières tentatives de conquête de l'air ont fait naître des « vocations » dans le pays toulousain : Clément Ader, le premier homme qui a quitté le sol à bord d'un avion à moteur était né à Murat, à 20 kilomètres de Toulouse. Le premier industriel français à s'intéresser à l'aviation, avec une foi capable de soulever des montagnes, était un Toulousain : Latécoère.

Toulouse a été la base de la première ligne aérienne. Les « Caravelles », le premier avion supersonique, « Concorde », le premier avion européen franco-allemand, « Airbus », sont tous nés à Toulouse.

CHRONIQUES DE FRANCE - CLE INTERNATIONAL -
TOULOUSE - 1977.

Quand on demande aux habitants de la région parisienne où ils aimeraient s'installer, 30 % répondent Toulouse.

Avec 7 000 chercheurs, 70 000 étudiants, Toulouse est la deuxième ville universitaire de France.

L'entrée de l'Espagne et du Portugal dans le Marché commun fait de Toulouse un pôle incontournable, au nord de la Catalogne.

LES DYNASTEURS - FÉVRIER 1988.

☐ **QUESTIONS SUR LES DOCUMENTS**

1) En quoi cette nouvelle école est-elle européenne ?
2) Quels sont les éléments originaux du programme ?
3) Comment les études sont-elles sanctionnées ?
4) Comment s'explique la vocation aéronautique de Toulouse ?
5) À quoi est dû l'attrait de Toulouse ?

VITICULTURE

France : poussière de tradition

Aujourd'hui, même en France, un consommateur peut acheter une bouteille de grand vin de classe mondiale sans même se préoccuper de la prononciation correcte du nom en français. Vous pouvez demander une bouteille de duckhorn-merlot de la Napa Valley, en Californie, un sassicaia cabernet-sauvignon de Toscane, ou même un petaluma cabernet-merlot d'Australie.

Pays leader* en matière de production de grands vins : la France ne peut plus, aujourd'hui, prétendre à ce titre. D'autres pays sont entrés en scène, qui s'efforcent de conquérir une part du marché mondial.

La production de vins de qualité dans le monde a évolué rapidement au cours des dix dernières années, laissant à la traîne* de nombreux viticulteurs français. Récemment, grâce aux derniers développements technologiques et à un équipement ultramoderne, quelques producteurs français ont enfin regagné leur position sur le marché, en produisant des vins de très grande qualité.

Bien des producteurs de vin, en France, restent attachés à l'image traditionnelle des caves sombres et poussiéreuses, des vieux tonneaux et des pressoirs archaïques : toutes choses qui évoquent une image romantique, mais ne constituent pas les conditions de production des meilleurs vins, qui requièrent au contraire une hygiène des plus strictes afin de faire ressortir leur caractère et leurs qualités véritables.

Le fait que de moins en moins de jeunes viticulteurs, qu'ils soient français, italiens ou américains, choisissent d'étudier l'œnologie en France illustre ce recul de la technologie de la vinification. Ceux-ci lui préfèrent désormais l'Australie ou la Californie.

Par ailleurs, jamais les consommateurs n'ont été aussi bien informés qu'aujourd'hui. Il y a dix ans encore, un amateur de vin était fier de laisser tomber au moins quelques mots de français, que ce soit « château-lafite »

ou « montrachet ». Acheter une bonne bouteille de vin, c'était acheter une bouteille d'une des meilleures régions de France.

Les meilleurs négociants ont connaissance de cette tendance. Une des plus grandes maisons anglaises, par exemple, Majestic Wine Warehouses Ltd, offre à ses clients un choix de plus de sept cent cinquante vins différents, dont quatre cent cinquante seulement sont français. Mais Rodney Kearns, acheteur chez Majestic, projette d'augmenter le nombre des vins non français. « *Les Français sont très à la traîne en ce moment, dit-il. Il faut qu'ils soient attentifs. Il y a un grand nombre de très grands vins qui sont produits dans le monde.* »

La France a peut-être perdu le monopole de la production des plus grands vins du monde, mais il n'y a aucune raison qu'elle abandonne sa position de leader. Cela dépend de la rapidité avec laquelle les producteurs français accepteront de s'adapter.

LE POINT - 1er JUIN 1987 - JAMES SUCKLING,
correspondant européen du *Wine Spectator*,
la plus importante publication américaine sur le vin.

■ **VOCABULAIRE ET EXPRESSIONS**

laisser à la traîne	= laisser en arrière
leader (un)	= *(ang.)* un chef de file

☐ **QUESTIONS SUR LE DOCUMENT**

1) Quelle est, en matière de vin, l'évolution de la position de la France au cours des dernières années ?
2) Quelles sont les causes de cette évolution ?
3) Quels sont les preuves que l'auteur cite à l'appui de son affirmation ?
4) Quelle est l'image qu'évoque le producteur traditionnel français ?
5) Quels sont, pour les viticulteurs français, les moyens de remédier à cette situation ?

Vinexpo

Vive le vin !

« Bordeaux fait le vin,
Paris fait le goût, Londres
fait le prix et New York achète »

Vinexpo rassemble à Bordeaux, du 22 au 26 juin, 1 100 exposants en vins et liqueurs. La plus grande exposition mondiale du genre se double du Salon des techniques et matériels de vinification (Vinitech) ; elle est installée sur 18 150 mètres carrés du parc des expositions. Pendant une semaine, Bordeaux peut s'enorgueillir d'être la capitale mondiale du vin et des liqueurs. On attend 30 000 visiteurs, qui auront bien du mal à se loger dans les 800 chambres d'hôtel de la cité girondine — des réservations de chambres sont prévues jusqu'à Biarritz.

Bien des châtelains de la vigne et des maisons de négoce locales accueilleront « at home » visiteurs, agents commerciaux et importateurs. À côté des pays viticoles de tradition : Italie, Espagne, Portugal, Grèce, Autriche, Allemagne, des terroirs nouveaux font leur apparition : Israël, le Liban, et aussi la Chine, avec un vin blanc à l'européenne nommé « dynastie ». Les pays les plus dangereux pour les vins français restent ceux récemment ouverts à la viticulture, car leur politique n'est pas fondée sur la tradition et la meilleure expression du terroir, mais sur le marketing.

PUBLI-POINT - JUIN 1987.

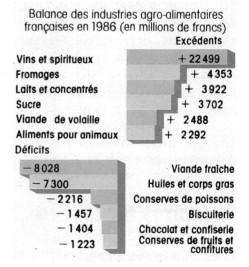

Balance des industries agro-alimentaires françaises en 1986 (en millions de francs)

	Excédents
Vins et spiritueux	+ 22 499
Fromages	+ 4 353
Laits et concentrés	+ 3 922
Sucre	+ 3 702
Viande de volaille	+ 2 488
Aliments pour animaux	+ 2 292

Déficits	
− 8 028	Viande fraîche
− 7 300	Huiles et corps gras
− 2 216	Conserves de poissons
− 1 457	Biscuiterie
− 1 404	Chocolat et confiserie
− 1 223	Conserves de fruits et confitures

Fléau national, l'alcool est aussi un bienfait pour la France puisque les exportations nettes de vins et spiritueux totalisent plus de 22 milliards de francs.

L'EXPANSION - 6 NOVEMBRE 1987.

Dégustation aveugle de Pétrus, le 22 mai 1987

Champagne : la stratégie de l'an 2000

À l'apéritif, curieux dilemme, souhaitez-vous un canadian champagne, un champagne d'ananas d'Afrique, un comtes de champagna brésilien, un codomiou mousseux d'Espagne, un faux dom pérignon ibérique, un « domestic » champagne de Californie, ou un champagne de Reims ou d'Épernay, les seuls vrais ? La menace est planétaire, et ne cesse de s'amplifier. Le vin émoustillant de la Champagne pouilleuse*, le vin blond des sacres royaux « qui laisse les femmes belles après boire », selon madame de Pompadour, est devenu la cible, l'objet d'attaques tous azimuts* : partout, il est plagié, copié, pillé, défiguré. Tous les mousseux du globe voudraient s'appeler champagne. On veut s'approprier sa gloire, son aura magique. [...] À regarder les progrès accomplis depuis peu dans la défense de l'appellation « champagne », les grandes maisons de négoce (80 % de l'export en vins de Champagne) reviennent de loin*. Elles ont frôlé les pires errements. En Allemagne, une marque française d'eaux minérales s'était intitulée « le champagne des eaux de table ». Le champagne, c'est de l'eau ou du vin fermenté ? Interdiction prononcée.

Pire, la Seita avait sournoisement déposé le mot champagne dans la classe des marques de tabac : d'où des cigarettes « champagne », du tabac pour pipes, et pire, des mégots « champagne » ! [...] Autres trouvailles, les bains moussants au champagne, et le dentifrice avec 1 % de champagne... Un véritable détournement de l'appellation. « *Le risque était grand*, explique André Enders (directeur du C.I.V.C., Comité interprofessionnel du vin de Champagne), *si ces pratiques se multipliaient, de voir le nom champagne se banaliser, et se vider progressivement de son véritable sens.* »

Et le danger était d'autant plus grave que nous allons assister, à brève échéance, au déferlement de vins mousseux de toutes origines, de toutes natures : deux milliards de bouteilles en vue. Un océan...
« *La traque* permanente que nous avons engagée contre les faussaires et les truqueurs a un double objectif, souligne André Enders, devenu expert en droit international, c'est d'abord la préservation de l'appellation et des marques, les deux sont liées; c'est ensuite la bonne information du consommateur, appuyée par des campagnes de sensibilisation du public et des amateurs.* » « *Il est inadmissible, pour nous champenois*, ajoute Yves Bénard (P.-D.G. de Moët et Chandon), *de laisser le consommateur prendre du champagna ou du corbel U.S. à grosses bulles, pour le vin aristocratique du terroir champenois. Le goût est une lente éducation, et il est de notre devoir de ne pas tolérer les agissements cyniques de faussaires qui piétinent une tradition, un style de vin et notre patrimoine national.* »

LE POINT N° 16 - NOVEMBRE 1987.

■ VOCABULAIRE ET EXPRESSIONS

azimut (tous azimuts) = dans toutes les directions
pouilleux = pauvre
revenir de loin = réchapper, guérir
traque (la) = (*imagé*) poursuite qui ressemble à une chasse au gibier

☐ QUESTIONS SUR LE DOCUMENT

1) Quels sont les seuls vins qu'on a le droit d'appeler « champagne » ?
2) À quel problème se heurtent les producteurs de champagne français ?
3) Quels sont les produits cités dans cet article qui utilisent le mot « champagne » dans leur nom ou dans leur publicité ?
4) Quel est le risque pour le vrai champagne ?
5) Quels sont les objectifs de la lutte contre les faussaires ?
6) En quoi le champagne fait-il parti du patrimoine national français ?

T.G.V. Atlantique

Le T.G.V. (train à grande vitesse)

Priorité à la sécurité du transport

« *Frileuse**, *la S.N.C.F. ? Certes, nous sommes très prudents dans le choix de nos sous-ensembles*, reconnaît* François Lacôte (S.N.C.F.), *mais nous avons largement prouvé que nous savions être hardis dans nos concepts d'ensemble... en faisant quand même rouler, à quatre minutes d'intervalle, des trains à 260 kilomètres à l'heure, et cela depuis quatre ans !* »

Ces performances uniques au monde et la priorité donnée à la « sécurité du transport », son implication dans l'exploitation, puis la maintenance du matériel expliquent que la S.N.C.F. intervienne à tous niveaux dans le choix des fournisseurs du T.G.V. Atlantique. [...]

« *Toutes ces pièces embarquées, voyageant à de très grandes vitesses, ne peuvent être de banals articles de catalogue ni des produits pour l'automobile ou l'aéronautique,* estime Jean-Marie Metzler [...] qui fut jusqu'à fin 1982 le coordinateur du T.G.V. Sud-Est. *Les équipements ferroviaires ont leur spécificité, en particulier celle de résister aux vibrations du matériel et... à la foule des voyageurs : on ne s'improvise donc pas fournisseur de la S.N.C.F. sans avoir préparé un produit sur mesure et réalisé les investissements nécessaires.* »

Un état d'esprit qui vaut* autant pour les équipements lourds du secteur que pour des milliers de constituants, à première vue plus anodins. [...]

[...] Malgré les efforts considérables de recherche, de compétitivité et de qualité qu'exige l'industrie ferroviaire de ses fournisseurs, ceux-ci se bousculent sur les marchepieds du T.G.V. Atlantique. Ceux qui y trouveront une place auront une chance exceptionnelle d'accéder au marché international précédés par la bonne réputation des trains français. Avant même que n'y arrive le T.G.V. lui-même, malgré ses 300 kilomètres à l'heure !

TERTIEL N° 13 - AVRIL 1986 - CLAUDINE MEYER.

■ VOCABULAIRE ET EXPRESSIONS

frileux	=	*(ici)* craintif
sous-ensemble (un)	=	un ensemble dont tous les éléments font partie d'un ensemble plus grand
valoir pour	=	s'appliquer à

☐ QUESTIONS SUR LE DOCUMENT

1) Pourquoi la S.N.C.F. est-elle tellement exigeante vis-à-vis de ses fournisseurs ?
2) Quels sont les types d'équipements soumis aux normes très rigoureuses de la S.N.C.F. ?
3) Quelles sont les performances de vitesse du T.G.V. ?
4) Pourquoi les entreprises cherchent-elles à obtenir le label de « fournisseur de la S.N.C.F. » en dépit des contraintes que cela suppose ?

La future gare Montparnasse : la « porte Océane »

Ce sera la plus grande gare de France, et peut-être d'Europe. Montparnasse, le vénérable terminus ferroviaire qui depuis 1848 attira tant de Bretons à Paris, la gare fonctionnelle déjà refaite au pied de la tour il y a vingt ans, va de nouveau être modernisée.

Maquette de la « porte océane »

C'était indispensable car, dans moins de trois ans maintenant, les rames du T.G.V. Atlantique vont y accoster. Longs de 400 mètres, ces convois d'une taille inusitée obligent la vieille station à faire un véritable saut dans le xxie siècle. [...]

La gare devra traiter près de soixante millions de voyageurs à l'horizon 1995, alors qu'on en voit passer actuellement moins de trente-huit millions. Cette ruée vers Montparnasse s'explique par le fait que le T.G.V. va desservir vingt-quatre départements de l'Ouest et du Sud-Ouest où réside le tiers de la population française. En outre, ce sont des zones de vacances, qui attirent les estivants de l'Europe entière.

Pour les recevoir convenablement, la S.N.C.F. a pris le parti de reprendre de fond en comble les quais, les bâtiments et les halls, tous, il est vrai, d'une facture plus que médiocre. Montparnasse aura enfin une entrée digne de ce nom, constituée d'une verrière monumentale encadrée de deux piliers de granit rose, dessinée par l'architecte J.-M. Duthilleul.

Ce sera la « porte Océane » située juste devant la tour. Elle donnera accès aux halls de distribution des billets, eux-mêmes rénovés et agrandis. Au-delà, les voyageurs déboucheront sur les treize quais entièrement couverts. L'espace, aussi vaste que la place de la Concorde, ne sera barré que par douze énormes piliers de béton supportant la voûte. À gauche, se trouveront les voies de départ du T.G.V., éclairées par des verrières. À droite, les lignes d'arrivée du T.G.V., avec un trottoir roulant de 200 mètres. Au centre, les lignes de banlieue.

Le tout sera couvert d'une dalle de béton dans l'épaisseur de laquelle on nichera sept cents places de parking. Encore au-dessus, régnera un jardin grand comme deux fois celui du Palais-Royal, agrémenté d'arbres de hautes tiges, de tennis, de brasseries, de cafés. Ce sera un espace de détente à l'abri du vacarme et des vapeurs d'essence.

Au bout de cette dalle couvrant les voies, et dont les gens du quartier attendaient la réalisation depuis vingt ans, se dressera un ensemble de bureaux et de commerces couvrant 72 000 mètres carrés, de part et d'autre du pont des Cinq-Martyrs.

L'architecte, M. Jean Willerval, a imaginé des bâtiments aux façades de verre et de métal, dont les formes semi-circulaires briseront l'ordonnance rectangulaire des immenses barres entourant la gare. Le pont lui-même sera ainsi transformé en une rue d'où les voyageurs pourront descendre directement sur les quais du T.G.V. [...]

Les premiers convois à grande vitesse partiront de Montparnasse en octobre 1990. Sur les vingt et un millions de nouveaux voyageurs attendus, le tiers, c'est-à-dire sept millions, accéderont à la gare ou en partiront en automobile : taxis et véhicules personnels. La nouvelle gare ne comptera pas moins de six entrées réparties sur quatre faces, de manière à disperser ces flux.

Néanmoins, il faut s'attendre, notamment lors des départs en vacances, à de « superbes » embouteillages dans les quartiers — eux-mêmes en pleine transformation — qui environnent le nouvel ensemble.

LE MONDE - 3 DÉCEMBRE 1986 - MARC AMBROISE-RENDU.

☐ QUESTIONS SUR LE DOCUMENT

1) Pourquoi doit-on moderniser la gare Montparnasse qui a été déjà transformée vers 1957 ?
2) Pourquoi l'article précise-t-il que cette gare aura enfin « une entrée digne de ce nom » ?
3) Combien la gare comptera-t-elle de quais ? Comment se répartiront-ils ?
4) Où seront situés les bureaux et les commerces ?
5) Combien attend-on de voyageurs ?

ARTS ET PATRIMOINE : THÉÂTRE

Regards sur le nouveau théâtre

Les années 60, par la vigueur des luttes et recherches, ont déplacé définitivement les axes traditionnels de définition, permettant toutes les audaces et l'approfondissement de la réflexion théâtrale. Les grandes recherches de formes et de contenus se sont faites au cours de ces bouleversements sociologiques, annonçant une génération fertile de metteurs en scène et d'acteurs exemplaires. Désormais, la prolifération du théâtre scolaire, la permanence vivace du théâtre amateur, l'engouement pour la formation théâtrale, la combativité des compagnies indépendantes, le dynamisme des jeunes acteurs incitent les auteurs à se fondre à ce mouvement.

Les auteurs s'attachent souvent à des équipes, écrivent, inspirés par l'acte éphémère, aléatoire, produit par la troupe qui s'approprie la pièce qu'elle sera seule à jouer. Ainsi un répertoire original se construit autour de la personnalité de l'équipe. L'auteur devient « le scénariste » attitré d'un événement théâtral. On rejoint la raison d'être du théâtre qui est un acte vivant et non littéraire. [...]

Le théâtre se libère parce qu'il n'est plus l'apanage culturel d'un seul milieu, d'un régionalisme, mais un amalgame de toutes influences, de pensées parfois contradictoires et d'écritures qui traversent le monde de la communication. Le théâtre se trouve un qualificatif : la communication. [...]

Le théâtre s'introduit dans des lieux qui n'ont pas forcément vocation théâtrale ; le théâtre pousse les murs. Certains architectes édifient des salles nouvelles offrant aux créateurs un maximum de possibilités pour la réalisation des spectacles. Le dernier lieu en date, la salle de Bercy, à Paris, ouvre l'Opéra à un public très large et non spécialisé. Le théâtre échappe aux définitions et n'a cure des querelles au sujet des anciens et des modernes. La diversité d'origines des auteurs, le cosmopolitisme des styles, les oppositions des genres ont bousculé irrémédiablement ladite tradition française. Les échanges entre metteurs en scène du monde entier accentuent ce phénomène. L'auteur-adaptateur est reconnu à part entière. L'adaptation de romans, de films, les traductions nouvelles des œuvres anciennes, la mise à jour de l'histoire multiplient la pratique des auteurs qui exercent aussi bien dans la danse, la chanson, la télévision, voire le journalisme. La mise en scène est devenue elle-même une écriture totale, révélant une notion neuve de l'auteur qui fonde son travail en recherche directe avec les acteurs. Ces écritures n'en sont pas fixes, mais évolutives et éphémères, offertes au public qui en consume les effets. Ce qui est fondamentalement nouveau, c'est cette prise en compte d'un théâtre vif qui, très vite véhiculé, prend corps dans l'inconscient collectif. Enfin ajoutons à cela la part essentielle que prennent les décorateurs, les scénographes, chorégraphes et musiciens qui élargissent encore la notion d'auteur. Le théâtre français ne correspond plus aux images colportées depuis vingt ans : il s'est « mondialisé », il a pris la mesure d'un temps et de l'histoire des hommes d'aujourd'hui.

PAUL ANDRÉ SAGEL *in LES FRANÇAIS À TRAVERS LEUR THÉÂTRE* - (Éd. CLE INTERNATIONAL - 1985).

☐ QUESTIONS SUR LE DOCUMENT

1) Quels bouleversements le théâtre a-t-il connu durant les années 60 ?
2) Comment se manifeste le travail d'équipe que réalise l'auteur de théâtre contemporain ?
3) Où fait-on aujourd'hui du théâtre ?
4) La tradition théâtrale française a été profondément ébranlée : pour quelles raisons ?
5) L'auteur contemporain est-il exclusivement un auteur de théâtre ? Pourquoi ?
6) Que signifie l'expression : le théâtre français s'est « mondialisé » ?

Avignon : le sphinx dans ses murs

*Une représentation
lors du festival d'Avignon*

Il y a quarante ans, Jean Vilar inventait le festival d'Avignon. Sa marque hautaine scelle encore nos plus beaux rêves de théâtre.

Il y eut trois papes qui comptèrent en Avignon : Benoît XII et Clément VI qui bâtirent le palais, et Jean Vilar, qui l'habita. Le théâtre est un dieu comme un autre. Il a besoin d'intercesseurs.

Avignon est une ville douce, mais il ne faut pas s'y fier. Elle a ses ombres et ses secrets, ses mystères provinciaux, sa cruauté et sa grâce. Ville enclose, elle a le charme de ceux qui ont beaucoup vécu et que le temps a apaisés.

En 1947, au cœur de ce charme où le silence règne, un homme baguenaude, le nez en l'air. Il flaire la pierre, matière franche, et qui affirme, sans esbroufe, une certaine élégance naturelle. L'homme, maigre et sec, comme on les taille en Languedoc, aime cette élégance-là. Il l'a faite sienne dans de petits théâtres parisiens où, monté de sa province, il donne du coupant et du poids à la plus humble phrase de Strindberg, de Pirandello ou d'Éliot. C'est son vice : il cherche la juste résonnance que la simplicité exige. Il y cherche un bonheur d'équilibre.

Si Jean Vilar est en Avignon, au centre de la cour d'honneur, en cette année 1947, c'est que René Char et quelques autres ont demandé à cet esprit net d'apporter ici le théâtre. Son théâtre. On ne pouvait trouver lieu plus parfaitement accordé, et par la hauteur, et par la rigueur, au caractère de ce théâtre. Les murs, dans leur évidence, ridiculisent ici tout ce qui triche ou tout ce qui se farde. Sans compter je ne sais quoi d'irréductible et de calme qui appelle la droiture. Jean Vilar était chez lui. Il y restera près de vingt ans.

Quarante ans ont passé, son ombre plane encore. Il est là comme quelque vieux fantôme d'Elseneur. Pour nous rappeler que personne n'a le droit de parler en son nom. Avignon porte toujours sa marque, mais comme un sceau à demi effacé. Ce sont nos rêves qu'il scelle. Le rêve de certains d'entre nous.

LE POINT N° 772 - 6 JUILLET 1987 - PIERRE MARCABRU.

« Les hommes font l'Histoire,
mais ils ne savent pas l'Histoire qu'ils font » Raymond ARON

France :
les vertiges de la mutation

Chacun sait que nous ne vivons plus comme au Moyen Âge, ni comme au XIXe siècle. Ce que nous mesurons mal, c'est la mutation radicale subie par notre pays depuis 1945. On peut dire que le Français âgé aujourd'hui de 40 ans ne vit pas dans le même pays que celui où il est né. Nulle réflexion sur les crises d'aujourd'hui ne peut faire l'économie* de ce retour sur cette révolution silencieuse et profonde dont nous fûmes si peu conscients, tandis que de pseudo-révolutions* éphémères et tapageuses mobilisaient notre attention. [...]

Il y a deux siècles, il fallait 200 heures de travail d'un manœuvre pour payer un quintal de blé, les céréales représentent alors 75 à 80 % du budget de la population. Aujourd'hui, il faut 3 à 4 heures de travail d'un manœuvre pour payer un quintal de blé, et les céréales ne représentent plus que 3 % du budget des particuliers. La durée moyenne de vie était de 25 ans au XVIIIe siècle, elle est de 74 ans aujourd'hui. La France comptait 80 % de paysans en 1800, elle en compte 8 % aujourd'hui.

Il faut toujours avoir ces chiffres fondamentaux en tête avant de se mêler de juger et de prévoir le comportement des Français.

Venons-en à la période récente. Il faut s'arrêter sur quelques chiffres pour voir la mutation réalisée.

● **Consommation.** En 1949, l'alimentation représente 58 % de la consommation des ménages, 45 % en 1962, 25 % en 1985. Les ressources ainsi libérées s'investissent dans de nouveaux produits. 70 % des Français, aujourd'hui, travaillent à des services ou à fabriquer des produits que leurs grands-parents ignoraient.

● **Santé.** La mortalité infantile est passée de 66‰ en 1946 à 30,7‰ en 1956 et à 8,3‰ en 1985. L'espérance de vie est passée de 68 à 74 ans (70,7 pour les hommes, 78,8 pour les femmes).

● **Travail.** En 1945, 30 % des Français travaillent dans le secteur tertiaire*. En 1985, ils sont 60 %. La durée moyenne annuelle du travail légal est passée de 2 330 heures en 1950 et à 1 800 heures en 1985 (pour 2 600 heures de loisirs consommables).

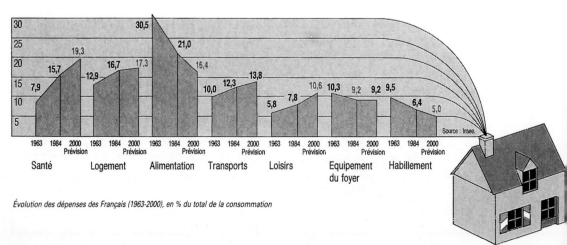

Évolution des dépenses des Français (1963-2000), en % du total de la consommation

• **Logement-équipement.** La population urbaine représentait 20 % en 1945 et 42 % aujourd'hui. Entre 1954 et 1982, le taux d'équipement en w.-c. intérieurs aux appartements passe de 28 % à 85 % ; en chauffage central, de 19 % à 67 % ; en téléphone, de 10 % à 74 %. Si on considère le quatuor* magique auto-réfrigérateur-machine à laver-télévision, en 1960, 48 % des Français ne disposent d'aucun de ces instruments et 3 % disposent des quatre. En 1984, 1 % ne dispose d'aucun et 64 % possèdent les quatre. L'équipement en télévision touche 95 % des ménages ; en radio, près de 100 %.

• **Famille.** Le taux de mariage, longtemps resté stable (7,9‰ en 1950, 7,4‰ en 1975), chute rapidement ensuite : 6,2‰ en 1980, 5,1‰ en 1984. [...] Si le divorce reste à peu près stable de 1950 (34 700) à 1970 (38 900), les chiffres s'affolent ensuite : 60 500 en 1976, 87 000 en 1980, 104 000 en 1984. [...]

Ce désarroi est accru par la crise morale et intellectuelle de notre société. Les Français, en cette fin de siècle, ont cessé de croire en Dieu, et à la révolution. Le reflux des idéologies a dissipé bien des illusions, mais mis à jour le trou noir d'une société sans valeurs. La science, en progressant de manière fulgurante, a multiplié la conscience de notre ignorance au fur et à mesure de nos découvertes.

LE POINT N° 785 - 5 OCTOBRE 1987 -
PIERRE BILLARD au sujet de l'ouvrage : *D'UNE FRANCE À L'AUTRE*
de JEAN et JACQUELINE FOURASTIÉ (FAYARD, 1987).

Niveau de vie en augmentation énorme, début d'une société de loisirs, cellule familiale en état de fission* : trois éléments clés de cette nouvelle ère. Et tout de suite une question : pourquoi cette société qui a fait reculer la misère, la faim, la maladie et la mort, progressé vers la sécurité et le confort, transformé les bêtes de somme qu'étaient les travailleurs de la fin du XIXᵉ siècle en êtres de loisirs, permis des avancées technologiques et scientifiques inimaginables, pourquoi cette société « de progrès » se trouve-t-elle remplie de doutes et d'angoisses ? Pourquoi, au cœur de cette prospérité, ces crises : économique, morale, culturelle ? [...] Le tohu-bohu trépidant de la « société de consommation » incite le consommateur à l'éclectisme, à la perte de confiance, au désarroi.

■ **VOCABULAIRE ET EXPRESSIONS**

faire l'économie de	= s'épargner
fission (la)	= *(fig.)* l'éclatement
pseudo-révolution (une)	= une fausse révolution
quatuor (un)	= *(imagé)* un ensemble de quatre éléments
secteur tertiaire (le)	= *(économie)* le secteur des services

☐ **QUESTIONS SUR LE DOCUMENT**

1) Comment ont évolué les techniques agricoles entre le XVIIIᵉ et le XXᵉ siècle ?
2) Pourquoi la part de l'alimentation est-elle passée de 58 % en 1949 à 25 % en 1985 ?
3) Qu'est-ce qui explique la chute de la mortalité infantile ?
4) À quoi est due l'augmentation de l'espérance de vie ?
5) Comment le travail des Français a-t-il évolué ?
6) Quels chiffres traduisent l'élévation du niveau de vie des Français ?
7) Comment la famille a-t-elle évolué durant les quarante dernières années ?
8) Quels problèmes l'homme moderne doit-il affronter ?
9) Comment expliquer la contradiction entre l'amélioration des conditions de vie et ces problèmes ?

1855 - Charles Baudelaire s'insurge...

« Réflexions sur le progrès »

La lecture des journaux.
Gravure de H.G. Ibels

Demandez à tout bon Français qui lit tous les jours *son* journal dans son estaminet ce qu'il entend par progrès, il répondra que c'est la vapeur, l'électricité et l'éclairage au gaz, miracles inconnus aux Romains, et que ces découvertes témoignent pleinement de notre supériorité sur les anciens ; tant il s'est fait de ténèbres dans ce malheureux cerveau et tant les choses de l'ordre matériel et de l'ordre spirituel s'y sont bizarrement confondues ! Le pauvre homme est tellement américanisé par ses philosophes zoocrates et industriels qu'il a perdu la notion des différences qui caractérisent les phénomènes du monde physique et du monde moral, du naturel et du surnaturel.

Si une nation entend aujourd'hui la question morale dans un sens plus délicat qu'on ne l'entendait dans le siècle précédent, il y a progrès ; cela est clair. Si un artiste produit cette année une œuvre qui témoigne de plus de savoir ou de force imaginative qu'il n'en a montré l'année dernière, il est certain qu'il a progressé. Si les denrées sont aujourd'hui de meilleure qualité et à meilleur marché qu'elles n'étaient hier, c'est dans l'ordre matériel un progrès incontestable. Mais où est, je vous prie, la garantie du progrès pour le lendemain ? Car les disciples des philosophes de la vapeur et des allumettes chimiques l'entendent ainsi : le progrès ne leur apparaît que sous la forme d'une série indéfinie. Où est cette garantie ? Elle n'existe, dis-je, que dans votre crédulité et votre fatuité.

EXPOSITION UNIVERSELLE DE 1855 - CHARLES BAUDELAIRE.

Évolution de la langue française :
Le français qui décoiffe

« Dis-moi comment tu causes, je te dirai si t'es branché* ou craignos* »

La France bouge, dit-on. Le français aussi. On a rarement recensé autant de mots et d'expressions à la mode. Comme de tout temps, les puristes condamnent ces « *tics de langage qui dégradent la langue* ». Les réformistes, eux, applaudissent à « *cet enrichissement preuve de la vitalité du français* ».

Le langage branché, s'il est fantaisiste, n'apparaît jamais par hasard. « *On invente le vocabulaire dont on a besoin* », dit Orlando de Rudder, 40 ans, auteur du *Français tel qu'on le cause*, une histoire de la langue française qui paraît aux Éditions Balland.

Le jargon est d'ailleurs devenu si riche et si complexe qu'on lui consacre un dictionnaire. Pierre Merle publie, aux Éditions du Seuil, un *Dictionnaire du français branché*. [...]

« On dit que l'amour est éternel. Mais pas le langage amoureux, observe Rudder, dont le livre milite en faveur d'un français évolutif à l'orthographe simplifiée. *Les rapports homme-femme ont changé. On dit "Tu me fais craquer" comme "craque" un biscuit, en référence à un plaisir éphémère. Autrefois, on aurait dit "Je t'ai dans la peau", ce qui impliquait une relation fusionnelle.* »

Observer ces glissements du langage, c'est donc lire l'évolution des mentalités françaises. Il y a dix ans, en pleine « crise », les « patrons » fabriquaient des « chômeurs ». En 1986, en plein « redressement », les « créateurs d'entreprises » « se battent » pour les « demandeurs d'emploi ». Nuance.

De même qu'il affiche un bel optimisme, le langage branché se complaît dans l'excès. Tout était « super ». Aujourd'hui, tout est « *géant : quelque part entre superblime*, canon*, génialoïde* et hyper** ».

Chaque tribu a son vocabulaire. On emploie des mots comme on s'habille, pour donner une certaine image de soi. Ainsi, pour faire intellectuel, on donne dans la géométrie variable : on se sent « interpellé quelque part » (mais où ?) et « à la limite » (mais laquelle ?), c'est « à tous les niveaux j'veux dire » (mais qu'est-ce qu'il veut dire ?). Expressions camouflages qui permettent de ne pas entrer dans les détails, de cerner un sentiment, de rassembler ses arguments.

Pour faire loubard* on parle un jargon néo-grec, avec finales en *os* : craignos, débilos*, calmos*, nulos*. On ira dîner dans un « fastas » (un bistrot) avec des « musicos » (des musiciens) qui ont un sacré « matos » (matériel). Ou bien l'on dira que « *ça arrache, si quelque chose ne cogne* pas, ne cartonne* pas non plus, mais dégage quand même un max** ».

Pour faire très occupé, on jongle avec les abréviations. Comprendre : « *Pas le temps de prononcer les mots en entier. Mon agenda est bourré.* » On dira « *Voilà mon numéro pro*, le perso*, je ne le donne pas, sinon c'est la cata (catastrophe).* » [...]

Délire verbal suspect selon Orlando de Rudder. « *L'ère a peur du vide, dit-il. On ne fait qu'occuper l'espace sonore. De quoi parlent les gens ? Ils se racontent des conversations.* » Pendant ce temps, on évite d'appeler un chat un chat*. On n'est plus aveugle, mais « non-voyant » ; plus sourd, mais « mal-entendant », plus miséreux, mais « nouveau pauvre ». Serions-nous devenus des « mal-disants » ?

LE POINT - 17 NOVEMBRE 1986 - ROSELYNE BOSCH.

■ VOCABULAIRE ET EXPRESSIONS

appeler un chat un chat	= nommer les choses avec précision
branché	= *(fam.)* à la page, à la mode
calmos	= calme
canon	= *(ici)* terrible
cartonner	= *(ici)* frapper juste
cogner	= *(ici)* frapper
craignos	= médiocre, à éviter
débilos	= *(argot)* débile
génialoïde	= *(argot)* génial
hyper	= préfixe utilisé comme adjectif
loubard (un)	= *(pop.)* un jeune voyou, un marginal
max (un)	= *(abrév.)* un maximum
nulos	= *(argot)* nul
perso	= *(abr.)* personnel
pro	= *(abr.)* professionnel
superblime	= *(mot-valise)* composé du préfixe « super » et de l'adj. « sublime »

Le maître de musique

Question : Il existe des chefs qui font des répétitions passionnantes et des concerts ternes ; d'autres, dont les répétitions ne sont pas exaltantes, mais qui, en public, électrisent un orchestre. C'était le cas de Munch.

PIERRE BOULEZ — Je me méfie des chefs « géniaux ». La discipline manque et l'orchestre en souffre. Il ne suffit pas d'avoir une espèce de flamme le soir du concert ; il est naturellement préférable de ne pas s'ennuyer, mais moi, si j'entends de la flamme avec des accords qui ne sont pas en place, si j'entends de la flamme avec une intonation déficiente, si j'entends de la flamme avec des *pizzicati* qui ne tombent pas ensemble, je dois dire que ma propre flamme s'éteint rapidement. Un orchestre qui n'est pas tenu en main, c'est comme un appartement jamais balayé. À la longue, vous aurez toujours une belle vue, mais vous ne pourrez plus marcher, sinon sur des épluchures et des peaux de banane. Le manque de discipline d'un orchestre m'irrite au plus haut point. Je ne supporte pas les attaques approximatives, les phrasés approximatifs, et la flamme, dans ce cas-là, ne me console pas. Elle n'est qu'un cache-misère.

Question : Est-ce vous qui avez dit : « Il faut jouer la musique moderne comme si elle était classique, et la musique classique comme si elle était moderne » ?

PIERRE BOULEZ — Non, c'est Alban Berg. Un journaliste lui avait demandé ce qu'il exigeait des théâtres lyriques, et il avait répondu : « *Qu'ils exécutent les opéras classiques comme s'ils étaient modernes, et vice versa.* » [...]

Question : Et que signifie « jouer » la musique moderne comme si elle était classique ?

PIERRE BOULEZ — D'abord, en prendre soin ! On lui accorde généralement un temps de répétitions insuffisant et, le jour du concert, on explique que c'est la partition qui fonctionne mal. Si vous entendez un magma dans une œuvre de Wagner, vous mettez d'emblée en cause l'interprétation. Un magma dans Schönberg, et les gens disent : « De toute façon, on n'y comprend rien ! » Alors que réalisée correctement, l'œuvre de Schönberg est aussi claire que celle de Wagner. L'exemple de Webern est également caractéristique ; les partitions ne présentent pas de difficultés techniques, mais le problème consiste à insérer dans une continuité des éléments qui paraissent discontinus. Tant que la logique n'est pas établie, comme chez Mozart, l'interprétation n'existe pas.

Pierre Boulez

Question : Entre la souplesse dont vous parlez et l'exactitude que vous revendiquez, la porte est étroite...

PIERRE BOULEZ — C'est cela qui m'intéresse dans l'interprétation. Oui, d'abord, je suis exigeant. J'exige l'exactitude, qui est le respect du texte. La mise en place ne s'effectue pas dans les transes. Mais lorsqu'une lecture fidèle est réalisée, le chef d'orchestre doit partir de cette lecture pour parvenir à une compréhension plus haute, plus nourrie de son imagination.

Question : Votre carrière de chef d'orchestre, qui est passée par Londres, New York, Bayreuth, paraît toucher à son terme...

PIERRE BOULEZ — Elle est complètement achevée. Je dirige encore quelques concerts, en particulier avec mes propres œuvres, et je complète un programme avec des pièces de répertoire. Mais les « concerts de saison », c'est terminé.

Question : Sans regrets ?

PIERRE BOULEZ — Sans regrets, parce que je n'apprends plus rien. Si j'ai fait ce métier, c'était pour le connaître à fond, afin d'éviter l'amateurisme que pratiquent la plupart des compositeurs-chefs d'orchestre. Mais l'expérience est limitée par le répertoire, qui n'est pas indéfiniment extensible, surtout au XXe siècle. Je peux prendre un certain plaisir à retrouver, de temps en temps, les mêmes œuvres. Mais reprendre sans cesse les mêmes partitions, ce n'est pas mon rôle !

Propos recueillis par CLAUDE SAMUEL, « ÉCLATS/BOULEZ ».
CITÉ DANS LE POINT DU 24 NOVEMBRE 1986.

Pierre Boulez

☐ QUESTIONS SUR LE DOCUMENT

1) Pourquoi Pierre Boulez se méfie-t-il des chefs géniaux ?

2) À quoi ressemble, d'après Pierre Boulez, un « orchestre qui n'est pas tenu en main » ?

3) Que signifie pour Pierre Boulez « jouer » la musique moderne comme si elle était classique ?

4) Par quoi se traduit l'exigence de ce chef ?

5) Pourquoi n'envisage-t-il pas de poursuivre sa carrière de chef d'orchestre ?

AU SOMMAIRE DU DOSSIER 8

LA RÉGION

CENTRE

Cette région, qui regroupe un ensemble de pays très divers (Orléanais, Touraine, Berry, etc.), doit son unité à la Loire qui la traverse de part en part. L'agriculture, favorisée par un climat très doux, conserve un rôle de premier plan. L'industrie, très diversifiée, comprend des activités aussi variées que l'automobile, le caoutchouc, la mécanique, l'habillement, etc.

Le tourisme est très développé grâce à l'attrait des châteaux de la Loire et à la richesse du patrimoine culturel de la région.

Le château de Chenonceaux

LE SECTEUR D'ACTIVITÉ

L'industrie automobile emploie près de 10 % de la population active française. Elle a connu, entre 1980 et 1985, une crise très grave due à différents facteurs : inadéquation des méthodes de production, sureffectifs entraînant une productivité insuffisante et un coût très élevé des voitures fabriquées, concurrence très agressive des constructeurs étrangers, notamment japonais, mutation technologique (robotisation) et évolution de la demande.
Plus de 1 000 sous-traitants travaillent pour l'industrie automobile.

Chaîne de montage robotisée chez Renault

CÔTÉ COUR...

Un sous-traitant de l'automobile
ferme en août

L'ENTREPRISE

VOITEX est l'un des plus importants sous-traitants de l'industrie automobile. Son siège est situé dans la banlieue parisienne et sa principale unité de production (280 personnes) est implantée dans la banlieue d'Orléans.

PROFILS

CHARLES TOUGRAIN
45 ans
Directeur technique de l'usine VOITEX à Orléans, 15 ans d'ancienneté dans son entreprise

CHRISTIAN MOREL
36 ans
Chef de fabrication de l'usine VOITEX
Formation technique

LA SITUATION

Charles TOUGRAIN s'entretient avec Christian MOREL au cours d'une tournée dans les ateliers de VOITEX.

CHRISTIAN MOREL — Est-ce que vous avez reçu les directives du siège pour les congés ? Je vous en parle à l'avance, car vous savez le cirque* que c'est chaque année !

CHARLES TOUGRAIN — Cette fois-ci, je crois que ce sera simple : Renault et
5 P.S.A. ont décidé de fermer en août, nous fermerons donc en août.

CHRISTIAN MOREL — C'est ce qu'on appelle la démocratie ! Nous allons avoir de sacrés* problèmes avec certains membres du personnel : <u>tous</u> ceux qui ont déjà prévu de partir en juillet ou en septembre...

CHARLES TOUGRAIN — Ça fait beaucoup de monde ?

10 CHRISTIAN MOREL — Je n'ai pas l'ensemble des prévisions, mais d'après ce qui s'est passé l'an dernier, ça doit concerner environ... 10 à 15 % de l'effectif !

CHARLES TOUGRAIN — Et comme d'habitude, le siège nous dira de nous débrouiller...

CHRISTIAN MOREL — ... sans casse* ! D'autant plus qu'il n'y a pas que Renault
15 ou P.S.A... Il faudrait étudier toutes les possibilités. Quelle est notre marge de manœuvre* ?... Je veux dire, par rapport au siège.

> **: F.G**
>
> O - Tout - Tous - Toute - Toutes

CHARLES TOUGRAIN — Pour une fois, feu vert absolu, on peut faire pratiquement ce qu'on veut. Personnellement, je serais assez pour la fermeture complète. L'année dernière, nous avons été empoisonnés par les problèmes d'appro* : tous les transporteurs étaient en vacances et les 20 fournisseurs roupillaient* sur leurs stocks.

CHRISTIAN MOREL *(riant)* — Le château de la France au bois dormant !

CHARLES TOUGRAIN — Au *mois* dormant ! Parce qu'en août, le prince charmant, il est sur les plages et les autoroutes, à se bronzer et à draguer*...

CHRISTIAN MOREL — Pendant que la production s'effondre : j'ai lu ça dans le 25 journal... Bon, pour en revenir à nos congés, moi aussi je préférerais la fermeture parce que, l'année dernière, avec le roulement, il a fallu se bagarrer sec* pour que ça tourne et le taux d'absentéisme a atteint des sommets.

CHARLES TOUGRAIN — Ce qui veut dire qu'il faut essayer de résoudre 30 d'urgence le problème de nos vacanciers hors août.

CHRISTIAN MOREL — Je vous établirai une liste beaucoup plus précise. Il faudrait prévenir les intéressés très vite, car d'ici à un mois, toutes les réservations seront faites pour les locations et les hôtels. Vous voudrez bien cosigner la note ? 35

CHARLES TOUGRAIN — Bien sûr ! C'est important ! Tout à l'heure, nous allons avoir la visite du D.G.* et vous le connaissez : des chiffres, des chiffres, des chiffres...

CHRISTIAN MOREL — Vous avez mon rapport mensuel plus le rapport hebdo*... je ne vois pas grand-chose à ajouter. Si vous le rencontrez 40 aujourd'hui, essayez de savoir où en est le plan de formation qu'on lui a soumis en décembre... nous sommes en février et je n'ai toujours pas mon budget ! C'est un peu gros* !

CHARLES TOUGRAIN — J'ai prévu d'en parler et j'ai même l'intention de vous demander de venir quand on en sera aux questions du personnel. 45 Remarquez, je ne suis pas sûr qu'on aura le temps d'aborder le sujet, car il vient avec une fille qui s'occupe de relations publiques ou de quelque chose de ce genre... ils veulent faire une opération à la rentrée, avec la presse... dans le style « carte de visite » !

CHRISTIAN MOREL — Moi, je trouve que c'est contre-indiqué : moins on parle 50 de nous, mieux ça vaut. Ils comptent faire un film ?

CHARLES TOUGRAIN — Peut-être... je n'en sais rien !

CHRISTIAN MOREL — Dans ce cas, dites-leur de venir en septembre, les gens auront meilleure mine.

CHARLES TOUGRAIN *(riant)* — Pas trop bonne mine, pas trop bonne mine, 55 après on dira que nous ne travaillons pas assez à Orléans !

Bébert et Mimile
partent en vacances

La scène se passe dans un pavillon de banlieue. Bébert vient rendre visite à Mimile qui est en train de tondre son gazon.

BÉBERT — Dis, Mimile, t'aurais pas un guide du Périgord à me prêter ?

MIMILE — Oui, je dois avoir ça... avec mes cartes Michelin... attends...

(Ils rentrent et Mimile prend un livre sur une étagère de la salle à manger.)

MIMILE — Bon, le voilà, mais il se fait vieux, 1980... méfie-toi, ça a dû
5 changer depuis !

P - Celui-ci
Celui-là

BÉBERT — J'en ai commandé un chez le libraire... celui-ci, c'est juste pour
commencer à réfléchir aux vacances.

MIMILE — Tu pars dans le Périgord ?

BÉBERT — Probable... du côté de Sarlat...

10 MIMILE — Tu ferais bien d'emporter une balance !

BÉBERT — Pour quoi faire ?

MIMILE — Pour te peser pardi* ! C'est qu'on mange drôlement bien dans ces
coins-là : le foie gras, les truffes...

BÉBERT — C'est pour ça qu'on y va... mais les bonnes choses, ça ne fait pas
15 grossir, si c'est frais ! Et puis, on va faire de l'exercice, on emporte les vélos
sur la caravane et on se tape* nos 20 kilomètres par jour avec mon fils, au
minimum !

MIMILE — Moi, les vacances, c'est pas pour me fatiguer !

BÉBERT — Tu vas où ?

20 MIMILE — En Grèce !

BÉBERT — En voyage organisé ?

MIMILE — Non, avec un club... c'est la troisième fois qu'on part avec... on
a fait la Turquie, les Baléares et cette année on va en Grèce.

BÉBERT — Ben moi, tu vois, pour rien au monde j'irais dans un club. Le
25 bronzage, les doigts de pied en éventail*, c'est pas mon truc* ! Se retrouver
à 500 ou 1 000 sur une île déserte, faire les excursions tous en même temps,
manger en musique, moi, rien que d'y penser, ça me coupe l'appétit !

MIMILE — T'exagères ! C'est vrai qu'il y a du monde, surtout en août, mais
on rencontre des gens, on se fait des amis. Et l'animation, si t'en veux pas,
30 t'es pas obligé de rester. Et puis, on peut faire tous les sports qu'on veut...
à volonté, gratis* ! Ma femme, elle a appris à nager l'année dernière, moi,
j'ai même fait du cheval, une fois ! Tu te rends compte, s'il fallait payer tout
ça !

BÉBERT — Chacun ses goûts. Faut que je me tire* : tu me laisses ton guide
35 pour quelques jours ?

MIMILE *(riant)* — Autant que tu veux : ça m'étonnerait que l'avion pour la
Grèce s'arrête à Sarlat !

CÔTÉ COUR

■ VOCABULAIRE ET EXPRESSIONS

appro (un)	= *(abrév. fam.)* un approvisionnement
bagarrer sec (se)	= *(fam.)* lutter vigoureusement
casse (la)	= *(fam.)* action de briser
c'est un peu gros	= *(fam.)* c'est exagéré
cirque (le)	= *(fam.)* la pagaille
D.G. (un)	= *(abrév.)* un directeur général
draguer	= *(ici - fam.)* courir les filles
hebdo	= *(abr. fam.)* hebdomadaire
marge de manœuvre (une)	= les possibilités d'action
roupiller	= *(pop.)* dormir
sacré	= *(ici fam.)* grave

□ QUESTIONS SUR LE DIALOGUE

1) Pourquoi le chef d'atelier est-il préoccupé par l'organisation des congés ?
2) Quelle décision a pris le siège de VOITEX ? Pourquoi ?
3) Qui va être gêné par cette décision ?
4) Quelle attitude adopte le siège vis-à-vis de son usine ?
5) Pour quelles raisons les deux responsables sont-ils favorables à la fermeture en août ?
6) Pourquoi faut-il informer très rapidement le personnel de la décision de fermeture ?
7) Qui doit venir à l'usine dans la journée ?
8) Sur quels sujets Christian MOREL souhaite-t-il une réponse rapide ?
9) Que pense le chef de fabrication de l'idée d'une action de relations publiques ? Pourquoi ?

CÔTÉ JARDIN

■ VOCABULAIRE ET EXPRESSIONS

ce n'est pas mon truc	= *(fam.)* ce n'est pas ce que je préfère
gratis	= *(pop.)* gratuit
les doigts de pied en éventail	= *(fam.)* se prélasser sans rien faire
pardi !	= *(fam.)* exclamation qui renforce ce qu'on dit
taper (se)	= *(argot)* faire
tirer (se)	= *(argot)* partir

□ QUESTIONS SUR LE DIALOGUE

1) Pourquoi Bébert a-t-il besoin d'un guide du Périgord ?
2) Comment compte-t-il passer ses vacances ?
3) Où Mimile envisage-t-il de passer ses vacances ?
4) Pourquoi Mimile préfère-t-il partir avec un club ?
5) Quelles sont les critiques formulées par Bébert à l'encontre de la solution « club » ?

RÉGION : CENTRE

Le Centre :
atout « cœur » de la France

Quand on parle du Centre — une des plus vastes régions de France, 39 151 km², plus que la Belgique — on se heurte à un problème d'identité : le vrai centre économique français, c'est toujours Paris, et l'Auvergne se qualifie aussi volontiers de cœur du pays. De plus, si le point équidistant de notre hexagone se situe bien dans le Centre, il est tout à fait excentré, à l'extrême sud-est de la région. La difficulté est la même sous l'angle de l'histoire : le Centre est un conglomérat de provinces autrefois distinctes, Berry, Orléanais, Touraine. Résultat : peu des 2,3 millions d'habitants de la région revendiquent cette appartenance. Cela n'exclut pas, de leur part, la légitime fierté d'un passé prestigieux, dont témoigne un nombre infini de monuments historiques, à commencer par les fameux « châteaux de la Loire » sans oublier ceux de la « route Jacques-Cœur ». Grâce à eux, elle est une des régions les plus visitées de France, avec près d'un million de touristes chaque année. [...]

C'est précisément la proximité de Paris alliée à son incomparable « cadre de vie » qui a fait du Centre une des régions privilégiées de la décentralisation, commencée dans les années 1970.

Grâce à la poursuite de son effort, le Centre est aussi devenu la première région française de la sous-traitance. Les initiatives locales consistent donc maintenant à implanter de plus grandes entreprises. Ainsi une société qui désire s'y installer trouve-t-elle un tissu de sous-traitants dense et diversifié qui représente près du tiers de l'activité industrielle. En effet, le Centre possède surtout des entreprises petites et moyennes relevant encore trop souvent de sièges sociaux situés en dehors de la région et dans des secteurs parfois « fragiles ». De fait 20 % de la main-d'œuvre industrielle est lié à la sous-traitance dans le secteur automobile, et 35 % de la population active de l'Indre (14 000 emplois) dépend de la confection, deux domaines d'activité touchés par les réductions d'emplois. Seules les entreprises qui réussiront à se positionner sur une compétence spécifique dans le cadre d'une cotraitance « sur mesure » présenteront les meilleurs éléments qui garantiront leur pérennité. La région et les entreprises qui y sont présentes devront s'adapter à ce type de mutation pour préserver ce tissu.

L'EXPANSION N° 312 - 19 JUIN 1987.

Chinon : la centrale nucléaire

☐ QUESTIONS SUR LE DOCUMENT

1) Quel est le vrai centre économique de la France ?
2) Quel en est le centre géographique ?
3) Quelles provinces forment la région Centre ?
4) Pourquoi le Centre est-il devenu la première région française de la sous-traitance ?
5) En quoi cette situation peut-elle être dangereuse ?
6) Quelles sont les conditions de réussite de ces entreprises de sous-traitance ?

P.S.A.-Renault :
la crise dans le rétro*

Derrière ces succès, encore fragiles, des idées, et surtout des hommes.

— 1982 : l'usine Talbot de Poissy connaît des scènes de guerre civile.

— 1983 : P.S.A. (Peugeot-Talbot-Citroën) affiche des pertes de 2,5 milliards de francs.

— 1984 : Renault pulvérise tous les records* de déficit (12,6 milliards).

L'automobile française poursuit son long chemin de croix : harcèlement de la C.G.T., endettement colossal, invasion étrangère. Beaucoup pensent qu'elle ne s'en sortira pas. On évoque — douloureuse comparaison — le naufrage de la sidérurgie.

— 1986 : les pertes de Renault sont réduites de moitié. P.S.A. annonce un bénéfice de 3,6 milliards de francs. Le pourcentage d'exportation des constructeurs français atteint près de 60 %. Au niveau, ou presque, des Japonais et des Allemands.

— 1987 : près d'un demi-million de voitures sont exportées en trois mois ; le meilleur score depuis dix ans. La division auto de la Régie* approche de l'équilibre. On susurre chez Peugeot que le bénéfice pourrait se situer entre 4 et 5 milliards.

Aucun doute, l'industrie automobile ne veut pas mourir. Derrière ce rétablissement rapide, des hommes, et une formidable énergie. Les hommes ? Deux grands patrons fort différents au physique et au moral, mais d'une égale ténacité.

Chez Renault, Georges Besse, l'Auvergnat carré, discret, bourru, impulsif, avec une idée-force, d'une rare limpidité : *« Il faut sauver Renault. Une entreprise, c'est fait pour gagner de l'argent, pas pour en perdre. »* Chez Peugeot et Citroën, Jacques Calvet, énarque* plus subtil, politique, habile financier, et presque aussi têtu que son homologue.

Tous deux sont secondés par de bons bureaux d'études. Où l'on achève et peaufine* les armes de la reconquête. Car, au plus désespéré du creux de la vague*, on a refusé — c'est capital — d'occulter l'avenir. On continue d'investir, quitte à s'endetter au-delà du raisonnable. Les frais financiers atteignent, certes, des niveaux records, mais les 205, 309, Super-cinq, R21 et AX peuvent freiner l'invasion étrangère. Et gagner même, à l'exportation, quelques parts de marché.

Parallèlement, la productivité remonte. En deux ans, la branche auto de Renault-Europe supprime 22 000 emplois. Le couperet* fait mal, mais les salariés ont compris qu'il était salvateur : tous les constructeurs, dans le monde, sont passés par là. L'automobile française, qui avait pris un tragique retard, peut se moderniser. [...]

Rien n'est définitivement gagné, et les deux grands patrons, souvent exténués, pleurent leur vie privée sacrifiée. Mais, présentement, sur les dix voitures les mieux vendues en France, il n'y a en plus que deux qui sont importées : à la huitième et à la dixième place ! Hélas ! Renault, Peugeot et Citroën croulent encore sous les frais financiers. Pas leurs concurrents.

LE POINT Nº 77 - 22 JUIN 1987 - JEAN-PIERRE ADINE.

■ VOCABULAIRE ET EXPRESSIONS

couperet (un)	= un couteau à large lame (utilisé notamment sur la guillotine) - *(ici)* la décision de réduire les effectifs
creux de la vague (le)	= la période la plus difficile
énarque (un)	= diplômé de l'E.N.A., École nationale d'administration
peaufiner	= *(fam.)* mettre au point dans tous ses détails
pulvériser un record	= battre de très loin un record
Régie (la)	= la Régie nationale des usines Renault
rétro (un)	= *(abrév. fam.)* un rétroviseur

□ QUESTIONS SUR LE DOCUMENT

1) Comparez la situation des deux grands constructeurs d'automobile français entre 1982-1984 et 1986-1987.
2) À quoi est dû ce renversement de tendance ?
3) Pourquoi les patrons de Renault et de P.S.A. ont-ils tenu, en dépit du coût, à maintenir leur effort de recherche ?
4) Quelles mesures ont été prises pour assurer la rentabilité de ces entreprises ?
5) Quel est encore le grand handicap de l'industrie automobile française ?

AUTOMOBILES PEUGEOT UN CONSTRUCTEUR SORT SES GRIFFES.

PEUGEOT TALBOT

L'échec de l'étalement des vacances

L'étalement des vacances est une pratique encore rare en France : 80 % des journées de vacances sont prises pendant l'été et 70 % des entreprises industrielles ferment leurs portes au mois d'août.

Cette forte concentration des congés est un phénomène typiquement français. En Grande-Bretagne, en Allemagne fédérale et aux États-Unis, les départs se répartissent tout au long de l'année : 35 % seulement des Américains partent pendant l'été et 25 % des Britanniques. Ce goût français pour se retrouver sur les plages tous ensemble n'est pas sans conséquences économiques : l'indice de production allemand n'enregistre qu'une baisse de 10 % pour le mois d'août par rapport à la moyenne annuelle, alors que la production française chute, elle, de 30 à 40 % [...].

Le phénomène est bien variable selon les secteurs d'activité. Pour l'agriculture et l'alimentaire, la production ne chute que d'un cinquième. En revanche, la baisse est très importante dans le textile, le cuir, le bâtiment, ou même la construction électronique. L'automobile est traditionnellement une des branches les plus touchées : 80 % des ateliers ferment leurs portes au mois d'août.

Poussé par les pouvoirs publics, Renault a tenté, à partir de 1983, d'instaurer des formules d'étalement de vacances. Mais, peine perdue, la chute de ses ventes, le coût et la complexité du roulement* de personnel et surtout l'environnement économique ont fait cesser cette expérience l'année dernière. Dans ce secteur, toutes les activités en amont et en aval s'arrêtent pendant l'été, il est donc impossible à une entreprise seule de continuer à produire quand ses fournisseurs et ses transporteurs sont partis en vacances.

Maintenant, Renault ferme ses ateliers pendant trois semaines, comme Peugeot qui explique, lui, cette fermeture par des impératifs techniques : il faut un arrêt complet des chaînes pour vérifier le matériel et l'adapter aux nouveaux modèles. Conséquence : la baisse de la production automobile en août s'est encore creusée en 1986. [...]

Les entreprises, *nolens volens**, se sont fait une raison. Renault et Peugeot, par exemple, planifient leurs fabrications en fonction des commandes et surchargent les autres mois pour que la fermeture de l'été

ne pèse pas sur leurs ventes. D'autres embauchent des intérimaires pour faire tourner leurs chaînes. Toutes s'adaptent selon ce que font leurs fournisseurs, leurs concurrents, leurs clients.

Il reste que le non-étalement des vacances a des conséquences incontestables sur un secteur : le tourisme. Il limite la durée d'exploitation des équipements et oblige à une rentabilité elle aussi concentrée sur quelques semaines. D'où des hausses de prix parfois abusives. Reste aussi les bouchons sur les routes et le bronzage à la chaîne*.

LE MONDE - 2-3 AOÛT 1987.

■ **VOCABULAIRE ET EXPRESSIONS**

bronzage à la chaîne (le)	= le bronzage en série sur la plage - jeu de mot sur la fabrication à la chaîne dans les usines
nolens volens	= *(latin)* bon gré, mal gré
roulement (le)	= organisation des congés par laquelle le personnel part en vacances à tour de rôle afin d'éviter la fermeture complète de l'usine

☐ **QUESTIONS SUR LE DOCUMENT**

1) Comparez la répartition des journées de vacances en France et dans les autres pays cités dans l'article.
2) Quelles en sont les conséquences sur l'indice de la production ?
3) Quels sont les secteurs les plus réticents à l'égard de l'étalement des vacances ?
4) Pourquoi la Régie Renault a-t-elle abandonné en 1986 la formule d'étalement des vacances instaurée en 1983 ?
5) Pour quelles raisons le groupe Peugeot ferme-t-il ses ateliers pendant trois semaines ?
6) Quelles sont les conséquences de l'échec de l'étalement des vacances sur le secteur du tourisme ?

Médiatisez-vous*

Mais méfiez-vous des sirènes* de la communication

Votre concurrent à la une* de *L'Entreprise*. Votre partenaire de tennis au sommaire de *L'Enjeu*. Sous les spots, votre neveu de 25 ans avec sa panoplie de « jeune créateur ». « Et moi, et moi, émoi ! » C'est vrai, ce sont toujours les mêmes sur le devant de la scène. [...] Pourquoi eux ? Plus beaux, performants, rentables, participatifs, innovants, créatifs, bref plus présentables que vous ?

« Mais pourquoi pas vous, justement ? », susurrent à vos oreilles les sirènes de la communication-potion magique. Il ne se passe pas de semaine sans qu'une Chambre de commerce, une association patronale, un journal local ne viennent vous seriner : « Faites adhérer tous vos publics à votre projet », « Soyez une entreprise communicante », « Sans image vous n'existez pas », « L'image de l'entreprise, c'est vous ! » La rengaine finit par rendre un joli son : pour être entrepreneur, on n'en est pas moins homme ! Devenir médiatique*, c'est tentant !

Qu'avez-vous donc à dire ?

« Le *star system** à la Tapie, très peu pour moi* », protestez-vous déjà, la main sur le cœur. Il n'empêche que partout, des studios de télé aux discrets cabinets spécialisés [...], des patrons travaillent leur voix, leur diction, et même le « non-verbal ». Fignolent l'emballage, ravalent la façade*. Pour le reste, ils verront bien...

Avant de lever le rideau sur son entreprise, mieux vaut tout de même savoir quelle pièce on va jouer. Celle de l'entreprise-Petit Poucet que l'ogre n'a pas pu manger ? Celle de l'entreprise-Cendrillon tellement fascinante qu'elle séduit un beau parti ? En tout cas, une histoire vraie. Et, si possible, pas la même que celle du voisin. Évident ? Pas tellement. Voici quelques thèmes de scénarios. Vous direz que vous êtes parti de rien ? Vous n'êtes pas le seul. [...] Vous êtes victime de tracasseries administratives ? C'est banal et les jérémiades ne font pas vendre. [...] Avant de communiquer, commencez donc par savoir ce que vous voulez dire. La lecture de certaines plaquettes de présentation est édifiante. On y apprend tout sur le grand-père de l'arrière-grand-père du fondateur, déjà fondeur sous Louis XV, ou sur la semelle polyuréthane antistatique *(sic)*. Mais rien sur l'identité objective de l'entreprise : ses effectifs, ses marchés, son chiffre d'affaires, ses résultats. [...]

Ayez l'obsession de l'information

Faut-il vraiment tout dire ? Et d'abord à qui ? À tous vos publics : clients, fournisseurs, banquiers, maire, préfet, presse locale, salariés... Mais pas à tous à la fois, pas à tous en même temps, ni de la même façon.

Le mécénat : outil de communication

Pour les clients, les consommateurs, il y a la pub*. La discipline reine pour les hommes de communication. Mais pour tous, une palette d'outils commodément regroupés sous le vocable « R.P. » (relations publiques). Un aimable pêle-mêle, qui recouvre aussi bien une inauguration d'usine (ministre ou préfet à la clé), la Légion d'honneur du patron, un Oscar, une opération porte ouverte, une conférence ou un voyage de presse, un anniversaire, bref tout ce qui rime avec champagne et petits fours. [...]

Tous vos messages doivent être cohérents

« Combien prétendent se lancer dans la communication externe qui n'acceptent même pas d'éduquer leur standardiste ![1] ». Tableaux d'affichages poussiéreux, secrétaires revêches, cadres incapables de donner le chiffre d'affaires de leur société... ne sont pas rares dans les entreprises dotées par ailleurs d'une attachée de presse.

L'ENTREPRISE N° 23 - MAI 1987 - DOMINIQUE MICHEL.

---

1. Jean-Pierre Tabary (Trans-Presse Relations Publiques)

[...] En France, le mécénat représente à peine 1 % des financements publics pour la culture. Soit environ 300 millions de francs dépensés par 250 à 300 entreprises. Aux États-Unis, la part du mécénat atteint près de 70 %.

Heureusement, le mécénat ne peut, à l'heure actuelle, que se développer. Pour une raison essentielle : l'essoufflement de la capacité de différenciation des entreprises. [...]

Pour l'instant, le mécénat prend des formes essentiellement culturelles. Les arts plastiques et la musique se taillent la part du lion*. Le patrimoine, vivement encouragé par le ministère de la Culture, commence à attirer les budgets (le C.I.C. et la restauration des statues de la place de la Concorde, par exemple). La danse et le théâtre font figure de parents (très) pauvres*. Le mécénat social et éducatif, très développé aux États-Unis, est encore quasi inexistant. [...]

Reste à faire se rencontrer deux mondes : celui des chefs d'entreprise et celui des artistes. Et l'État ? Il édicte des lois pour encourager l'initiative privée, mais des lois que les chefs d'entreprise (et les particuliers) ne connaissent pas en détail. [...]

TERTIEL N° 30 - NOVEMBRE 1987.

■ VOCABULAIRE ET EXPRESSIONS

à la une	= à la première page d'un journal
médiatique	= (néologisme) qui intéresse les médias, qui communique bien
médiatiser (se)	= (néologisme) se faire connaître par l'intermédiaire des médias
pub (la)	= (abrév. fam.) la publicité
ravaler la façade	= (fam.) remettre à neuf
sirène (une)	= (fig.) celui qui essaie de tromper
star system (le)	= (ang.) le système centré sur une vedette
très peu pour moi	= cela ne m'intéresse pas, cela ne me concerne pas

■ VOCABULAIRE ET EXPRESSIONS

faire figure de parent pauvre	= apparaître comme quelqu'un qui est moins bien traité que les autres
se tailler la part du lion	= (fig.) obtenir la meilleure part

☐ QUESTIONS SUR LE DOCUMENT

1) Qui incite les responsables d'entreprise à communiquer ?
2) Quelle est la première étape de toute politique de communication ?
3) D'après l'auteur de l'article, faut-il tout dire ? Et à qui ?
4) Que recouvre le siglé « R.P. » ?
5) Pourquoi est-il important que tous les messages d'une entreprise soient cohérents ?

☐ QUESTIONS SUR LE DOCUMENT

1) Quel rôle joue le mécénat dans la France d'aujourd'hui ?
2) Comment va-t-il sans doute évoluer ? Pourquoi ? ?
3) Pourquoi une grande entreprise choisit-elle de faire du mécénat ?
4) Quelles sont les activités qui bénéficient plus particulièrement du mécénat ?
5) Quel est le rôle de l'État dans ce domaine ?

ARTS ET PATRIMOINE : LE CENTRE POMPIDOU

Le centre Georges-Pompidou

Centre Pompidou : la ville culture

Un entretien avec Jean MAHEU, président du Centre national d'art et de culture Georges-Pompidou.

MICHÈLE COTTA — Beaubourg a-t-il trouvé sa place dans la vie des Français ?

JEAN MAHEU — Le Centre Georges-Pompidou est d'abord une chance. Pour les Français, bien sûr, mais pas seulement pour eux. Pour tous les visiteurs étrangers qui viennent du monde entier. C'est une chance de pouvoir approcher la création et la connaissance sans être obligé de revêtir l'habit de l'étudiant ou de l'initié. On entre au Centre tel qu'on est, dans une familiarité démocratique et naturelle. Observez les visiteurs : ils se sentent chez eux dans cette ville cuturelle qu'est le Centre.

MICHÈLE COTTA — Vous voulez dire qu'on entre d'abord dans un univers...

JEAN MAHEU — On entre dans l'univers du Centre Pompidou et, ensuite seulement, on se dirige vers telle ou telle manifestation, vers le musée, vers la bibliothèque, etc. Certains y vont directement parce qu'ils souhaitent le faire, et d'autres peuvent y arriver indirectement, mais sans ritualisme.

MICHÈLE COTTA — Était-ce ce que vous vouliez vraiment ? Avez-vous eu, les créateurs du Centre Pompidou ont-ils eu d'emblée la volonté de créer un monde ? Pas seulement un musée, mais un monde autour du musée ?

JEAN MAHEU — Oui, je pense que la réussite du Centre Pompidou tient beaucoup à cela.

MICHÈLE COTTA — Parlons de la construction du Centre Pompidou d'abord, et de son aspect extérieur. Il y a dix ans, que pensiez-vous, vous-même, de l'architecture du centre, de ses tubulures, de ses couleurs, en plein Paris ? Avez-vous participé à la polémique artistique qu'il a suscitée ?

JEAN MAHEU — Non, pas du tout. Mais j'ai vécu l'événement intensément. Il m'a paru un formidable coup de poing qui a habitué les Français, les jeunes notamment, à vivre l'architecture, à vivre une aventure architecturale de notre temps. Je ne veux pas dire que le Centre Pompidou est un modèle qu'on doit suivre partout. Mais qu'il s'agit d'une architecture aux dimensions de la vie, aux dimensions de la création, à celles de la connaissance, en un siècle de prodigieuses mutations.

MICHÈLE COTTA — Cela étant, rappelez-vous tout de même l'intensité de la polémique architecturale à l'époque. Plus personne ne se pose aujourd'hui la question de savoir si ces tubes de couleur étaient ou non indiqués dans le plus vieux quartier de Paris. [...]

JEAN MAHEU — On peut toujours craindre effectivement dans un quartier historique les effets d'un plan architectural très radical. Tout en étant ferme partisan de la création architecturale, je suis de ceux qui aiment que l'on respecte l'unité architecturale d'un ensemble. Mais je crois que ce qui légitime un coup de ce genre, c'est sa réussite. Sa qualité. Était-il légitime de faire Versailles ? De le faire à l'endroit choisi, dans la perspective politique choisie ? Ce qui l'a légitimé, c'est finalement son extraordinaire qualité et l'extraordinaire adéquation du projet architectural au projet politique.

De la même façon, le Centre Pompidou est légitimé, si tant est qu'il ait eu besoin de l'être, aujourd'hui par son succès de fréquentation, certes, par la qualité de ce qui est proposé au public, mais aussi par la remarquable adaptation — je dirai même par l'adaptabilité de principe — de son architecture aux évolutions des besoins artistiques et culturels. Au Centre, l'architecture fait vivre les manifestations culturelles, tout autant que celles-ci habitent l'architecture. [...]

MICHÈLE COTTA — Entrons dans Beaubourg. N'est-ce pas sa diversité qui en fait justement un lieu assez unique ?

JEAN MAHEU — L'originalité du Centre Pompidou, ce n'est pas qu'il offre un musée national d'Art moderne. Il y en a d'autres. Ce n'est pas qu'il y ait une bibliothèque de pointe, et qui marche : il y a d'autres lieux en France dotés d'excellents équipements de lecture publique. Ce n'est pas seulement que l'on y trouve un centre de recherche musicale. Ni un simple centre de design. Ce qui est original, c'est que le Centre Pompidou est le lieu du mélange, de la rencontre, de la pluridisciplinarité. Ce n'est pas un grand lotissement où chacun a son carré pour y poser sa maison, pour y planter son drapeau, pour mieux s'y enfermer. Il s'agit de plusieurs maisons, de plusieurs villages obligés d'être ensemble. Pas seulement spatialement, mais psychologiquement, artistiquement, culturellement. [...]

LE POINT N° 748 - 19 JANVIER 1987 -
Propos recueillis par MICHÈLE COTTA.

☐ QUESTIONS SUR LE DOCUMENT

1) Quelles sont les motivations des simples « visiteurs » du musée ? Pourquoi cette catégorie est-elle si importante ?
2) À quoi tient la réussite du Centre Pompidou ?
3) D'après Jean Maheu, qu'est-ce qui légitime la construction d'un tel centre ?
4) En quoi réside l'originalité de ce centre ?
5) Quelles activités regroupe-t-il ?

Sponsoring* : le P.M.U. dans la course

Peu d'institutions font partie de la France profonde à l'égal du P.M.U. En effet, le Pari mutuel urbain n'est pas pour rien la troisième société de services de France, avec un chiffre d'affaires de 30 milliards de francs chaque année.

Au point qu'on peut se demander si, dans un passé récent, le P.M.U. n'a pas été victime de son succès : à force de se confondre avec le paysage, le risque était d'y disparaître. Or, l'ouverture des paris sur les compétitions sportives constituait une concurrence directe pour le P.M.U. [...] Comme bien d'autres entreprises, le P.M.U. se devait de se ressaisir et de rajeunir son image. Deux thèmes évidents se proposaient : *« D'abord rappeler que la course hippique est un sport à part entière »*, mais aussi que *« le système du jeu fait qu'elle est en outre un sujet de convivialité et de réflexion »*. Le parrainage sportif est alors apparu comme le moyen privilégié pour appuyer ce message.

Le P.M.U. a commencé tout naturellement par s'intéresser à son environnement immédiat : le cheval et la longue cohorte des admirateurs de la plus noble conquête de l'homme. Parmi les concours hippiques, le P.M.U. a notamment choisi de mettre l'accent sur l'étape française de la Coupe du monde des cavaliers, le Jumping* de Bercy ainsi que le Jumping de Bordeaux, désormais baptisé le « Jumbo ». Celui-ci, qui se déroulera du 4 au 6 décembre, est l'un des plus grands événements équestres *in door** en Europe.

De plus, symbole entre tous de l'amour de la vitesse, le P.M.U. a décidé de s'intéresser aussi à d'autres champs de course. C'est ainsi que son logo* a fait son apparition sur la combinaison de course de Paul Belmondo. Dès lors, c'est un peu de l'atmosphère des hippodromes qui fait son entrée sur les circuits automobiles : le mariage des chevaux-vapeur* et des chevaux tout court, en somme. [...]

PARCOURS N° 7 - NOVEMBRE 1987.

■ VOCABULAIRE ET EXPRESSIONS

chevaux-vapeur (les)	= *(ici imagé)* les voitures
in door	= *(ang.)* en salle
jumping (le)	= *(ang.)* épreuve hippique de saut
logo (un)	= *(ici)* le symbole (lettre, dessin stylisé) qui identifie une entreprise, une marque
sponsoring (le)	= *(ang.)* le parrainage

☐ QUESTIONS SUR LE DOCUMENT

1) Quelle est l'importance du P.M.U. dans la vie économique française ?
2) Qu'appelle-t-on la « France profonde » ?
3) Pourquoi peut-on se demander si le P.M.U. n'a pas été « victime de son succès » ?
4) Quels thèmes le P.M.U. a-t-il choisi pour rajeunir son image ?
5) À quels sports le P.M.U. a-t-il décidé de s'intéresser ?

Course de galop

Football : concertation nécessaire

FÉDÉRATION FRANÇAISE DE FOOTBALL

Le problème actuel des Bleus consiste à constituer un groupe, élaborer un style de jeu en vue de la prochaine échéance importante, la qualification à la Coupe du Monde. [...]

Regardons les choses en face. Dans les clubs, les entraîneurs font travailler les joueurs dans un sens bien précis qui fait que depuis une saison et demie on constate une diminution du nombre de buts et une difficulté grandissante des équipes à s'imposer à domicile. La sélection nationale peut difficilement proposer

un cadre de jeu différent de ce que l'on rencontre en championnat. Dans ce contexte, et la situation actuelle l'exige peut-être, on peut imaginer une concertation plus grande entre Henri Michel (le sélectionneur de l'équipe de France) et les entraîneurs des clubs.

Une manière de resserrer les liens entre la représentation nationale et ceux qui fournissent ses éléments. Il y a toujours eu des relations plus ou moins conflictuelles entre l'intérêt de l'équipe de France et ceux des clubs. C'est l'histoire classique de l'œuf et de la poule.

Mais depuis dix ans, personne ne peut nier que les Bleus ont joué un rôle important dans la progression générale du football français. Lorsque la sélection connaît des problèmes, il serait souhaitable que les clubs puissent jouer un rôle de soutien.

Il s'agit d'un problème collectif, tout le monde devant se sentir concerné.

L'ÉQUIPE - 24 NOVEMBRE 1987 - SIGNÉ : MICHEL PLATINI.

☐ **QUESTIONS SUR LE DOCUMENT**

1) Quel est le problème de l'équipe de France ?
2) Quelle est la prochaine échéance importante ?
3) À quel problème se heurte l'équipe nationale vis-à-vis des joueurs de club qui la composent ?
4) Pourquoi Michel PLATINI recommande-t-il la concertation entre l'équipe de France et les clubs ?
5) Quelle dette les clubs ont-ils envers l'équipe nationale ?

Delta ski

Ça court et ça glisse

[...] L'activité physique la plus courue chez les 20-24 ans c'est... le footing. Sport à géométrie variable dont la pratique est, au choix, individuelle ou groupée : la panacée pour une époque qui entend se réserver, à tout instant, l'option de vivre au singulier ! Le succès croissant des bases de loisirs, où l'on fait du sport ensemble mais séparément, tient peut-être à ce compromis inconscient. Si l'on y ajoute la passion des jeunes pour la « glisse » — substantif à la mode —, on comprend la montée en puissance des activités où le partenaire-adversaire est la nature : l'eau, l'air, la neige... Après le ski, c'est la planche à voile [...], puis le surf. Après le vol à voile, le delta-plane, puis le parapente. Un vocabulaire spécifique s'installe, imagé, poétique, ou anglo-saxon. Toute une géographie nouvelle à assimiler [...]. Des lieux où l'élément se fait complice de l'homme, quitte à le broyer ou à l'engloutir au premier excès de confiance.

L'EXPANSION - 25 NOVEMBRE 1987 - BERNARD LALANNE.

Sportez-vous bien !

Souplesse moins grande, réflexes moins bons : la trentaine est la décennie de la traumatologie. On continue les sports de ses vingt ans, plus rarement. Moins bien entraîné et moins adaptable, le corps réagit mal. Et les tendinites, les foulures, les fractures s'accumulent. On accuse sa maladresse. Ce n'est que secondaire. L'âge est le vrai coupable.
Aux alentours de 35 ans, il est bon de commencer à substituer les sports d'endurance aux sports de force : le ski de fond au lieu du ski de descente, le cyclotourisme et non plus le sprint, la natation, la marche, le footing, sans esprit de compétition et dans la régularité. [...]

SANTÉ MAGAZINE - NOVEMBRE 1987.

1770 - Jean-Jacques Rousseau témoigne...

« La confession d'un marcheur solitaire »

La chose que je regrette le plus dans les détails de ma vie dont j'ai perdu la mémoire, est de n'avoir pas fait des journaux de mes voyages. Jamais, je n'ai tant pensé, tant existé, tant vécu, tant été moi, si j'ose ainsi dire, que dans ceux que j'ai faits seul et à pied. La marche a quelque chose qui anime et avive mes idées : je ne puis presque penser quand je reste en place ; il faut que mon corps soit en branle pour y mettre mon esprit. La vue de la campagne, la succession des aspects agréables, le grand air, le grand appétit, la bonne santé que je gagne en marchant, la liberté du cabaret, l'éloignement de tout ce qui me fait sentir ma dépendance, de tout ce qui me rappelle à ma situation, tout cela dégage mon âme, me donne une plus grande audace de penser, me jette en quelque sorte dans l'immensité des êtres pour les combiner, les choisir, me les approprier à mon gré sans gêne et sans crainte.

LES CONFESSIONS, livre IV - JEAN-JACQUES ROUSSEAU.

Jean-Jacques Rousseau. Illustration extraite de La vie des hommes et des femmes illustres français du Ve siècle à nos jours. *E. Mennechet. 1814*

HOMMAGE À... GEORGES SIMENON

Par Marcel Aymé

De tous les romanciers de son époque, Simenon est sûrement celui qui a écrit l'œuvre la plus abondante. En moins de quarante années, il a écrit et publié quelque cent vingt volumes, soit à peu près la cadence d'un roman par quatre mois. J'admire, chez un écrivain, cette grande et régulière fécondité qui n'a jamais nui à la qualité de l'œuvre et toutefois, elle n'est pas ce qui m'étonne le plus dans le cas de Simenon. Après tout, il y a eu des précédents, entre autres celui de Balzac qui

Albert Préjean dans Picpus

écrivit sa *Comédie humaine* en vingt ans. Non, ce qui m'étonne le plus, c'est que les romans de Simenon soient au moins aussi lus dans les autres langues qu'ils le sont en français : il existe même des pays où ils touchent un public beaucoup plus étendu que dans le nôtre. Et pas plus les Américains que les Japonais, les Russes ou les Abyssins ne se sentent dépaysés dans ce monde romanesque où les êtres et les lieux sont pourtant, semble-t-il, très caractérisés, très particularisés. Les acteurs d'un fait divers qui se déroule dans un quartier de Paris ou dans une rue d'Anvers ou de La Rochelle ont des physionomies originales et des habitudes de vie, des réactions et un tour d'esprit bien à eux, qui devraient en faire des individus retranchés, difficilement perméables pour des Mexicains ou des Océaniens. C'est justement le miracle que les frontières et les distances soient abolies entre les personnages et les lecteurs, à quelque nationalité qu'appartiennent les uns et les autres. Ni son métier, ni son milieu social, ni les mœurs, ni les lois de son pays ne sauraient faire écran à l'être humain qui surgit d'entre les pages du roman. L'auteur se garde d'ailleurs d'expliquer ses personnages et de démonter devant son lecteur les rouages d'un mécanisme psychologique. Il se contente de donner des renseignements, des indications, des repères, et non sans économie.

À vrai dire, il semble que ce soit le lecteur qui crée les personnages de Simenon et qui les différencie. Il y a là, de la part de l'auteur, une remarquable discrétion. Maître absolu de sa création romanesque et de ses créatures, il s'applique à ne pas abuser de sa toute-puissance, sachant bien que de tels excès n'ont d'autre résultat que celui de desservir la vérité. En les éveillant à la vie romanesque, il dote ses personnages non pas d'une musique intérieure, mais d'un clavier faisant de chacun d'eux une sorte de harpe éolienne qui s'émeut lentement selon le vent, les marées et les détours de l'enquête. À la lecture de ses livres, il m'arrive d'être pris de l'horrible soupçon qu'intérieurement, nous nous ressemblons tous de très près et que ce sont d'infimes et microscopiques particularités qui créent la diversité des caractères. En tout cas, nombre de ses héros, pour ne pas dire la plupart, nous apparaissent comme des individualités floues, incertaines, qui donnent à penser, lorsqu'elles se précisent dans un sens, qu'elles auraient pu aussi bien se préciser dans le sens contraire et qu'il s'en est fallu de fort peu de chose et peut-être même d'un simple hasard. Le fameux commissaire Maigret est le plus illustre représentant de cet univers simenonien et probablement le plus typique. Tout en mouvances et en incertitudes, il échappe à la description et plus encore aux définitions. La meilleure chance qu'on ait de le saisir est sans doute de l'approcher par les côtés négatifs de sa personne : il se méfie des déductions brillantes, des techniques, des esprits trop méthodiques et même de la psychologie. À ses yeux, la recherche criminelle est avant tout celle d'une vérité humaine qu'on ne saurait mieux comprendre que si on l'a d'abord sentie. Il convient donc d'écarter au cours de l'enquête tout ce qui peut gêner une expérience

Maurice Manson dans Maigret dirige l'enquête

Gino Cervi dans Maigret à Pigalle

Jean Gabin dans Maigret tend un piège

sensible, en premier lieu les raisonnements trop bien construits. Maigret possède justement cette forme de sensibilité, doublée d'une sorte de plasticité, qui lui permet de sentir les êtres, d'entrer dans la peau d'un personnage et de vivre un peu de la vie du suspect, fût-ce fugitivement, le temps d'apercevoir une vérité que les plus savantes déductions n'auraient su tirer de son humble retraite. Ainsi, durant ces longs silences dans lesquels se plonge le commissaire en tirant sur sa pipe, n'est-ce pas de méditation qu'il s'agit, mais d'un jeu très subtil qui s'apparente à l'art du romancier et à celui du comédien. [...]

PRÉFACE DE MARCEL AYMÉ -
LE CHIEN JAUNE de GEORGES SIMENON, PRESSES POCKET.

☐ QUESTIONS SUR LE DOCUMENT

1) Combien d'œuvres SIMENON a-t-il écrit au cours de sa carrière ?
2) À quel autre écrivain Marcel AYMÉ le compare-t-il ?
3) Quel est, pour Marcel AYMÉ, l'aspect le plus étonnant de cette œuvre ? Pourquoi ?
4) Quel procédé SIMENON utilise-t-il pour décrire ses personnages ?
5) Quel soupçon éprouve Marcel AYMÉ lorsqu'il lit les romans de SIMENON ?
6) Pourquoi le commissaire MAIGRET est-il le plus typique représentant de l'univers de SIMENON ?
7) Comment peut-on le décrire ?
8) Comment mène-t-il une enquête ? Pourquoi ?

AU SOMMAIRE DU DOSSIER 9

« QUAT' BRIQUES »

LA RÉGION

P.-A.-C.A.

PROVENCE-ALPES-CÔTE D'AZUR

LES SECTEURS

D'ACTIVITÉ

Cette région, l'une des plus séduisantes de France par la beauté de ses paysages et la douceur de son climat, attire un nombre croissant de visiteurs, d'où l'importance des activités du tourisme qui emploient plus de la moitié des actifs.

L'industrialisation, encore très insuffisante, se concentre dans quelques zones (Marseille-Fos, Toulon, La Ciotat, la Seyne, Sophia-Antiopolis). La vie universitaire et la vie culturelle — issues d'une très ancienne tradition — sont extrêmement florissantes.

La distribution a connu en France de profondes évolutions au cours des deux dernières décennies avec l'apparition de formes modernes de commerce : les grandes surfaces, les centres commerciaux, la franchise et la télévente.

Les assurances constituent l'une des branches les plus prospères du secteur tertiaire. Confrontées à une concurrence de plus en plus vive de la part des banques et d'autres vendeurs de « contrats d'assurances en tous genres », les grandes compagnies cherchent un second souffle et vivent une profonde mutation.

Marseille

CÔTÉ COUR...

Se mettre à son compte ou rester salariée ?

L'ENTREPRISE

Elle n'existe pas encore, mais pourrait prendre la forme d'un magasin de disques, spécialisé dans la musique classique et l'opéra...
Différentes formules juridiques et techniques sont envisageables.

PROFILS

MIREILLE DESTIER
28 ans
Comptable chez un fabricant de disques implanté dans la banlieue aixoise

LAURE BONNÈRE
32 ans
Autrefois responsable des achats dans une société de jouets
Actuellement au chômage

LA SITUATION

Mireille est assise à la terrasse d'un café proche du cours Mirabeau à Aix-en-Provence. Elle discute de ses projets avec son mari, Olivier, et une amie d'enfance, Laure.

LAURE BONNÈRE — Moi, je te trouve gonflée* : vouloir te mettre à ton compte et quitter un boulot de semi-fonctionnaire, tranquille, sans risques, qui te laisse tes soirées libres et du temps pour ton piano et ton festival : entre nous, c'est de la folie !

5 OLIVIER DESTIER — Je suis content de te l'entendre dire ; parce que moi, ma femme ne m'écoute pas quand je lui répète qu'être commerçant, ce n'est pas une vie.

MIREILLE DESTIER — Laure ! si toi aussi tu t'y mets ! D'abord mon job* actuel, j'en ai plein le dos* : j'ai fait le tour de toutes les joies de la comptabilité

10 clients et j'ai besoin... d'air frais !

LAURE BONNÈRE — Tu ne trouves pas qu'il y a d'autres moyens de respirer que de lâcher* un poste sûr, où tu as déjà de l'ancienneté, pour te lancer comme ça, à l'aventure...

MIREILLE DESTIER — D'abord, il n'y a plus de postes sûrs à notre époque.

15 Laure, tu devrais savoir cela, car si je ne me trompe, tu t'es fait débarquer*, pas plus tard que l'année dernière, de l'entreprise la plus pépère* de la région : jamais de licenciements, la perspective de mourir au poste... et tout à coup une charrette* de 300 personnes... dont toi !

LAURE BONNÈRE — Et depuis, je grossis les effectifs des femmes au foyer,

20 sans aucun complexe d'ailleurs !

MIREILLE DESTIER — Je ne voulais pas te vexer, mais pour la sécurité de l'emploi... reconnais que j'ai raison !

LAURE BONNÈRE — Oui, c'est vrai que ce n'est pas une réussite... ! Mais en fait, Mireille, tu ne te lances pas sans filet : Olivier a une belle situation dans les assurances !　　　　　　　　　　　　　　　　　　　　　　25

OLIVIER DESTIER — Tu parles comme ma tante Lucienne, pour qui les assurances, c'est synonyme de sinécure. Tu n'es vraiment pas à la page* : la profession est très menacée, avec la concurrence des banques et même des sociétés de vente par correspondance qui se mettent à proposer des contrats d'assurances dans leurs catalogues, à la lettre « C », entre les　30 caleçons longs et les couches-culottes !

LAURE BONNÈRE *(riant)* — Tu exagères !

OLIVIER DESTIER — Même pas ! Tu n'as qu'à vérifier auprès de tes fournisseurs habituels !

LAURE BONNÈRE — Non, <u>décidément,</u> Olivier, tu n'arriveras pas à me faire　35 verser une seule larme sur l'avenir des assurances... Mireille, pour en revenir à ton projet, tu penses l'implanter où, ta boutique ?

MIREILLE DESTIER — Dans le nouveau centre commercial : il y a des boutiques de toutes les tailles et j'en ai vu une qui conviendrait parfaitement.

OLIVIER DESTIER — Elle veut se spécialiser dans l'opéra et le lyrique...　　40

MIREILLE DESTIER — Pas uniquement, mais le lyrique, c'est un secteur que je connais bien et il y a une vraie clientèle à Aix pour ce genre de répertoire... surtout, avec le festival.

LAURE BONNÈRE — Cela demande un gros investissement ?

MIREILLE DESTIER — Assez : mais j'espère atteindre en deux ans les quatre　45 briques* de chiffre d'affaires.

OLIVIER DESTIER — Ce n'est plus *l'Opéra de quat'sous,* c'est l'« Opéra de quat'briques » !

MIREILLE DESTIER — Moque-toi ! On verra qui rira le dernier ! Tu sais, j'ai plein de projets : par exemple, faire un catalogue en plusieurs langues pour　50 les touristes et un service « petits prix » pour les étudiants.

LAURE BONNÈRE — Toi, Olivier, ça n'a pas l'air de t'emballer*...

OLIVIER DESTIER — Sans doute parce que je n'ai pas le culot* de Mireille. Je suis toujours à m'inquiéter pour les lendemains qui risquent de ne pas chanter*... Mais au fond, c'est une expérience fascinante... et Mireille sait　55 qu'elle peut compter à fond sur moi...

MIREILLE DESTIER — Pour écouter les invendus sur ta chaîne hi-fi* !

OLIVIER DESTIER — Ça, au moins, je reconnais que c'est un avantage !

F.G

Q - Les adverbes

« Moi, ma fille, elle fait du piano ! »

La scène se passe à la porte d'une école primaire, à midi. Deux mères de famille bavardent en attendant la sortie des classes.

MME BLANC — Bonjour Mme MARTIN, ça va chez vous ?

MME MARTIN — Très bien, Mme BLANC, très bien. Et chez vous ? Comment va votre grande fille, je l'ai aperçue l'autre jour, au marché, qui faisait les courses ! Qu'est-ce qu'elle a grandi !

5 MME BLANC — Elle est au lycée maintenant, en 4e !

MME MARTIN — Comme le temps passe ! Je me rappelle quand elle était tout bébé... Eh oui ! Vous savez que mon fils veut une clarinette pour Noël !

MME BLANC — Moi, ma fille, elle fait du piano !

MME MARTIN — Ah !

10 MME BLANC — Oui, depuis six mois déjà et pour son anniversaire, on lui a même offert un piano !

MME MARTIN — Un piano ! Dites-donc ça doit prendre de la place !

MME BLANC — Il faut ce qu'il faut. Si on veut que les enfants s'intéressent...

MME MARTIN — Ça a dû vous coûter cher !

15 MME BLANC — C'est un piano droit que mon mari a eu d'occasion. C'est un de ses collègues du bureau qui joue dans un orchestre qui nous l'a trouvé.

MME MARTIN — Et ça lui plaît, à votre fille, le piano ?

MME BLANC — Oui, assez... Bien sûr, elle préférerait rester collée* à la télé*, mais on lui fait la guerre, et puis, elle a un bon professeur, un premier prix

R - La ponctuation 20 du Conservatoire. C'est cher, mais ça vaut la peine et ça peut lui donner des points en plus au bac* !

MME MARTIN — Moi, mon fils, il voudrait jouer dans un orchestre de jazz ! Il est vraiment mordu*. Dès qu'il a une minute, il écoute ses disques. On a dû lui payer un casque, parce que ça faisait trop de bruit ! Et il a un

25 machin* qu'il promène partout, même à ses cours. Il n'y a pas à dire, de mon temps, on ne serait pas allé à l'école avec un casque sur la tête ! Enfin, si on lui paye une clarinette, il va pouvoir monter un groupe avec des amis ; il ne pense qu'à ça !

MME BLANC — Heureusement qu'il ne vous a pas demandé un cor de chasse.

30 Le fils des DUPONT, il joue du cor. Eh bien ! le seul endroit où il peut s'entraîner à Paris, c'est sous un pont de la Seine. Ils se retrouvent là-bas toutes les semaines à plusieurs dizaines pour jouer du cor de chasse ! Vous vous rendez compte ?

MME MARTIN — Ah ! voilà les petits qui sortent ! Encore une chance qu'avec

35 les enfants de cet âge, on n'a pas tous ces soucis !

MME BLANC — Vous en faites pas Mme MARTIN : ça viendra, ça viendra, et vite !

CÔTÉ COUR

■ VOCABULAIRE ET EXPRESSIONS

brique (une)	= *(pop.)* un million
charrette (une)	= *(ici imagé)* une fournée, un groupe de condamnés
culot (le)	= *(pop.)* l'audace
emballer (s')	= *(fam.)* s'enthousiasmer
en avoir plein le dos	= *(fam.)* en avoir assez
être à la page	= être moderne
gonflé	= *(pop.)* courageux, résolu
hi-fi	= *(abrév. ang.)* haute fidélité
job (un)	= *(ang.)* un poste
lâcher	= *(fam.)* abandonner
lendemains qui chantent (les)	= un avenir meilleur
pépère	= *(fam.)* tranquille
se faire débarquer	= *(fam.)* se faire licencier

□ QUESTIONS SUR LE DIALOGUE

1) Quels sont les projets de Mireille DESTIER ?
2) Pourquoi Laure BONNÈRE n'est-elle pas d'accord avec son amie ?
3) Qu'est-il arrivé récemment à Laure ?
4) Quelle est l'opinion d'Olivier DESTIER ?
5) Quel est le métier d'Olivier ?
6) Quelles difficultés professionnelles rencontre-t-il ?
7) Pourquoi Mireille s'obstine-t-elle malgré les mises en garde de son entourage ?
8) À quels problèmes risque-t-elle de se heurter ?

CÔTÉ JARDIN

■ VOCABULAIRE ET EXPRESSIONS

bac (le)	= *(abrév. fam.)* le baccalauréat
machin (un)	= `*(fam.)* un objet - *(ici)* le mot désigne un baladeur, un lecteur de cassettes portable
mordu	= *(fam.)* passionné
rester collé à	= *(fam.)* ne pas quitter
télé (la)	= *(abrév. fam.)* la télévision

□ QUESTIONS SUR LE DIALOGUE

1) Que vous apprend le dialogue sur Mme BLANC et sur Mme MARTIN ?
2) Comment la fille de Mme BLANC étudie-t-elle le piano ?
3) Que pensez-vous de la vocation musicale de cette jeune fille ?
4) Comment se manifestent les goûts musicaux du fils de Mme MARTIN ?
5) De quel instrument joue le fils des DUPONT ?
6) Où s'entraîne-t-il ? Pourquoi ?

RÉGION : PROVENCE-ALPES-CÔTE D'AZUR

L'avenir gagne le Sud

Interview d'un responsable du conseil régional

Question : Comment la région a-t-elle évolué au cours des deux dernières décennies ?

RÉPONSE : Nice et les Alpes-Maritimes gardaient leurs produits de tourisme haut de gamme* avec une évolution vers le tourisme d'affaires ; la technologie « propre* » faisait son apparition avec succès à Sophia ; en revanche, le bassin marseillais restait en panne et même en grande crise. L'aire toulonnaise avait la chance de garder le plus grand port de guerre de la Méditerranée. Après la disparition des industries traditionnelles, avec la crise de la marine marchande qui frappait le monde maritime (transport, construction et réparation navale), il restait à Marseille le grand espoir du bassin sidérurgique de Fos-sur-Mer qui n'a pas donné les emplois espérés. La pétrochimie a connu une extension très importante. Mais c'est une industrie hautement automatisée, peu dispensatrice d'emplois.

Question : Aujourd'hui, la région mise sur la haute technologie. Une étude du conseil régional soulignait récemment l'importance du facteur humain ; quels sont, dans ce domaine, les atouts de P.-A.-C.A. ?

RÉPONSE : Sept mille chercheurs dont quatre mille dans les entreprises ; dix-huit mille techniciens de recherche, trois cent cinquante laboratoires avec les plus grands organismes de recherche représentés (C.N.R.S., C.E.A., etc.).

L'étude du conseil régional a fait apparaître des indicateurs très significatifs :
— première région française à l'indice de création d'entreprises ;
— première région française pour la productivité industrielle, supérieure de 20 % à la moyenne nationale ;
— deuxième région française pour l'innovation.

Question : Parlez-nous de la « Route ».

RÉPONSE : Le conseil régional P.-A.-C.A. a décidé en 1987 de lancer officiellement le concept de la Route des hautes technologies de l'Europe du Sud, partant de P.-A.-C.A., se poursuivant sur le Languedoc-Roussillon avec Montpellier, le Midi-Pyrénées avec Toulouse, jusqu'à la région Aquitaine avec Bordeaux. Concernant P.-A.-C.A., la Route c'est le programme d'aménagement de six technopôles*. Dans l'esprit de la région, les pôles technologiques rassemblent, sur un site unique, entreprises, organismes de recherche et d'enseignement supérieur, structures de transferts, de communication et de promotion.

Question : Vous évoquiez au début de cet entretien l'importance, pour l'agglomération toulonnaise, du port de guerre : quel est le rôle économique de l'armée dans la région P.-A.-C.A. ?

RÉPONSE : Dans la région P.-A.-C.A., l'armée a un poids considérable. À Toulon, la Marine nationale est chez elle avec la flotte française de la Méditerranée. Des milliers de salaires retombent sur la région avec les familles des marins. La D.C.A.N. (l'Arsenal) emploie 9 000 civils. Et, de plus, la Marine nationale dispose d'une multitude de laboratoires de recherches de hautes technologies. L'armée a besoin des P.M.E. et P.M.I. comme partenaires pour l'exploitation de certains brevets.

Question : Nous parlons surtout de haute technologie, mais la région P.-A.-C.A. est aussi connue pour ses ressources touristiques : la côte d'Azur, la haute Provence, etc.

RÉPONSE : P.-A.-C.A. est en effet la première région touristique d'Europe.

Avec 9 millions de visiteurs de juin à septembre, il y a là un secteur très important à valoriser et à développer. Toute une politique touristique à revoir, car les organismes professionnels fonctionnent encore selon les règles de l'âge d'or du tourisme. Pour l'heure, la région entend développer ses richesses touristiques qui restent un atout de premier plan.

Cette stratégie de développement touristique passe par l'image de marque. Elle n'est quelquefois pas très bonne, il faut le reconnaître. De part et d'autre, il faut faire évoluer les mentalités. Il serait souhaitable d'aider au développement touristique de l'arrière-pays (Provence - Var - pays niçois et Alpes du Sud). Et pour cela, il faut désenclaver* le haut pays.

D'APRÈS LE DOSSIER RÉALISÉ PAR L'EXPANSION - 6 NOVEMBRE 1987.

■ VOCABULAIRE ET EXPRESSIONS

désenclaver	= supprimer l'isolement d'une région
haut de gamme (le)	= les meilleurs d'une gamme, d'une palette de produits, d'activités
propre	= *(imagé)* la technologie qui ne produit pas de déchets ou de nuisances pour l'environnement
technopôle (un ou une)	= une zone industrielle qui réunit des entreprises, des laboratoires et des centres de formation

□ QUESTIONS SUR LE DOCUMENT

1) Quelles sont traditionnellement les régions touristiques de P.-A.-C.A. ?
2) Pourquoi Marseille a-t-elle connu de graves difficultés économiques ?
3) Pourquoi la haute technologie a-t-elle pu se développer dans la région ?
4) Quels sont les indicateurs qui témoignent de la vitalité de P.-A.-C.A. ?
5) Qu'appelle-t-on la « Route » ?
6) Pourquoi la Marine nationale joue-t-elle un rôle si important pour la prospérité de Toulon ?
7) Quelle est l'image du tourisme dans la région ? Pourquoi ?
8) Quelle est la situation des Alpes du Sud ?

Un centre (commercial) vous manque et tout est dépeuplé

[...] À l'instar de ces illustres ancêtres que sont le marché sur la place centrale, le souk ou le bazar dans d'autres contrées, le centre commercial est un facteur d'animation exceptionnel pour une cité.

Dans un premier temps, les centres commerciaux ont élu domicile* dans les zones périurbaines*.

Les promoteurs ont ensuite étendu leur intervention à la réhabilitation* du commerce en centre-ville. Resituer le négoce au milieu des activités humaines pour réhabiliter la ville, tel est devenu le mot d'ordre de la profession.

Pour ce faire, la maîtrise d'un mot clé est indispensable : IN-SER-TION.

Dans le tissu urbain tout d'abord, insertion dans le tissu social en second lieu. Mais la réanimation ne peut se faire que si l'opération en question répond à quatre facteurs de faisabilité* d'ordre politique, géographique, fonctionnel et économique.

La volonté politique est indispensable. [...] Les maires des grandes métropoles régionales sont conscients des menaces qui pèsent sur leur centre urbain à défaut de telles actions de revitalisation*.

Second facteur de faisabilité : la géographie de la cité. Un centre commercial ne peut trouver sa place que dans l'axe d'expansion d'une ville. Vient ensuite le souci de faisabilité fonctionnelle, car un équipement commercial doit être accessible à la fois aux piétons, aux automobilistes et aux usagers des transports en commun. Enfin, la faisabilité économique se pose avec d'autant plus d'acuité que les opérations de centre-ville sont plus coûteuses et plus longues à réaliser en fonction des critères d'insertion. Pour une municipalité, un centre commercial représente un apport d'emplois ainsi qu'une contribution non négligeable aux finances locales et aux équipements publics. [...]

En outre, il offre à de jeunes commerçants la possibilité de s'installer sans avoir à investir en un pas-de-porte*.

Pour la collectivité, les opérations d'urbanisme commercial permettent souvent l'implantation de nouveaux équipements. On peut noter d'ailleurs à cet égard qu'une tendance vers la réalisation de structures multifonctionnelles (logements, bureaux, hôtels, commerces, centres de réunions, parkings, etc.), se dégage. Sur ce plan, le savoir-faire des promoteurs de centres commerciaux est précieux pour les collectivités locales qui peuvent trouver en eux de véritables professionnels, capables de régler les problèmes techniques, juridiques, sociaux, politiques et économiques que soulève toute opération d'urbanisme commercial. Le temps est révolu, en effet, où l'on faisait de l'urbanisme commercial, à la manière de M. Jourdain, sans le savoir. Aujourd'hui, l'intuition des politiques doit s'appuyer sur le savoir-faire des spécialistes.

LE NOUVEL OBSERVATEUR - ÉCONOMIE - 22-28 MAI 1987 - C.N.C.C.

■ VOCABULAIRE ET EXPRESSIONS

élire domicile	= s'installer
faisabilité (la)	= (néologisme-prof.) la possibilité de réaliser un projet
pas-de-porte (un)	= somme payée au propriétaire pour pouvoir exploiter son fonds de commerce
périurbain	= situé autour des villes, en banlieue
réhabilitation (la)	= (ici) action de redonner de l'importance
revitalisation (la)	= (néologisme) action de redonner de la vitalité, de l'énergie, du dynamisme

☐ QUESTIONS SUR LE DOCUMENT

1) Où sont implantés les centres commerciaux ?
2) Quels sont les quatre facteurs de faisabilité cités dans le texte.
3) Quel est le rôle des élus locaux dans l'implantation de centres commerciaux ?
4) Qu'appelle-t-on « faisabilité fonctionnelle » ?
5) Quels sont les avantages d'un centre commercial pour une municipalité ?
6) Qu'appelle-t-on une « structure multifonctionnelle » ?

Super, les hypers !

La révolution de la télévente

Le grand commerce français (nombre de points de vente)

	+%	1982	1987
Hyper marchés	+ 40%	483	679
Super marchés	+ 38%	4 255	5 875
Centres commerciaux	+ 30%	377	491
Magasins de bricolage	+ 18%	1 536	1 815
Magasins populaires	— 9%	682	621
Grands magasins	— 34%	342	212

Source, "Points de vente"

L'EXPANSION - 6 NOVEMBRE 1987.

Le rayon crèmerie d'un hypermarché en région parisienne

Le numéro un français de l'électroménager lance son catalogue audiovisuel. [...] Un vidéodisque* fait défiler sur un téléviseur les articles commercialisés par Darty. Quatre de ces machines et un magasin de 60 mètres carrés suffisent pour montrer l'ensemble de la gamme. Sa présentation « en chair et en os »* occuperait 1 500 mètres carrés.

« *Notre enseigne ne couvre pas toute la France. Nous voulons multiplier les contacts avec les consommateurs, mais, par souci d'économie, sans exposer les produits. Ces robots sont la solution du moment à notre problème* », commente M. Yvan Dinand, directeur du développement du groupe Darty. « *Mais, à terme, nous voudrions déboucher sur la télédistribution.* »

C'est-à-dire la vente en direct de produits à la télévision. [...]

Les professionnels voient dans cette alliance avec la télévision la distribution de demain. Des études plus ou moins sérieuses prévoient pour les prochaines années une progression exponentielle des ventes effectuées par ce canal. [...] En France, à l'horizon 1995, elles pourraient représenter 25 % de l'ensemble des achats des ménages français.

VALEURS ACTUELLES - 3 SEPTEMBRE 1987 - JACQUES HENNO.

■ VOCABULAIRE ET EXPRESSIONS

en chair et en os = *(imagé)* en personne
vidéodisque (un) = un disque compact sur lequel sont enregistrées des images qui peuvent être lues à l'aide d'un ordinateur

☐ QUESTIONS SUR LE DOCUMENT

1) Pourquoi Darty a-t-il choisi la formule du catalogue audiovisuel ?
2) En quoi consiste ce catalogue ?
3) Quel avenir prévoit-on en France pour ce type de distribution ?

179

1883 - Émile Zola décrit le premier grand magasin parisien...

« Au Bonheur des Dames »

Mouret avait l'unique passion de vaincre la femme. Il la voulait reine dans sa maison, il lui avait bâti ce temple, pour l'y tenir à sa merci. C'était toute sa tactique, la griser d'attentions galantes et trafiquer de ses désirs, exploiter sa fièvre. Aussi, nuit et jour, se creusait-il la tête, à la recherche de trouvailles nouvelles. Déjà, voulant éviter la fatigue des étages aux dames délicates, il avait fait installer deux ascenseurs, capitonnés de velours. Puis, il venait d'ouvrir un buffet, où l'on donnait gratuitement des sirops et des biscuits, et un salon de lecture, une galerie monumentale, décorée avec un luxe trop riche, dans laquelle il risquait même des expositions de tableaux. Mais son idée la plus profonde était, chez la femme sans coquetterie, de conquérir la mère par l'enfant ; il ne perdait aucune force, spéculait sur tous les sentiments, créait des rayons pour petits garçons et fillettes, arrêtait les mamans au passage, en offrant aux bébés des images et des ballons. Un trait de génie que cette prime des ballons, distribuée à chaque acheteuse, des ballons rouges, à la fine peau de caoutchouc, portant en grosses lettres le nom du magasin, et qui, tenus au bout d'un fil, voyageaient en l'air, promenaient par les rues une réclame vivante !

Le Bon Marché. Gravure de l'Illustration, 1880

La grande puissance était surtout la publicité. Mouret arrivait à dépenser par an trois cent mille francs de catalogues, d'annonces et d'affiches. Pour sa mise en vente des nouveautés d'été, il avait lancé deux cent mille catalogues, dont cinquante mille à l'étranger, traduits dans toutes les langues. Maintenant, il les faisait illustrer de gravures, il les accompagnait même d'échantillons, collés sur les feuilles. C'était un débordement d'étalages, le Bonheur des Dames sautait aux yeux du monde entier, envahissait les murailles, les journaux, jusqu'aux rideaux des théâtres.

Il professait que la femme est sans force contre la réclame, qu'elle finit fatalement par aller au bruit. Du reste, il lui tendait des pièges plus savants, il l'analysait en grand moraliste. Ainsi, il avait découvert qu'elle ne résistait pas au bon marché, qu'elle achetait sans besoin, quand elle croyait conclure une affaire avantageuse ; et, sur cette observation, il basait son système des diminutions de prix, il baissait progressivement les articles non vendus, préférant les vendre à perte, fidèle au principe du renouvellement rapide des marchandises. Puis, il avait pénétré plus avant encore dans le cœur de la femme, il venait d'imaginer « les rendus », un chef-d'œuvre de séduction jésuitique. « Prenez toujours, madame : vous nous rendrez l'article, s'il cesse de vous plaire. » Et la femme, qui résistait, trouvait là une dernière excuse, la possibilité de revenir sur une folie : elle prenait, la conscience en règle. Maintenant, les rendus et la baisse des prix entraient dans le fonctionnement classique du nouveau commerce.

Mais où Mouret se révélait comme un maître sans rival, c'était dans l'aménagement intérieur des magasins. Il posait en loi que pas un coin du Bonheur des Dames ne devait rester désert ; partout, il exigeait du bruit, de la foule, de la vie ; car la vie, disait-il, attire la vie, enfante et pullule.

AU BONHEUR DES DAMES, ÉMILE ZOLA, CHAPITRE IX.

ASSURANCES

Les trois défis

Les assureurs se trouvent confrontés à trois défis : la clarification de leurs produits, la modernisation de la distribution et la menace étrangère.

Jusqu'à ces dernières années, un particulier qui sous-crivait* un contrat d'assurance-vie se couvrait contre des risques, celui du décès principalement. Les compagnies traditionnelles et leurs réseaux d'agents* et de courtiers* étaient seuls à occuper ce terrain parfaitement localisé et surprotégé.

Les assureurs sont aujourd'hui emportés par la dérèglementation et le décloisonnement des marchés financiers. De nouveaux venus se sont engouffrés sur le marché de l'assurance-vie, derrière lequel se profile celui de la retraite complémentaire, promis à un bel avenir. En sens inverse, les compagnies d'assurance se sont elles-mêmes placées sur le terrain de l'épargne à long terme, chasse gardée* des banquiers et de l'ensemble des professions financières. [...]

Autre défi : celui de la commercialisation des produits. Le mode de distribution traditionnel, par agents généraux et courtiers, s'est affronté aux nouvelles techniques de marketing. Les banques se sont lancées dans la bataille avec leurs réseaux. D'autres établissements financiers ont utilisé leurs fichiers clients et leur savoir-faire en matière de vente par correspondance pour occuper le créneau* à moindres frais. Certains grands magasins, qui se sont déjà lancés dans la vente de contrats d'assurances-dommages, commencent à s'attaquer au marché de l'assurance-vie.

Avec l'internationalisation des marchés financiers et la libéralisation des services dans le cadre européen et même mondial, c'est le dernier verrou derrière lequel se barricadaient les assureurs nationaux qui est appelé à sauter. Avec des taux de croissance de 30 % par an, l'assurance française ne laissera pas longtemps indifférentes les compagnies étrangères les plus puissantes. À titre de comparaison, les actifs* de la Metropolitan Life, l'une des premières compagnies américaines, représentent à eux seuls 1,5 fois la totalité des place-

ments de l'ensemble des compagnies françaises. [...] Face à tous ces défis, présents ou à venir, les compagnies ne manquent pas d'atouts : elles ont réussi en peu de temps un beau redressement de leur image et un sérieux toilettage* de leurs produits. Les énormes plus-values tirées de l'euphorie boursière leur ont apporté une aide providentielle dans ce qui s'annonce pour elles comme une véritable mutation.

VALEURS ACTUELLES - 20 OCTOBRE 1986.

■ VOCABULAIRE ET EXPRESSIONS

actifs (les)	= les biens qui figurent à l'actif du bilan
agent général (un)	= il représente une société d'assurance - il exerce une profession libérale
chasse gardée (une)	= *(ici)* une activité réservée
courtier (un)	= le courtier d'assurance est un commerçant qui représente les assurés auprès de la compagnie d'assurance
créneau (un)	= *(ici)* un secteur d'activité
marketing (le)	= *(ang.)* la mercatique, ensemble des méthodes de promotion et de vente
souscrire un contrat	= signer un contrat
toilettage (un)	= un nettoyage, une remise à neuf

□ QUESTIONS SUR LE DOCUMENT

1) Quels sont les trois défis auxquels sont confrontés les assureurs français ?
2) Pourquoi dit-on que le terrain de l'assurance-décès était « parfaitement localisé et surprotégé » ?
3) Quelles ont été les conséquences de l'évolution de la législation en matière d'assurance ?
4) Qui sont, aujourd'hui, les concurrents des assureurs traditionnels ?
5) Quels sont les atouts des compagnies d'assurance face à cette concurrence ?

ARTS ET PATRIMOINE : MUSIQUE

À la Bastille !

[...] Qui le premier a prononcé le nom de la Bastille ? On l'ignore, mais le 9 mars 1982, François Mitterrand annonçait la création d'un opéra « moderne et populaire » à la Bastille. Par moderne, entendons « fonctionnel » et par « populaire » la possibilité d'accueillir un public plus nombreux à un prix moins élevé (le prix du fauteuil d'orchestre à Garnier est de 550 francs). Un jury de 22 membres sélectionna le 30 juin 1983 six lauréats parmi 756 candidats venus du monde entier. Le président de la République en retint trois, dont celui de Carlos Ott, Canadien d'origine uruguayenne. M. Chirac, maire de Paris, fit savoir que ce projet avait sa préférence. Le 17 novembre, M. Mitterrand choisissait ce même architecte dont le projet assure toutes les fonctions du programme dans le difficile terrain triangulaire inscrit entre les rues de Lyon et de Charenton. Si la Bastille devenait le nouveau temple du chant, qu'allait-on faire de « Garnier » ? Une commission présidée par Maurice Fleuret, directeur de la Musique et de la Danse, statua en faveur de la dominante chorégraphique au palais Garnier. Il serait tout à fait ruineux, en effet, d'entretenir à Paris, deux opéras, d'autant que le Châtelet et le Théâtre des Champs-Élysées [...] offrent l'un et l'autre une programmation lyrique attrayante. Mais cette affectation prioritaire du palais Garnier à la danse souleva chez les musiciens une tempête de protestations et chez les critiques de danse, indifférence voire rejet. On découvrit l'existence de 450 places à mauvaise visibilité sur 1 991. C'est exact mais l'inconvénient ne compte plus si l'on danse beaucoup plus souvent. On peut même retirer les mauvaises places de la vente.

Un objectif raisonnable serait de présenter 170 spectacles chorégraphiques par an : 130 par le Ballet de l'Opéra et 40 par des compagnies invitées (Maurice Béjart, Ballet de Marseille-Roland Petit, New York City Ballet, etc.). Dans un théâtre de 1 500 places, 250 000 spectateurs seraient accueillis par an, le double du chiffre actuel. [...]

Les deux théâtres auront l'un et l'autre des activités lyriques et chorégraphiques, mais [...] les moyens artistiques et financiers iront vers le théâtre le plus fonctionnel c'est-à-dire la Bastille, lieu de production unique des ouvrages lyriques. Garnier pourra, certes, accueillir des séries lyriques produites par la Bastille ou d'autres théâtres, mais ce sera d'abord le lieu de travail et de représentations d'un ballet fort de 150 danseurs. Ainsi revient-on à la formule des « dominantes », définie quatre ans plus tôt. [...]

LE SPECTACLE DU MONDE N° 305 - AOÛT 1987 - MAURICE EISNER.

◀ Maquette de l'Opéra de la Bastille

☐ QUESTIONS SUR LE DOCUMENT

1) Qu'entend-on, pour l'Opéra de la Bastille, par « moderne » et « fonctionnel » ?
2) Comment le projet de l'architecte Carlos Ott a-t-il été choisi ?
3) Quels sont les inconvénients de la salle Garnier ?
4) Quelle sera l'affectation de l'Opéra de la Bastille ?
5) À quoi sera consacrée la salle Garnier ?

Amateurs : le bonheur en plus

Fanfare municipale

Le bonheur est-il dans la musique ? Ils sont, en tout cas, des centaines de milliers en France à faire de la musique « en amateur ».
[...] Être amateur, c'est être médiocre, traduit-on. Mais les professionnels savent la vérité, eux. Certains musiciens amateurs atteignent un talent technique et possèdent une valeur artistique propre à en remontrer à nombre d'entre ceux dont la musique est le métier, les « musicos ». Évidemment, être musicien amateur, c'est tout simplement ne pas tirer de revenus de son instrument. Or, ils sont des centaines de milliers en France à pratiquer un instrument avec plus ou moins de bonheur, plus ou moins de fréquence, et en groupe — car être musicien, c'est avant tout jouer avec d'autres. [...] Ils sont 900 000 personnes, adolescents ou adultes, passés en 1985 dans les divers centres de musique, conservatoires municipaux ou instituts privés. Ils n'en restent pas là. Lorsque l'école est finie, ils se retrouvent et forment des groupes.

Telle est l'heureuse rançon du boom sur la vente des instruments de musique qu'on décela au début des années quatre-vingt. Car non seulement les amateurs ne gagnent rien, mais ils s'endettent pour leur passion. Due à la fois à l'augmentation du pouvoir d'achat, à celui du temps des loisirs et à la démultiplication des moyens de diffusion, elle fait suite à une très ancienne tradition de « musique populaire » en France, née sous Napoléon Ier. [...]
En 1925, on dénombrait comme un triomphe près de 300 000 musiciens de cette sorte. Cette année, ils ont dépassé le million. Poussée démographique oblige, évidemment, mais aussi éclosion de nouvelles formes musicales, celles du jazz, puis du rock. Malgré tout, le ministère de la Culture déclarait récemment que *« la moitié au moins des musiques populaires étaient encore le fait de la mouvance traditionnelle des harmonies, fanfares et batteries »*. D'ailleurs, ces sociétés musicales persistent à augmenter : 5 000 en 1977, 6 000 en 1984. Et en 1986, il se créait encore davantage d'harmonies et de fanfares que de sociétés de musique classique, légère ou de jazz réunies ! Et encore plus de chorales. [...]

LE POINT N° 796 - 21 DÉCEMBRE 1987 - ANDRÉ-JEAN LAFAURIE.

Carrière, famille, séduction

Mais comment font-elles ?

Métro-boulot-fourneau.
Une femme active avec un enfant travaille 70 heures par semaine contre 59 pour un homme.
Les superfemmes sont fatiguées.

Mères, épouses, femmes actives... elles remplissent tous les rôles et sont sur tous les fronts. À les voir ainsi courir le matin de l'école des enfants à leur entreprise, à les voir jongler entre les courses, les inscriptions au judo et les rendez-vous chez le pédiatre, sociologues et médecins se demandent : comment font-elles ? Elles aussi commencent à se poser la question.

Car les voilà qui se rendent compte soudain qu'elles se trouvent prises au cœur d'un tourbillon de rôles conflictuels, victimes des effets pervers de vingt ans de militantisme : elles ont conquis toutes les citadelles professionnelles occupées jusque-là par les hommes. Mais ceux-ci n'ont pas su, ou pas voulu, faire le chemin inverse et les remplacer — un peu — dans leurs tâches domestiques.

Victimes, aussi, d'une illusion d'optique, ou plutôt d'une illusion médiatique. On les voit partout, en effet. Ces dernières années, la publicité comme les journaux féminins ont largement encouragé — sinon exhorté — les femmes à développer les « mille facettes de leur personnalité ». On s'est dopé de formules et de slogans. [...]

Mais ces « femmes pressées », qui sont-elles ? Soixante-dix pour cent de femmes actives, qui sont mères d'au moins un enfant. Parmi elles, le C.C.A. (Centre de communication avancée) recense 14 % d' « activistes », ou « femmes à carrières ». Ces mutantes ont entre 30 et 40 ans, elles sont ambitieuses ; le plus souvent mariées, mères et débordées, et disposent d'une importante autonomie financière.

Or, malgré ces bouleversements par rapport à la génération de leurs mères, rien de nouveau sous l'abat-jour. Les statistiques de l'I.N.S.E.E. le montrent. Aux rôles traditionnels des femmes se sont simplement greffées les exigences modernes : mener une carrière « épanouissante », prendre soin de son corps, cultiver son esprit... Rien d'étonnant, donc, si les médecins généralistes voient affluer dans leurs cabinets des femmes surmenées, dont certaines commencent à rejeter le modèle de « superfemme active ». [...]

Il y a quelques années, les « nouveaux hommes » comme les « nouveaux pères » faisaient la une des magazines. Mais les statistiques montrent que seul un mince pourcentage de jeunes pères entre 20 et 30 ans répond à ces critères. [...]

[Leur] contribution aux tâches ménagères, l'I.N.S.E.E. l'a récemment mesurée. Et même chronométrée. Conclusions ? Depuis 1975, le temps consacré par les hommes à la maison a augmenté de 20 minutes, et celui des femmes a diminué de... 3 minutes. Mince progrès. L'I.N.S.E.E. a également montré que les femmes cumulent deux journées dans une. Un exemple : une femme active ayant au moins un enfant consacre chaque semaine au « travail domestique » (de la cuisine au ménage en passant par les courses et les soins aux enfants) 36 h 20 mn, contre 57 h 55 mn pour une femme au foyer. À quoi s'ajoutent 34 h 15 mn de travail professionnel. Des semaines de 70 heures. Dans le même temps, toujours selon l'I.N.S.E.E., un homme aura travaillé 59 heures au total, dont seulement 13 consacrées essentiellement à des activités domestiques de « rangement » et « jardinage ».

Bien des hommes, aujourd'hui, affirment faire, de temps à autre, la vaisselle et la cuisine. En chiffres, cela donne 2 h 25 mn par semaine pour les hommes, contre 11 h 35 mn pour les femmes. Quant au ménage et à la lessive, les femmes actives y consacrent 9 heures, tandis que les hommes y passent à peine 45 minutes par semaine. Autres chiffres : la lecture occupe les femmes 1 h 30 mn contre 3 h 10 mn pour les hommes. La situation est la plus difficile, bien sûr, dans les

classes moyennes, où les femmes ne bénéficient pas d'aide ménagère. Elles s'épuisent en repassage et en courses dans les supermarchés ouverts pour elles jusqu'à 22 heures. [...]

Reste que l'on observe chez une majorité de « superfemmes » une véritable incapacité à déléguer leurs pouvoirs de mère et de régente. Une forme de narcissisme ? [...] Crainte ancestrale, aussi, de perdre un peu de leur identité séculaire de gardiennes du foyer. [...]

Il faut ajouter à tout cela les failles des pouvoirs publics, qui réclament des enfants pour la France, mais ne parviennent pas à créer des crèches en nombre suffisant. Obtenir une place relève du parcours du combattant. S'y prendre à l'avance, dès l'annonce de la grossesse, ne garantit rien. À Paris, cette année, 35 000 jeunes couples se sont vu refuser une place pour leur enfant. On recense en France 300 000 places dans les crèches. Or, les enfants de 0 à 3 ans dont les mères travaillent sont au nombre de 1 million. Le travail à temps partiel ? Il représente à peine 10 % des emplois salariés, et n'a trouvé sa place que dans la fonction publique.

Résultat : les « superfemmes » sont débordées. Mais rares sont celles qui, selon l'expression de Christiane Collange, voudraient « rentrer à la maison ». Elles ne reviennent pas non plus sur les acquis du féminisme, mais elles rejettent en bloc l'agressivité de leurs prophétesses : 64 %, selon un sondage Sofres-*Clair Foyer*, estiment que la condition des femmes s'est améliorée, mais qu'il reste beaucoup à faire. [...]

LE POINT N° 782 - 14 SEPTEMBRE 1987 - ROSELYNE BOSCH.

☐ QUESTIONS SUR LE DOCUMENT

1) Quels rôles cumulent les femmes actives ?
2) Expliquer l'expression « métro-boulot-fourneau » ? À quoi fait-elle allusion ?
3) À quoi est due cette situation souvent difficile ?
4) Qui sont les femmes actives ?
5) Comment ont évolué les hommes ?
6) Quels sont les principaux résultats de l'enquête de l'I.N.S.E.E. ?
7) Pourquoi les femmes ont-elles souvent du mal à déléguer leurs pouvoirs de femme au foyer ?
8) À quelles difficultés pratiques se heurtent les femmes qui travaillent ?
9) Sont-elles prêtes à « rentrer à la maison » ? Pourquoi ?

Le panier de la solitaire

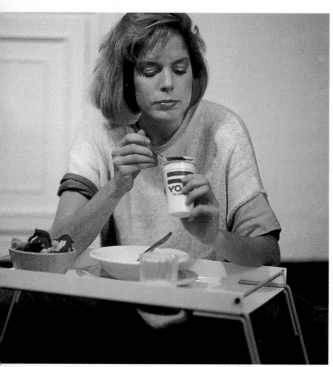

Le dîner d'une célibataire

Voyages, fringues*, beauté, elle est plus cigale que fourmi.

La célibataire est bonne consommatrice, avec (un peu) plus d'argent et de temps. [...] Qu'en fait-elle ? Premier poste de dépenses : la maison (27 % de son budget). Elle est plutôt locataire (68 %) et préfère le centre-ville : la trépidation urbaine lui tient compagnie. Son home sweet home* se résume à un studio ou un deux-pièces, rarement plus. [...] Elle se considère en transit mais n'hésite pas à investir son temps et son talent dans le bricolage.

Notre héroïne rentre le soir chez elle entre 19 h et 20 h, sans avoir prévu le repas. Alors elle passe chez l'épicier, achète une ou deux tranches de jambon, des yaourts, un potage en sachet. [...] Dans sa cuisine, elle pique-nique plus qu'elle ne dîne. Avec son chat : 38 % des femmes célibataires ont un animal domestique. [...] Budget bouffe* : 19 %.

Diététique, oui, look* oblige ; et gymnastique. [...]

Look encore : le poste fringues absorbe 10 % de son budget. Par coup de cœur. Look toujours : elle peut passer du jean-pull le jour au noir femme fatale le soir.

Car elle sort beaucoup (8 % de ses dépenses). Deux ou trois fois par semaine au cinéma ou au théâtre, autant de fois au restaurant. Pas de temps morts, jamais ! Des livres et la télé, une à trois heures par jour. Culture, toujours ! Mais aussi, une sur dix s'avoue « pendue au téléphone ». [...]

La machine qu'elle aime, chez elle, est un appareil à touches, noir, moissonnant les messages amicaux : bref, son répondeur qui l'accueille le soir avec toutes ces voix. Ou le silence.

Seule au milieu des couples ? Le sentiment d'exclusion la pousse parfois à consommer au club. Club de loisirs, s'entend, « pour voir de nouvelles têtes ». [...]

Cette délurée* a des week-ends coûteux. Elle dépense dix fois plus qu'une femme mariée. Et part loin pour ses vacances (7 % de son budget). Une fois sur cinq en voyages organisés. [...]

Consommatrice satisfaite ? Le G.R.A.P.S. (Groupe de recherche et d'action en faveur des personnes seules), qui n'en croit rien, est parti depuis longtemps en croisade contre la discrimination dont est victime le ou la célibataire. Elle paie chèrement sa différence au fisc (11 % de son budget) ; à la S.N.C.F., elle a toujours droit au plein tarif ; en vacances, les hôtels parfois ne proposent que des chambres doubles assorties de deux petits déjeuners ; en province, les grandes surfaces ignorent les portions individuelles : 8 croquettes de poisson ou rien ! Célibataire : de la consommation heureuse à la consommation forcée.

LE NOUVEL OBSERVATEUR - 23 OCTOBRE 1987 -
CAROLINE BRIZARD.

■ VOCABULAIRE ET EXPRESSIONS

bouffe (la)	= *(pop.)* l'alimentation, les repas
délurée (une)	= *(ici)* adjectif employé comme nom : une fille vive, éveillée
fringues (les)	= *(argot)* les vêtements
home sweet home	= *(ang.)* foyer, doux foyer
look (le)	= *(ang.)* l'apparence

Florence, fiancée de l'Atlantique

« *J'adore la course en solitaire. C'est la solution la plus facile pour être seule. C'est tellement simple d'être maître de ta vie quand tu fais face à des éléments qui te dépassent complètement, sur lesquels tu n'as aucune prise.* » Les autres, les gros bras* de la course au large, l'appellent parfois la Princesse. Mais le royaume que s'est bâti Florence Arthaud, c'est la solitude.

Elle dit tranquillement : « *Il y a eu une force inconsciente qui m'a poussée presque malgré moi vers le large. Avant de naviguer, j'avais entrepris des études de médecine. J'aurais pu être chirurgien, parce que je suis très manuelle et j'aime la mécanique ! Mais ça a été plus fort que moi. Je serais incapable de dire pourquoi je me suis retrouvée à 20 ans seule au milieu de l'Atlantique.* »

C'était en 1978, lors de la première Route du Rhum, celle qui a provoqué les naufrages de Pajot et de Riguidel, et qui a vu la disparition d'Alain Colas. Florence a terminé dixième. Quatre ans plus tard, en arrivant dans le port de Pointe-à-Pitre, elle est entrée dans le Livre des Records. Elle était la première femme à traverser l'Atlantique en course en solitaire sur un multicoque géant. Elle avait réalisé l'un des meilleurs temps de la deuxième Route du Rhum. En 1986, elle a mené de l'autre côté de l'océan un engin à deux coques de 23 mètres, nettement plus vaste qu'un court de tennis. Affronter le golfe de Gascogne en hiver sur une machine pareille, c'est embrasser l'épouvante et regarder la mort en face. « *Mais non,* rigole-t-elle*. Le solitaire, il n'y a rien de mieux. En mer je ne pense à rien, c'est génial de ne penser à rien. Je ne réfléchis pas. J'ingurgite des émotions, je ressens tout de façon simple, naturelle, quasi bestiale. Je vis les choses avec une force incroyable parce que je les vis d'une façon complètement égoïste.* »

Florence Arthaud a les cheveux longs, le regard de l'aventure et le mental de l'emploi. Elle laisse babas* d'admiration tous les marins qui accompagnent sa traversée de l'existence en solitaire. Elle n'a pas de mari, pas d'enfant, pas de prince charmant. Elle a choisi de vivre « comme un mec* ». Et ça choque. « *Les gens ne comprennent pas. Une femme qui vit seule,*

Florence Arthaud

parce qu'elle l'a choisi, c'est rarissime. » Mais n'allez pas faire de Florence Arthaud un ermite. Elle veut vivre autonome et libre. En même temps, elle reconnaît : « *J'adore me retrouver au milieu de mes amis, j'aime savoir que je suis entourée et j'aime être fiancée pas seulement à l'Atlantique. Mais c'est pas une raison pour devenir esclave.* »

LE NOUVEL OBSERVATEUR - 23 OCTOBRE 1987 - OLIVIER PÉRÉTIE.

■ VOCABULAIRE ET EXPRESSIONS

baba	= *(fam.)* frappé d'étonnement
gros bras (un)	= *(fam.)* un homme solide
mec (un)	= *(arg.)* un homme
rigoler	= *(fam.)* rire

☐ QUESTIONS SUR LE DOCUMENT

1) Pourquoi a-t-on surnommé Florence « la fiancée de l'Atlantique » ?
2) Comment est-elle devenue « navigatrice solitaire » ?
3) Quand est-elle devenue célèbre ?
4) Comment réagit-elle quand on lui parle des dangers qu'elle doit affronter ?
5) Pourquoi les gens ne la comprennent-ils pas ?

Marcel Pagnol

Marcel Pagnol est probablement l'écrivain français le plus populaire de ce siècle. Les écoliers l'étudient en « morceaux choisis » depuis des décennies ; Hollywood à son apogée lui fit des triomphes et le considéra comme l'un des siens. Son œuvre a inspiré des films jusqu'en Chine. [...]

On le savait de l'espèce des vainqueurs, mais une suite presque ininterrompue de succès publics avait fini par établir la légende commode d'une chance plus qu'insolente. Pagnol serait né sous une telle étoile que l'échec devait lui demeurer inconnu. Raymond Castans[1] démontre que cette chance ne fut pas la cause de cette carrière inouïe, mais le résultat de la conjonction d'une vocation, d'un talent et d'une volonté rares. Talent d'exprimer dans leur plus parfaite justesse et simplicité les passions universelles. Volonté de devenir riche.

Complètement ignorés aujourd'hui, sinon de ses familiers, les débuts de Pagnol sont bien ceux d'un ambitieux exemplaire, que nul échec ne décourage, à qui ils servent au contraire de tremplin.

Il est né le 28 février 1895 à Aubagne, dans les Bouches-du-Rhône, d'un père instituteur, « parangon de ces missionnaires laïques de Jules Ferry », et de la fille d'un mécanicien de machines à vapeur d'origine bretonne, fervente catholique. Marcel a cinq ans lorsque son père, Joseph, est nommé à l'école des Chartreux, à Marseille, qu'il ne devait plus quitter. Étroitement surveillées par ce père, ses études primaires sont brillantes ; Marcel est premier à peu près en tout.

Dès le lycée, où son père a insisté pour qu'il fasse du latin, afin de devenir professeur, les choses se gâtent. Mais une vocation littéraire se déclare, qui se traduit par l'envoi de vers à la revue bimensuelle *Massilia*. En quatrième, redoublant, il se lie pour la vie à un certain Albert Cohen, futur auteur de *Belle du Seigneur*. Il se passionne pour les poètes latins, qu'il lit dans le texte. Pendant ce temps, à la maison, si ce n'est pas la misère, c'est la gêne. Bachelier en 1913, Pagnol fonde en 1914 la revue *Fantasio*, dans le propos délibéré, à l'âge de dix-neuf ans, d'en faire le fondement d'une carrière. Mobilisé fin 1914, il est réformé en janvier 1915. L'année suivante, il se marie avec Simone Colin, et obtient à Montpellier sa licence de lettres. Et le voilà enseignant, de lettres et d'anglais, à Tarascon, à Pamiers, à Aix-en-Provence.

À travers ces mutations, Marseille demeure le vrai centre de sa vie et de ses amitiés, presque toutes littéraires. Interrompue une première fois, la revue *Fantasio* est relancée par ses soins en 1920. Un deuxième échec ne le décourage pas. Il est certain de réussir, et il la relance l'année suivante, le 1er janvier. « *Il faut laisser au public*, dit-il à ses amis déconfits, *le temps de nous apprécier.* » En collaboration avec le journaliste Paul Nivoix, il écrit deux pièces : un vaudeville, *Tonton,* et un drame, *Battling Pegula et son manager.* Les deux amis se démènent pour les faire représenter, sans succès. Il sent bien que la réussite ne peut venir que de Paris, mais il hésite à s'y installer. Le sort décide pour lui : en 1922, il est muté dans la capitale, au lycée Condorcet. [...]

Un événement d'apparence minuscule l'ancre dans sa confiance en soi. Son vaudeville *Tonton* est joué à Marseille. C'est un four, qui lui rapporte néanmoins sept cents francs, « presque quatre fois son traitement

Affiche de Marius, par Dubout, collection galerie Yull

mensuel de Condorcet, note Raymond Castans, pour des droits d'auteurs partagés à trois ». Un succès écrit seul, joué toute une saison, lui aurait rapporté, calcule-t-il très vite, ... une somme qui lui donne le vertige. « *En attendant,* note-t-il, *je dépense pour manger et pour dormir cinquante francs de plus que ce que je gagne. C'est du Zola.* »
Il constate, ne se plaint pas. [...]
Au mois d'avril 1925, avec son complice Paul Nivoix, il réussit à faire jouer *Les Marchands de gloire* au théâtre de la Madeleine, devant la salle la plus brillante : Elvire Popesco, Colette, Pierre Benoît. Nouvel échec. [...]

Peu à peu, les événements le renforcent dans ses certitudes. Ses finances s'améliorent. *Battling Pegula*, devenu *Un direct au cœur*, a été joué à Lille ; *Les Marchands de gloire* ont connu le succès lors d'une tournée dans l'Est. Ils ont été représentés à New York. Le total des droits... « *me permet de vivre largement avec mon auto* », note Pagnol. [...]
Topaze, histoire d'un « pion » idéaliste bouleversé par la découverte de la politique et de ses combines, est créé le 9 octobre 1928 au théâtre des Variétés. La veille, Max Maurey, son directeur, qui a tout fait pour revenir sur son engagement de monter la pièce, car il n'y croit plus du tout, a déclaré à Pagnol en guise d'encouragement : « *Au théâtre, on n'est jamais sûr de rien, pas même d'un four.* »
Le rideau se lève peu après 21 heures. À minuit, Pagnol est célèbre. Cinq mois plus tard, au théâtre de Paris, chez les Volterra, *Marius*, avec Raimu, était un deuxième coup de tonnerre ; doublé unique dans toute l'histoire du théâtre. La gloire, pour Pagnol, ne devait plus cesser de se confondre avec la fortune.

LE PAGNOL DE CASTANS -
LE SPECTACLE DU MONDE N° 304 - JUILLET 1987 - ÉRIC DESCHODT.

1. *Marcel Pagnol,* par Raymond Castans, Lattès, 1987.

☐ **QUESTIONS SUR LE DOCUMENT**

1) À quels facteurs les succès de Pagnol sont-ils dus ?
2) Qu'apprend-on sur les études et les premiers métiers de Marcel Pagnol ?
3) Quelle est l'influence de ces premières expériences sur son œuvre ?
4) Citez quelques-unes de ses premières œuvres.
5) Dans quelles conditions a été créée sa pièce *Topaze* ?
6) Quelle autre pièce connut un succès immédiat ?

TROIS ÉTOILES

AU SOMMAIRE DU DOSSIER 10

POUR L' « EUROPE »

LA RÉGION

ALSACE

L'Alsace est une région très peuplée dont les traditions agricoles (céréales, houblon, vigne, etc.) et industrielle (notamment textile) sont très anciennes. Grâce au Rhin, c'est un grand lieu de communication, où se sont développées les activités du tertiaire (tourisme et commerce international).

Strasbourg, capitale régionale, métropole économique et intellectuelle de l'Alsace, est le siège du Parlement européen. C'est aussi le premier centre français de recherche fondamentale après Paris.

Strasbourg

LE SECTEUR D'ACTIVITÉ

Le tourisme regroupe des activités fort diverses (l'hôtellerie, la restauration, les agences de voyages, les transporteurs...) qui doivent répondre à des besoins très variés : tourisme de loisirs, tourisme d'affaires, etc. Considérée comme une activité de pointe en France, grande pourvoyeuse en devises étrangères, cette branche professionnelle souffre de la présence, à côté de grands groupes créatifs et organisés, d'une quantité de petites entreprises mal préparées aux exigences d'une clientèle de plus en plus sélective.

CÔTÉ COUR...

Un couple d'hôteliers
prépare sa saison

L'ENTREPRISE

L'EUROPE est un hôtel « trois étoiles », indépendant, de 200 chambres, très bien situé en bordure de la ville. La direction de l'établissement cherche à redéfinir sa stratégie pour tenir compte de l'évolution de la profession et s'adapter aux nouvelles formes du tourisme.

LA SITUATION

Hervé et Éliane HERTZLING préparent le programme des activités de l'hôtel et réfléchissent à l'avenir de leur établissement.

PROFILS

HERVÉ HERTZLING
42 ans
Hôtelier de père en fils
Dirige l'hôtel et s'occupe
plus particulièrement du
restaurant

ÉLIANE HERTZLING
37 ans
Fille de restaurateurs
Chargée de l'activité
« tourisme d'affaires »

HERVÉ HERTZLING — Ouf ! Rude journée ! Tu sais, on a encore eu des problèmes avec la nouvelle chambre froide : le thermostat faisait des siennes*... et le réparateur n'est venu qu'en fin de matinée ! Avec près de deux cents couverts* au déjeuner, ça a failli être la panique !

5 ÉLIANE HERTZLING — C'est réparé ?

HERVÉ HERTZLING — Oui, mais je vais avoir l'œil sur* l'installation et j'envoie une lettre de réserves* au fournisseur ! Je le croyais plus sérieux que cela.

ÉLIANE HERTZLING — J'ai fait le point des réservations pour le deuxième trimestre : on tourne* à 85 % en moyenne avec des pointes pour Pâques :
10 j'ai une liste d'attente de quinze personnes !

HERVÉ HERTZLING — En tenant compte des travaux de rénovation du dernier étage ?

ÉLIANE HERTZLING — Oui, vingt-cinq chambres condamnées pour un mois. Il va falloir insister auprès des ouvriers pour qu'ils fassent le moins de bruit
15 possible. Mais après... nous serons tranquilles pour quelque temps.

HERVÉ HERTZLING — Et les séminaires ?

ÉLIANE HERTZLING — On en parle maintenant ? Il est bien tard !

HERVÉ HERTZLING — Demain on va être tout le temps sur le pont* : avec le groupe des pétroliers qui commence son congrès et la commission du

tricentenaire ; pendant une semaine, on n'aura pas une minute à nous ! 20

ÉLIANE HERTZLING — Tu as raison, autant en parler tout de suite. En ce qui concerne l'activité « affaires », j'ai demandé à la comptabilité une analyse des coûts pour savoir où on en est. C'est tout à fait rentable — tu pourras voir les chiffres par toi-même —, mais il faut qu'on s'organise autrement. Pour l'instant, tout repose sur moi et si je ne suis pas là pour veiller à la 25 disposition des tables, à l'affichage ou au matériel audiovisuel, c'est la débâcle. Trop dangereux.

À mon avis, si on doit intégrer cette activité à hauteur de* 40, 45 % du total, il nous faut une direction bicéphale : un responsable à plein temps, du type jeune diplômé de grande école qui connaît l'activité de « l'inté- 30 rieur », c'est-à-dire qui a été lui-même séminariste* ou congressiste et qui pourra m'aider pour tous les détails d'organisation.

T - La césure des mots

HERVÉ HERTZLING — Un... ou une : moi, je préférerais une assistante à plus fiable pour les détails... et qui a plus de chances de rester.

Entendu, on regarde demain soir le budget et, sous réserve qu'on équilibre 35 sur le plan financier, on se lance en campagne. C'est urgent.

ÉLIANE HERTZLING — D'autre part, je pense qu'on pourrait améliorer le système de réservation : d'accord, on a le télex, mais si on pouvait être en liaison informatique avec quelques grosses agences parisiennes ou étrangè-res, cela augmenterait le taux d'occupation. 40

S - Les accents

HERVÉ HERTZLING — Ce n'est pas évident, mais j'ai envie d'en parler à VORCE, de la Fédération du tourisme : il faudrait voir de plus près ce qui existe sur le marché.

De mon côté, j'ai recontacté PUBLICAL, pour notre campagne de publicité de la prochaine saison : on hésite encore entre les thèmes : 45 « Europe pour l'Europe » en jouant sur l'Europe, ou « Trois Étoiles pour l'Europe » en insistant sur le niveau de prestations... À voir.

ÉLIANE HERTZLING — En tout cas, tu gardes l'Europe : en ce moment tout le monde ne parle plus que de 1992 ! Autant en profiter. Une pensée émue pour ton père qui a donné ce nom à l'hôtel ! 50

HERVÉ HERTZLING — Il avait du flair, le vieux* ! Ça c'est vrai !

ÉLIANE HERTZLING — Je monte me coucher. Tâche de ne pas veiller trop tard !

HERVÉ HERTZLING — Je termine juste la lettre de réserves pour la chambre froide.

« De vous à moi, cet hôtel est très bien ! »

Deux clients se rencontrent dans le hall d'un hôtel de Mulhouse, un vendredi matin.

M. DEGNAULT — Vergnier ? Quelle bonne surprise ! Qu'est-ce que vous faites à Mulhouse ?

M. VERGNIER — Notre groupe a une filiale dans le coin et je viens souvent ici.

M. DEGNAULT — Vous travaillez dans quoi ?

5 M. VERGNIER — Dans les phosphates, les engrais, les produits pour l'agriculture, et même les pesticides. Et vous, que faites-vous dans le secteur ?

M. DEGNAULT — Je travaille : c'est-à-dire que nous sommes en séminaire depuis le début de la semaine. Dynamisation de l'équipe, comme dit le
10 psycho* : deux animateurs*, repas régime et séances de travail le soir.

M. VERGNIER *(riant)* — Diable, ça a l'air sérieux !

M. DEGNAULT — Ne m'en parlez pas : en fait de dynamisme, on est tous crevés*. Heureusement cela se termine aujourd'hui. Ma femme me rejoint dans l'après-midi et nous allons profiter du week-end pour visiter la région.

15 M. VERGNIER — Vous connaissiez l'hôtel auparavant ?

M. DEGNAULT — Non, pas avant le séminaire. Mais c'est très bien. Je leur ai demandé leur dépliant. Ils font aussi des forfaits week-end très intéressants. C'est propre, calme... et on mange très bien !

M. VERGNIER — Vous allez visiter un peu l'Alsace ?

M. DEGNAULT — Oui, moi, je connais bien, mais ma femme n'est pas venue 20
depuis très longtemps.

M. VERGNIER — L'arrière-pays est magnifique, je vous recommande tout
particulièrement l'écomusée* qu'ils ont aménagé à côté de Colmar, on a
l'impression de plonger dans le passé.

M. DEGNAULT — Nous avons aussi l'intention de visiter Strasbourg... Je rêve 25
d'une choucroute à la Petite France !

M. VERGNIER — Vous devriez essayer la fondue au vin blanc. Un délice... Je
connais un petit restaurant non loin de la cathédrale, un endroit pour
initiés, mais vous m'en direz des nouvelles... Tenez, je vous note l'adresse
sur ma carte. Vous aurez mes coordonnées par-dessus le marché et si 30
jamais vous venez à Nancy, vous êtes le bienvenu !

M. DEGNAULT — Voici ma carte... avec mon adresse personnelle et celle du
bureau. Vous n'avez vraiment pas le temps de prendre un café ?

M. VERGNIER — Non, merci, je viens de prendre mon petit déjeuner et je
devrais être déjà loin. Au revoir ! Et n'oubliez pas mon restaurant : il vaut 35
le détour !

CÔTÉ COUR

■ VOCABULAIRE ET EXPRESSIONS

avoir l'œil sur	= surveiller
couvert (un)	= (ici) un client
être sur le pont	= être à pied d'œuvre, être au travail
faire des siennes	= créer des difficultés
hauteur de (à)	= à concurrence de..., jusqu'à
lettre de réserves (une)	= une lettre indiquant les défauts constatés à la réception d'un produit
séminariste (un)	= (ici) un participant à un séminaire de formation ou de travail
tourner à	= (fam.) fonctionner
vieux (le)	= (fam.) le père

□ QUESTIONS SUR LE DIALOGUE

1) Que vous apprend le dialogue sur les rôles respectifs des deux époux ?
2) Pourquoi travaillent-ils si tard ?
3) Quel problème technique a dû résoudre Hervé HERTZLING dans la journée ?
4) Comment se présente la situation de l'hôtel pour les mois à venir ?
5) L'hôtel sera-t-il entièrement ouvert au public ? Pourquoi ?
6) Que souhaite Éliane HERTZLING pour faire face à l'activité « tourisme d'affaires » ?
7) En quoi l'activité « tourisme d'affaires » est-elle si importante ?
8) Comment peut-on améliorer le système des réservations ?
9) Quels sont les thèmes envisagés pour la prochaine campagne publicitaire ?

CÔTÉ JARDIN

■ VOCABULAIRE ET EXPRESSIONS

animateur (un)	= (prof.) un formateur qui intervient de manière non directive dans un séminaire de formation professionnelle
écomusée (un)	= (néologisme) un musée écologique
être crevé	= (fam.) être mort de fatigue
psycho (un)	= (abrév. fam.) un psychologue

□ QUESTIONS SUR LE DIALOGUE

1) Que vient faire VERGNIER à Mulhouse ? où habite-t-il ?
2) Que fait DEGNAULT dans cet hôtel ?
3) Qu'envisage-t-il de visiter pendant le week-end ? avec qui ?
4) Quelles sont les qualités de l'hôtel dans lequel sont descendus les deux protagonistes ?
5) Quel conseil VERGNIER donne-t-il à DEGNAULT ?
6) Pourquoi ne peut-il pas accepter le café que lui offre DEGNAULT ?

RÉGION : ALSACE

La bataille de Strasbourg

[...] Dès le matin, les Strasbourgeois prennent le temps de vivre sans trop se hâter. [...] Principale occupation matinale, lire les « D.N.A. » *(Dernières Nouvelles d'Alsace)*, le journal local déposé dès l'aube dans les boîtes aux lettres par une armée de porteurs qui poussent de petites carrioles jaunes. Dans ce quotidien régional de qualité, les événements artistiques décrochent* régulièrement la une*. Normal : la ville de Gœthe et de Jean Arp, ce « berceau de l'humanisme », s'est manifestement entichée d'art et de culture.

Avec, d'ailleurs, un véritable enthousiasme : chaque automne, Musica, le festival des musiques contemporaines, réussit la gageure de drainer plus de trente-cinq mille spectateurs sur un créneau* que l'on aurait pu imaginer réservé à un ghetto* élitiste et snob. Au musée d'Art moderne, le vernissage d'une expo* consacrée à la nouvelle vague* de peintres locaux attire plus de monde que le passage d'un rock-star* au hall du Tivoli. Quant à un débat sur l'Europe entre des intellectuels français et allemands, il pourra rassembler plus de deux mille auditeurs attentifs.

Impensable ailleurs ! *« Il existe un public curieux de tout, avide de nouveautés, qui demande des événements de qualité »*, expliquent de concert* les organisateurs de ces manifestations.

« Il y a aujourd'hui une nouvelle Alsace européenne, avec Strasbourg comme capitale. » [...] De son côté, la municipalité consacre plus de 20 % de son budget aux dépenses culturelles et se place, en la matière, aux premiers rangs des villes françaises.

Sur le plan institutionnel, Strasbourg dispose d'un opéra — l'un des seuls en province à poursuivre une politique de création — et d'un théâtre national, le T.N.S. [...].

Engoncée dans ses traditions particulières, privée de leader* politique d'envergure et touchée plus tard que d'autres par la crise, Strasbourg aurait (pour certains)

du mal à sortir de sa torpeur provinciale et à se glisser dans les habits d'une véritable capitale européenne... [...]

« Cette ville n'est qu'une microcapitale qui ne pèse pas assez pour emporter certains choix », renchérit encore un décapant rapport de l'Institut d'expertise et de prospective de l'École normale supérieure de Paris (consacré aux faiblesses et au « dynamisme entravé » de l'Alsace).

Pourtant, la métropole régionale dispose d'atouts appréciables dans le domaine des technologies et des recherches. Ses universités scientifiques se situent au top niveau* national, elles travaillent en collaboration avec de nouvelles entreprises. [...] Les conclusions de l'enquête de l'E.N.S. sont donc, avant tout, préventives : *« En l'absence de réactions, la région pourrait bien devenir une sorte de réserve, le long du grand axe d'activités de l'Europe. Un pays que l'on viendrait visiter pour son charme, ses vestiges historiques, sa tranquillité. »* Bref, un simple lieu de passage... [...]

Vue à travers les lunettes des parlementaires européens, Strasbourg est perçue comme un centre politique où la vie est douce, et qui n'a pas les inconvénients d'une capitale. [...] Bref : la ville est vécue comme une île de cocagne, juste un peu endormie. Revers de la médaille : il est difficile, pour un homme pressé, de rallier une île enclavée*. Car, à la différence de Bruxelles qui veut, à tout prix, lui souffler le titre de « capitale de l'Europe », Strasbourg manque de liaisons aériennes (pas de vol Barcelone-Strasbourg !). Pire : elle n'a ni T.G.V. ni réseau câblé* dans ses hôtels, et ses chauffeurs de taxi refusent les réservations... *« Aujourd'hui, pour la nouvelle génération de parlementaires, c'est le temps qui compte »*, constate Daniel Riot, éditorialiste et rédacteur en chef adjoint des *Dernières Nouvelles d'Alsace. « Strasbourg n'a pas su créer, pour l'instant, une synergie* européenne. Si le Parlement fout le camp*, ça deviendra une ville de l'importance de Limoges... »*

Prise très au sérieux, la menace d'un départ du Parlement a fait l'effet d'un électrochoc. Finis les grognements provoqués par la présence de cette institution (hausse des loyers, embouteillages sur les parcours officiels, etc.). Forte de 15 000 adhérents, l'association Strasbourg-Europe fonctionne comme un lobby* pro-strasbourgeois* soutenu par l'État et les gouvernements français et allemand (plus intéressé, pour des raisons de langue, par l'Alsace que par la Belgique...). Elle regroupe la quasi-totalité du monde politique, économique et culturel local. Son objectif : faire de l'Alsace (partie du Vieux Continent où l'on se sent, sans doute, le plus européen) une région exemplaire qui préfigurerait l'Europe au quotidien. On imagine alors une ville où des citoyens polyglottes, branchés sur les technologies de pointe, la recherche et la culture européenne, s'offriraient costumes, robes et gadgets payés en écus* (la monnaie européenne).

GAULT MILLAU - NOVEMBRE 1987.

Strasbourg : La Petite France

■ VOCABULAIRE ET EXPRESSIONS

créneau (un)	= *(ici)* un secteur d'activité
de concert	= en accord
décrocher	= *(fam.)* obtenir
écu (un)	= une ancienne pièce de monnaie dont le nom a été donné à la monnaie européenne
enclavé	= *(ici)* isolé
expo (une)	= *(abrév. fam.)* une exposition
foutre le camp	= *(pop.)* partir
ghetto (un)	= *(ici fig.)* un milieu social fermé dont on ne peut sortir
leader (un)	= *(ang.)* un dirigeant
lobby (un)	= *(ang.)* un groupe de pression
nouvelle vague (la)	= la nouvelle génération
prostrasbourgeois	= favorable à Strasbourg
réseau câblé (un)	= un réseau de câbles qui transmettent les émissions télévisées
rock-star (un)	= *(ang.)* une étoile du rock
synergie (une)	= une action coordonnée de plusieurs facteurs qui se renforcent mutuellement
top niveau (le)	= *(franglais)* le niveau le plus élevé
une (la)	= la première page d'un quotidien ou d'un magazine

☐ QUESTIONS SUR LE DOCUMENT

1) Quelles sont, dans ce document, les informations qui prouvent l'intérêt que portent les Strasbourgeois à l'art et à la culture ?
2) Pourquoi a-t-on pu dire que Strasbourg n'est qu'une « microcapitale » ?
3) Quels sont cependant les atouts de la ville ?
4) Que pensent les parlementaires européens de Strasbourg ?
5) Quel est l'objectif de l'association Strasbourg-Europe ?
6) Qui en fait partie et qui la soutient ? Pourquoi ?

L'écomusée d'Alsace :

un village musée au cœur de l'Alsace

Plus de 35 maisons d'architecture paysanne, ainsi que leurs dépendances (étables, granges jusqu'au pigeonnier) reconstituent l'habitat régional traditionnel de toutes les époques et tous les terroirs alsaciens. Dans un décor naturel, le mobilier et l'agencement des intérieurs recréent fidèlement les modes de vie d'antan.

Un village musée au cœur de l'Alsace

Parc hôtelier : modernisation et nouveaux besoins

L e tourisme doit aujourd'hui répondre à de nouvelles demandes : séjours plus courts en raison de l'émiettement des vacances, recherche de thèmes ou d'activités, croissance du camping. D'autre part, la concurrence internationale fait apparaître, ainsi que le soulignait dans un rapport le Comité économique et social, que le tourisme ne peut plus désormais « se développer sans une réelle stratégie ».

Les structures d'accueil relèvent encore de l'artisanat : parc immobilier hétérogène (200 000 chambres n'ont pas encore de salle de bains), personnel peu qualifié, absence de politique commerciale. Il faut donc « mieux vendre la France » aux étrangers mais aussi aux Français puisque 85 % d'entre eux passent leurs vacances dans l'hexagone.

L'objectif est ambitieux : il faut d'abord moderniser le parc. Sur 800 000 chambres, réparties dans 46 000 établissements, l'hôtellerie homologuée n'en représente que 40 %, et les chaînes intégrées 10 % des chambres homologuées. Aujourd'hui, les professionnels se mobilisent.

Face aux hôteliers indépendants, des établissements de plus en plus nombreux constituent des chaînes volontaires (Relais et Châteaux, par exemple), ce qui permet une commercialisation plus efficace. D'autres s'intègrent aux chaînes existantes par le biais de la franchise ou de la location. La politique de filière est développée par certaines entreprises : Air France s'est dotée d'un équipement hôtelier (la chaîne Méridien) ; la S.N.C.F. acquiert des capacités d'hébergement. [...]

L a promotion touristique est restée disparate, et les efforts ne sont pas coordonnés. Le tourisme français doit se créer une image de marque. Il lui faut répondre aux demandes diverses : vacances du troisième âge, progression des classes moyennes (ce qui amènera le développement des hôtels une et deux étoiles), développement du tourisme d'affaires (qui a l'avantage de ne pas être saisonnier). La France doit aussi s'ouvrir sur une large clientèle étrangère et pas seulement américaine.

LE MONDE - 25 JUILLET 1986 - MARIE-CHRISTINE ROBERT.

☐ QUESTIONS SUR LE DOCUMENT

1) À quelles demandes nouvelles le tourisme d'aujourd'hui doit-il répondre ?
2) En quoi l'émiettement des vacances a-t-il une incidence sur le parc hôtelier ?
3) Quels sont les handicaps de l'hôtellerie française ?
4) Quelle stratégie adoptent les hôteliers pour lutter contre la concurrence internationale ?
5) Pourquoi Air France ou la S.N.C.F. se sont-elles dotées d'un équipement hôtelier ?

Le tourisme : 800 000 salariés en France

L e tourisme embauche. Depuis 1980, 27 % des emplois créés l'ont été dans ce secteur, qui compte chaque année 10 000 salariés de plus (800 000 actuellement). La crise, la concurrence, les nouvelles technologies, l'évolution de la clientèle amènent les professionnels à mettre l'accent sur la nécessité de la formation des nouveaux salariés et la mise à niveau* des anciens, d'autant que le turnover* est important dans ce secteur (20 000 emplois par an).

LE POINT - 2 DÉCEMBRE 1987.

■ VOCABULAIRE ET EXPRESSIONS

mise à niveau (la)	= (ici) la formation en vue d'atteindre le niveau professionnel requis
turnover (le)	= (ang.) le renouvellement du personnel (départs et recrutements)

Tourisme de masse :
les nouveaux Barbares

« *Vingt millions de touristes qui transitent quelques heures, quelques jours, chaque année, dans le seul département des Pyrénées-Orientales, avant de se rendre en Espagne. Un million trois cent mille vacanciers en juillet-août, dont les trois quarts séjournent le long de quatre-vingts kilomètres de côte. Certes, cela laisse des traces dans l'économie d'un département, mais, hélas, aussi sur ses sites naturels* », reconnaît un élu de Perpignan.

« *On les appelle les nouveaux Barbares, les hordes dorées. On les compare à des nuées de sauterelles. Le procès n'est pas celui de l'individu qui voyage. Le problème principal du tourisme moderne est celui de sa massification* », constate l'universitaire suisse Jost Krippendorf, spécialiste des études sur les loisirs, dont le dernier ouvrage vient de sortir. Ressource économique non négligeable, gisement d'or bleu, vert ou blanc (selon l'endroit) plus ou moins systématiquement exploité, l'affluence touristique peut constituer un véritable fléau. Que la plupart des communes, sous la pression de leurs électeurs, continuent malgré tout d'encourager.

« *Le tourisme devient d'autant plus une calamité*, ajoute le commandant Cousteau, *que les vacanciers recherchent sans cesse de nouveaux sites vierges. Pour atteindre telle calanque perdue de l'île de Majorque*, précise-t-il, *certains d'entre eux n'hésitent pas à s'y faire déposer en hélicoptère !* » Pollution des sites les plus reculés, des monuments et autres hauts lieux ; pollutions écologiques de toute sorte ; voire pollution des traditions. Chaque saison, la marée touristique, après son reflux, abandonne derrière elle de plus en plus d'épaves... [...]

Conscientes de la situation créée, une poignée de communes plus « sages », ou moins défavorisées, ont décidé d'enrayer l'invasion. Ainsi le maire de Vauvenargues, au pied de la montagne de Sainte-Victoire, affirme-t-il : « *Les habitants ont refusé la création d'un musée, afin d'éviter un surcroît de visiteurs. Car, ici, la montagne et la forêt sont très fragiles.* »
Autre solution, moins malthusienne, pour limiter les

Dorval

ravages des nouveaux envahisseurs : remplacer les trésors les plus vulnérables par... des fac-similés. Ainsi a-t-on procédé aux grottes de Lascaux, où tant l'humidité de l'haleine des curieux que la brutalité des flashes de leurs appareils photographiques menaçaient la conservation des célèbres gravures rupestres. [...]
Les parcs de loisirs, tant en vogue actuellement, ne sont rien d'autre que ces récents « paradis artificiels », créés pour protéger vraie nature et vestiges réels. Ainsi peut-on imaginer un scénario de l'an 2001, où l' « homo touristicus », devenu pléthore, se retrouvera parqué devant une réplique en stuc de l'Acropole ou une reproduction réfrigérée de la mer de Glace. Au moins, la nature, elle, respirera !

LE POINT Nº 776 - 3 AOÛT 1987 - CATHERINE BERGERON.

☐ **QUESTIONS SUR LE DOCUMENT**

1) Citez quelques conséquences néfastes du tourisme de masse.
2) Qui appelle-t-on les « nouveaux Barbares » ? Pourquoi ?
3) Pourquoi la plupart des communes cherchent-elles à attirer les touristes en dépit des déprédations qu'ils provoquent ?
4) Qu'a-t-on fait pour protéger les grottes de Lascaux ?
5) Quel peut être l'avenir des parcs de loisirs ?

Europe : l'épouvantail de 1992

© Dessin de Wiaz

Pour réveiller les consciences européennes, il fallait trouver autre chose que des montants compensatoires*. Avec le « projet de marché unique en 1992 » (suppression des frontières communautaires), voilà qui est fait. Du moins en France. L'approche de cette échéance fait l'effet d'un électrochoc sans équivalent dans les autres pays membres. Mais pas forcément dans le sens escompté : entourée de cinq frontières européennes, la France retrouve la vieille peur de l'invasion. Chacun dans son métier se sent vulnérable. [...] À mille neuf cent neuf jours de l'achèvement présumé du marché intérieur européen, sommes-nous à la veille d'une révolution ? Ou assistons-nous à la naissance d'un formidable mythe ?

Le défi proposé par la C.E.E. paraît certes séduisant : il s'agit ni plus ni moins de faire de la vieille Europe la première grande surface du monde, avec un marché de 320 millions de consommateurs parmi les plus riches de la planète. L'idée a été lancée en 1985 sous la forme d'un « Livre blanc », riche de trois cents propositions de directives européennes, et d'un calendrier s'étalant jusqu'en 1992. Pour ne pas en rester à des vœux pieux*, les ministres des Douze se sont équipés d'un outil majeur : l' « Acte unique ». Cette modification du traité de Rome est entrée en vigueur le 1er juillet. Elle permet désormais de trancher les questions économiques et techniques à la majorité qualifiée, et non plus à l'unanimité. Des directives ont déjà été votées. Le marché unique commence à se profiler.

Concrètement, c'est d'abord la suppression des douanes internes. Symbolique forte. [...]
En même temps, il faudra libéraliser les services et le marché de l'argent, harmoniser les législations sociales et les taux de T.V.A. Ce qui revient à balayer dans douze pays des décennies de pratiques administratives et de protections d'intérêts. [...] La marche est irréversible !

C'est bien ce qui met les Français en effervescence. [...] Le vent nouveau de la concurrence donne le frisson à des secteurs jusqu'ici protégés : professions fermées, secteurs subventionnés. Autant d'acquis du passé qui ne trouveront plus leur place dans le futur marché unique. Aussi, pendant que les partenaires italiens, du Benelux et d'outre-Rhin sont déjà dans les « starting blocks* », la France s'échauffe en bonne dernière. D'où cette frénésie d'alliances telles que celle de Thomson avec l'américain General Electric, de la C.G.E. avec I.T.T. C'est que, pour jouer en division européenne*, il faut avoir la pointure* mondiale.

Dans les services et les professions libérales, même anxiété. Les changements prévisibles sont de taille. Dans la banque, par exemple, des particuliers, des entreprises bénéficieront, en principe, de prêts en toutes monnaies, par n'importe quel établissement de crédit de la C.E.E., quel que soit son pays d'origine. De ce marché devenu hyper-concurrentiel, les clients auront tout à gagner. En particulier des taux d'intérêt beaucoup plus avantageux de la part des banques allemandes. Les françaises pourront difficilement s'aligner : le coût de leurs services, le poids de leurs effectifs freinent la baisse des taux. Il en va de même pour les assurances. Si les contrats traversent les frontières, à quel droit obéiront-ils ? Celui du pays où siège la compagnie ou celui de résidence du client ? Les directives communautaires semblent glisser vers la première solution. Ce qui ne manque pas d'inquiéter les professionnels français. [...] Exonérées des contraintes françaises, les compagnies étrangères n'auront guère de mal à s'imposer chez nous. [...]

Une enquête réalisée en juin dernier par l'École supérieure de commerce de Lyon montrait que sur cinquante grandes entreprises interrogées, celles qui intégraient le plus « 92 » dans leur stratégie étaient les multinationales étrangères implantées en Europe. C'est compréhensible : le pouvoir d'achat de 320 millions de consommateurs, parmi les plus fortunés de la planète, réveille aussi les convoitises japonaises et américaines. D'autant que les procédures d'accès au marché européen seront simplifiées. Face à ces perspectives, les entreprises françaises n'ont pas toutes accompli leur mue. Pour une entreprise comme Jean-Claude Decaux qui s'en va gagner le marché de l'affichage urbain dans les principales villes allemandes, combien renoncent à soumissionner des marchés publics hors de leurs frontières ? Plus grave, observe-t-on au ministère des Affaires européennes : « Lorsqu'elles voient passer la soumission sous leur nez*, elles trouvent cela presque normal. Elles considèrent légitime que les administrations publiques donnent la préférence aux entreprises locales. » Exactement l'inverse de l'esprit de 1992. De même, pour un leader* mondial de l'exportation comme l'Air liquide, combien d'entreprises trouvent encore fabuleux d'avoir vendu des boutons de col au Luxembourg ?

Certes, selon un sondage de la Sofres, 70 % des chefs d'entreprise voient dans la perspective de 1992 une chance. Malheureusement, leur principal organe représentatif, le C.N.P.F., marche vers cette destination à reculons. François Périgot, son président, se montre très réservé sur les chances d'unification des taux de T.V.A. [...] Sur ce dernier aspect, la Commission avance au pas de charge*. [...]
Que les consommateurs ne se réjouissent pas trop tôt ! Il faudra bien trouver d'autres recettes. Mais après tout, le marché unique n'est-il pas aussi censé réaliser des économies ? Comme le rappelle Jacques Delors, « le coût de la non Europe s'élève à 2 % du chiffre d'affaires des entreprises ». Ont-elles bien compris la chance qui leur est offerte ?

LE NOUVEL OBSERVATEUR N° 1189 - 21-27 AOÛT 1987 - FRANÇOIS LE BRUN.

■ VOCABULAIRE ET EXPRESSIONS

au pas de charge	= très rapidement
être dans les « starting blocks »	= (ang. ici fig.) être prêt au départ
jouer en division européenne	= (sport) faire partie d'une équipe de classe européenne
montants compensatoires (les)	= les sommes versées à un pays de la C.E.E. en compensation d'une perte
passer sous le nez	= (fig.) échapper
pointure mondiale (la)	= (fig.) la taille mondiale
vœux pieux (des)	= des vœux non suivis de réalisation

□ QUESTIONS SUR LE DOCUMENT

1) Qu'est-ce que « le projet de marché unique en 1992 » ?
2) Quel est le défi proposé par la C.E.E. ?
3) Quelle est la réaction française ?
4) Quels sont les secteurs les plus concernés ? Pourquoi ?
5) Qu'ont répondu les cinquante grandes entreprises interrogées par les élèves de l'École supérieure de commerce de Lyon ?
6) Comment réagit le C.N.P.F. ?
7) Les entreprises françaises sont-elles prêtes à affronter un vaste marché sans barrières douanières, donc sans protections ?

ARTS ET PATRIMOINE : LE LOUVRE

Le Grand Louvre...

Maquette de la pyramide du Louvre

Le 27 juillet 1983, Ieoh Ming Pei, un architecte sino-américain mondialement célèbre, à qui l'on doit, entre autres, une aile admirable de la National Gallery de Washington, était désigné comme concepteur du Grand Louvre, en association avec Georges Duval, architecte en chef du palais. Six mois plus tard, sa maquette, un vaste cœur souterrain pour accueillir les visiteurs et les orienter, avec « *en surface, au-dessus de bassins et de jets d'eau, une pyramide de verre translu-* cide », déchaînait les querelles que l'on sait, qui, de l'esthétique, où elles étaient légitimes, glissèrent bientôt au politique. En 1985, on s'empoignait littéralement à coup de livres et de déclarations incendiaires*. [...] Les Parisiens eux se passionnaient pour les fouilles archéologiques de la Cour carrée et de la cour Napoléon qui, travaux aidant, venaient de mettre au jour leur passé.

LE POINT N° 776 - 3 AOÛT 1987 - MARIE-FRANÇOISE LECLÈRE
et CHRISTIAN MAKARIAN.

... et sa pyramide de verre

En déplaçant l'entrée dans la cour Napoléon, on rendra toutes les parties du Louvre également accessibles au public. En effet, certaines sont peu visitées parce que trop éloignées : le Louvre est le plus grand musée du monde, et aussi le plus étendu — un bon kilomètre de galeries à parcourir.

Lieu tout désigné pour l'accueil (vestiaires, cafétérias, restaurants, centres d'orientation et de vente), la cour Napoléon est encore appelée à résoudre un autre problème. Dans la plupart des musées modernes, 60 % de l'espace est consacré aux galeries d'exposition et 40 % aux services (réserves, laboratoires, salles de restauration, bibliothèques, bureaux, etc.). Au Louvre, ce rapport est de 80 et 20 %. Pour augmenter l'espace dévolu aux services sans porter atteinte au caractère palatial* et à la fonction de l'architecture existante, Pei a choisi de les loger sous la cour Napoléon. [...]

Il fallait rendre visible la nouvelle entrée sans occulter l'architecture du Louvre. « *Pas question d'entrer en conflit avec trois siècles de classicisme à la française, ni de pasticher une tradition qui va de Lescot à Lefuel, dit Pei ; il faut ici quelque chose qui ait une présence architecturale, mais aussi qui soit moins que de l'architecture. Quelque chose qui tienne* de la sculpture, du paysagisme. Au fond, je me suis plus inspiré de Le Nôtre que de Le Vau. J'ai voulu traiter la cour Napoléon comme un parterre, faire entrer la nature dans un ordre géométrique. Seulement, mes éléments à moi, ce sont l'eau et la lumière.* »

Au milieu de la cour, une composition de bassins (trois calmes, quatre animés). Et, au centre, une pyramide dont la fine armature de métal sera étudiée par l'Aérospatiale, et le revêtement de verre (80 % transparent, 20 % réfléchissant) demandé à Saint-Gobain. Bien qu'elle culmine à près de 20 mètres, sa forme lui permettra d'occuper moins d'espace que ne le ferait, par exemple, un cube. Symbole, signal, la pyramide sera aussi un puits de lumière qui accompa-gnera le visiteur sous terre. « *Ça ne sera pas une entrée de métro* », dit Pei. Le jour, ses côtés (inclinés à 51 degrés, comme ceux de sa grande sœur égyptienne de Gizeh) piégeront* le ciel. La nuit, elle s'illuminera comme une gigantesque lanterne, ôtant enfin à ce coin de Paris son aspect de désert lugubre. En outre, elle sera escortée, au nord, à l'est et au sud, par trois mini-pyramides abritant l'entrée des escalators* menant aux trois principaux pavillons (Richelieu, Sully, Denon).

Élégante mais fonctionnelle reformulation* d'un des plus vénérables monuments de la haute Antiquité par des technologies d'avant-garde, la pyramide Pei se distinguerait de son prestigieux décor sans le contredire. Incongru à Paris, comme le prétendent certains membres de la Commission des Monuments historiques, ce rappel pharaonique ? Il y a pourtant, à deux pas, un précédent plutôt rassurant : l'obélisque de la Concorde.

L'EXPRESS - PIERRE SCHNEIDER.

■ VOCABULAIRE ET EXPRESSIONS

escalator (un)	= *(anglicisme)* un escalier mécanique
incendiaire	= *(fig.)* qui enflamme les esprits
palatial	= qui a les caractéristiques d'un palais
piéger	= *(ici imagé)* prendre le ciel au piège, le refléter
reformulation (une)	= *(ici)* une deuxième version
tenir de	= avoir des rapports d'analogie

☐ QUESTIONS SUR LES DOCUMENTS

1) Qui est l'architecte du projet du Grand Louvre ?
2) Pourquoi le projet de pyramide de verre a-t-il suscité tant de controverses ?
3) Quels sont les objectifs du projet ?
4) Où seront logés les services du musée ?
5) Pourquoi l'architecte a-t-il choisi la formule des pyramides pour la cour Napoléon ?
6) Quelle est la double fonction de la pyramide ?

Être Français

Qu'est-ce qu'être Français ? La question est incongrue pour l'immense majorité d'entre nous. C'est une chose qui va de soi. Mais si l'on commence à y penser, cela devient difficile. C'est un concept sans contenu bien saisissable. Ceux qui se sont aventurés à définir la « francité » s'y sont cassé les dents*. En fait, ou bien on est Français selon l'ordre du sentiment, et chacun a sa façon de l'être, plus ou moins consciente, plus ou moins épanouie, toujours sélective. Ou bien l'on est Français selon les dispositions de la loi, et celle-ci, *grosso modo,* reporte la difficulté à la génération précédente : il faut avoir des parents français, qui eux-mêmes l'étaient parce que leurs parents... Logiquement, nous sommes au rouet*. Mais en réalité, c'est le fond de l'affaire : être Français, c'est appartenir à une chaîne.

On peut aussi s'y introduire. L'impression générale est qu'il est devenu un peu trop facile de s'y introduire, et que la force de la chaîne risque de s'en ressentir. D'où le débat en cours, qui, avouons-le, n'est pas très satisfaisant pour l'esprit.

Le vrai problème est celui de l'adhésion intime, de la façon dont tous ces nouveaux Français vivent leur entrée dans notre communauté, dans notre histoire. Les solutions qu'on propose sont forcément des solutions juridiques ou administratives : des délais, des examens de dossier, des serments...

Ce n'est pas une raison pour récuser ces pauvres moyens. Si léger, si formel que soit l'obstacle, il est, pour celui qui doit le franchir, une façon de prendre conscience qu'on ne devient pas Français comme on

Enfants jouant à Marseille, cité de la Savine

préexistent à la loi, puisque ce sont eux qui la font. Ils sont les membres de droit héréditaires de la société France, et peuvent librement fixer des conditions d'entrée aux membres cooptés. Du reste, elles sont toutes symboliques. Mais les symboles, pour une nation, c'est important.

LES ÉCHOS - 7 NOVEMBRE 1986 - ÉDITORIAL - FAVILLA.

■ VOCABULAIRE ET EXPRESSIONS

au rouet	= *(imagé)* nous ressemblons à ceux qui filent la laine, nous créons une chaîne composée d'éléments reliés les uns aux autres
bonne âme (une)	= *(ironique)* des personnes bien intentionnées
s'y casser les dents	= *(fig.)* échouer

□ QUESTIONS SUR LE DOCUMENT

1) Pourquoi la question « qu'est-ce qu'être Français ? » semble-t-elle une question incongrue ?
2) La « francité » est-elle une notion facile à définir ? Pourquoi ?
3) Quelles sont, d'après l'auteur, les deux façons d'être Français ?
4) Quel est le vrai problème de la nationalité, selon l'auteur ?
5) Que représente, pour celui qui veut devenir Français, le serment civique ?

s'inscrit à la Sécurité sociale ou à l'A.N.P.E. Nous avons peu de goût pour les « serments civiques », mais il est légitime, sous une forme ou sous une autre, de donner un tour un peu solennel à une déclaration d'allégeance ; du reste, plutôt que de s'engager à respecter les lois, ce qui est aussi le devoir des étrangers, on pourrait se rapprocher du vrai problème qui est celui du cœur, demander si notre nouveau compatriote entend aimer et servir la France.

De bonnes âmes* s'interrogent : est-il équitable de tant demander à certains, et rien du tout à ceux qui ne se sont donné que la peine de naître Français ? N'est-ce pas même une atteinte à l'égalité devant la loi ? Le Conseil constitutionnel en jugera peut-être un jour. Espérons qu'il le fera selon le bon sens : les Français

Emblème de S.O.S. racisme

Les métiers d'avenir

Salle de contrôle du Val de Lille

Quels sont les métiers de demain ? Ceux qui ont le plus d'avenir ? [...]

À en croire les experts qui scrutent courbes et tendances, deux phénomènes se dessinent. D'abord, le surgissement de professions inédites liées aux progrès techniques. Ensuite, la transformation progressive des fonctions traditionnelles de l'entreprise. Deux réservoirs d'emplois. Le premier dans les secteurs à forte intensité technologique : génie logiciel*, biotechnologie*, puce* électronique, intelligence artificielle, immunologie*, opto-électronique*, imagerie médicale*. [...] Dans la seule branche informatique, les experts du C.N.R.S. (colloque « Perspective 2005 ») attendent un triplement du volume de travail d'ici à 1990. Bureautique* et productique* vont transformer les conditions de travail de millions de salariés et créer pour des millions d'autres de nouveaux métiers.

Le second réservoir d'emplois, plus traditionnel, est, semble-t-il, plus riche encore. « *Les bouleversements les plus importants des quinze prochaines années*, estime

Michel Lebas, directeur des études à H.E.C., *vont concerner les fonctions traditionnelles de l'entreprise. On continuera d'acheter, de produire et de vendre, mais on le fera tout autrement.* » [...]

L'Apec (Association pour l'emploi des cadres), qui tient minutieusement les comptes du marché du travail et en tire des projections, prévoit de son côté un développement continu du secteur tertiaire*. On distingue même, désormais, le tertiaire interne (préparation du travail, fonction de méthode, contrôle de la qualité, logistique) du tertiaire externe (sous-traitance technique, entretien, nettoyage, informatique, publicité). La Mission éducation-entreprise, mise en place par le ministère de l'Éducation, pronostique, elle, « *un déplacement du temps de travail vers l'amont (tâches de conception des produits et élaboration des procédés) et vers l'aval (maintenance*, par exemple) ».*

Les métiers du futur ne sont donc pas seulement dépendants des technologies d'avant-garde, avionique*, génie génétique*, monétique*... Ils sont étroitement liés à l'évolution des différents postes de travail à l'intérieur des entreprises. Pour autant, les métiers les plus traditionnels — plombier, réparateur d'électroménager, agent d'entretien, garde, enseignant, sylviculteur, jardinier — ont encore de beaux jours devant eux. Mais que pèseront-ils, en termes d'emplois, face aux énormes besoins de l'économie en informaticiens et en producticiens*? « Les nouvelles générations auront la possibilité d'exercer des professions auxquelles nous-mêmes n'aurions jamais songé », prédit James Gonyea, spécialiste américain de prospective du travail. Le futur est encore en partie inconnu. Mais, dans bien des domaines, il est déjà commencé. [...]

LE POINT - 24 NOVEMBRE 1986 - CHRISTIAN MAKARIAN
et FRANÇOIS ÉLISSALT.

■ VOCABULAIRE ET EXPRESSIONS

avionique (l')	= ensemble des industries liées à la production des avions
biotechnologie (la)	= techniques de pointe liées à la biologie
bureautique (la)	= ce vocable recouvre l'ensemble des techniques informatiques utilisées dans les bureaux (traitement de texte, etc.)
génie génétique (le)	= techniques de manipulation de la cellule vivante
génie logiciel (le)	= ensemble des méthodes pour élaborer les programmes informatiques
imagerie médicale (l')	= techniques qui vont du scanner à l'élaboration d'images en trois dimensions des différents organes
immunologie (l')	= étude des défenses de l'organisme contre l'attaque des microbes
maintenance (la)	= les techniques d'entretien
monétique (la)	= ensemble des techniques liées à l'utilisation des cartes à mémoire dans le traitement des opérations financières (retraits d'argent, gestion des comptes)
opto-électronique (l')	= techniques de transmission des informations par réseaux optiques (fibres optiques ou infrarouges)
puce (une)	= un microprocesseur
producticien (un)	= un spécialiste de la productique
productique (la)	= ensemble des techniques informatiques utilisées en production
secteur tertiaire (le)	= le secteur des services

□ QUESTIONS SUR LE DOCUMENT

1) Quels sont les deux phénomènes qui se dessinent pour les métiers du futur ?
2) Quelle est l'évolution prévue des postes offerts dans l'informatique ?
3) Comment va évoluer le secteur tertiaire ? Pourquoi ?
4) Pourquoi parle-t-on de deux « réservoirs d'emplois » ?
5) Quelle est la différence entre le tertiaire interne et le tertiaire externe ?

CONTREPOINT

1848 - François René de Chateaubriand s'interroge sur...

La société nouvelle

« Quelle sera la société nouvelle ? ... Vraisemblablement, l'espèce humaine s'agrandira ; mais il est à craindre que l'homme ne diminue, que quelques facultés éminentes du génie ne se perdent, que l'imagination, la poésie, les arts, ne meurent dans les trous d'une société ruche où chaque individu ne sera plus qu'une abeille, une roue dans une machine, un atome dans la matière organisée. »

MÉMOIRES D'OUTRE-TOMBE - CHATEAUBRIAND.

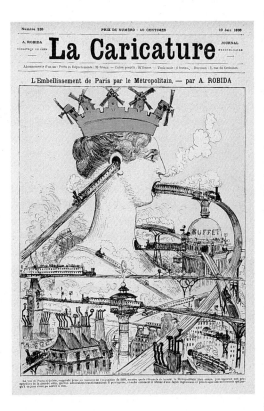

Gravure de A. Robida extrait de La Caricature, 1886

L'avenir du français

Un entretien avec Claude Hagège, auteur de « Le Français et les siècles »

LE NOUVEL OBSERVATEUR — Vous affirmez que l'on ne peut plus parler d'une langue française mais qu'il y a des langues françaises, et vous ajoutez que le français de France est minoritaire dans la francophonie. Vous allez faire scandale !

CLAUDE HAGÈGE — Je dis même plus que cela. Je dis que l'avenir du français n'est plus en France. La langue française est en train de recevoir une sève extrêmement puissante et nouvelle des pays francophones et c'est une des raisons pour lesquelles je crois que la langue française [...] peut prétendre à une certaine universalité. [...]

LE NOUVEL OBSERVATEUR — Précisément, est-ce que nous n'allons pas vers une sorte d'éclatement de la francophonie, comme c'est le cas pour certaines ramifications de la langue anglaise qui ne sont plus du tout compréhensibles pour un Anglais ou un Américain ?

CLAUDE HAGÈGE — Je ne suis pas prophète, mais on peut envisager les choses selon l'image de deux droites parallèles, qui ne font que prolonger deux sillons creusés depuis très longtemps dans l'histoire du français, bien avant que le français ne commence à essaimer et rayonner dans le monde. La première de ces droites serait, disons, le français d'une minorité attachée à une forme assez pure et assez classique, et qui continuera d'être l'objet des soins de nombreux écrivains. Et puis, à côté, il y aura, il y a, toute une série d'usages parlés, qui ne forment d'ailleurs une unité que par rapport à ce français écrit que je viens d'évoquer, mais qui sont en fait très différents les uns des autres. C'est pourquoi j'ai évoqué les francophonies, au pluriel, dans lesquelles il faut compter les parlers d'Afrique, par exemple, mais aussi les français parlés populaires de France. Pourquoi suis-je serein ? Pourquoi à mon avis il n'y a pas de menace sur l'avenir du français, même si certaines branches divergent au point de devenir incompréhensibles ? Parce que la première droite, celle du français écrit, poursuivra son tracé. Il n'y a aucune inquiétude à avoir.

LE NOUVEL OBSERVATEUR — Pas même sur le retentissement possible du français parlé sur la langue écrite ?

CLAUDE HAGÈGE — Ce phénomène est très ancien. Il a toujours existé dans le passé. Quand on étudie l'histoire du français, on peut voir qu'il y a toujours eu une norme littéraire, et puis des formes orales très diversifiées, qui ont toujours modifié la norme écrite. Mon image du parallélisme n'était peut-être pas suffisante. Il y a des passerelles constantes. Mais je ne crois pas qu'il y ait plus de danger aujourd'hui qu'auparavant dans l'histoire.

LE NOUVEL OBSERVATEUR — Est-ce que le français de France ne va pas lui aussi se transformer profondément du simple fait de l'existence de cette fameuse société pluriculturelle dont on parle tant ?

CLAUDE HAGÈGE — Je répondrai très simplement que, là encore, le français n'est pas plus menacé aujourd'hui par ces apports nouveaux qu'il ne l'a été dans les siècles passés. Lorsque le duché de Bretagne a été rattaché à la France, la langue bretonne, qui était encore très vivante, aurait pu être considérée comme risquant d'envahir le français. Les choses ne se sont pas passées ainsi. Le français a absorbé, a assimilé les apports et s'est enrichi. Prenez un dictionnaire des étymologies et vous verrez que les apports des langues étrangères ont été très fréquents, très nombreux depuis des siècles et des siècles. Seule la myopie du contemporain peut faire prendre pour un risque ce qui, dans deux ou trois siècles, sera considéré comme un moment transitoire dans l'histoire du français. [...]

LE NOUVEL OBSERVATEUR N° 1190 - 28 AOÛT - 3 SEPTEMBRE 1987 - Propos recueillis par DIDIER ÉRIBON.

☐ **QUESTIONS SUR LE DOCUMENT**

1) Pourquoi Claude HAGÈGE affirme-t-il qu'il y a maintenant « des langues françaises » et non plus une seule langue française ?
2) Quel est, dans ce contexte, le rôle du français écrit ?
3) Cette situation est-elle uniquement le fait du français moderne ? Que nous enseigne l'histoire de la langue française ?

La durée de l'humanité

Parmi les idées qui devraient dominer notre conception du monde et qui pourtant sont pratiquement négligées, la durée de l'humanité est l'une des plus importantes.

Cette notion, du moins sous sa forme moderne, était absente de la pensée des Aristote, des Platon et des Kant, car c'est tout récemment que la science nous en a dévoilé la nature et l'ampleur.

On doit penser aujourd'hui, sans parler des races éteintes, que l'*homo sapiens* existe sur la terre depuis soixante à cent mille ans ; que l'état actuel du cosmos lui promet une postérité de plusieurs millions d'années. En limitant à un million d'années l'ordre de grandeur de la durée du *phénomène humain,* on peut apprécier que nous en avons vécu le dixième, et qu'il nous reste à vivre les neuf dixièmes.

Ainsi la durée de l'humanité serait à celle de l'individu dans le rapport de 10 000 à 1. L'humanité d'aujourd'hui serait à l'humanité accomplie comme l'enfant de 10 ans devant le vieillard. Mille ans d'humanité correspondent à un mois de vie individuelle.

Nous, humanité, nous avons dix ans. Pendant nos cinq ou six premières années, sans parent et sans maître, nous avons à peine pu nous distinguer d'autres mammifères ; puis nous avons trouvé l'art, la morale, le droit, la religion.

Nous savons lire et écrire depuis moins d'un an. Nous avons construit le Parthénon voici moins de trois mois ; il y a deux mois, le Christ est né. Il y a moins de 15 jours, nous avons commencé d'identifier clairement la méthode scientifique expérimentale, qui nous permet de connaître quelques réalités de l'univers ; il y a deux jours que nous savons utiliser l'électricité et construire des avions.

Nos meilleures expériences politiques, économiques et sociales datent de moins d'une semaine ; les premiers vagissements des sciences humaines, de quelques jours. Voici quelques minutes, Gaston Berger montrait la nécessité de la recherche *prospective,* c'est-à-dire de la prévision en vue de la décision.

Nous sommes en pleine croissance, après avoir franchi lentement les étapes d'une enfance difficile : notre corps se développe à la vitesse hallucinante de 3 % par heure, notre faculté de production à peu près aussi vite, notre faculté de connaissance plus vite encore. Nous ne savons pas encore quels seront dans l'avenir la taille et le poids de notre corps et de notre cerveau, s'ils ont un optimum.

Nous sommes un petit garçon de dix ans, courageux, fort et plein de promesses ; nous saurons dès l'an prochain faire beaucoup de dictées sans fautes et calculer correctement les règles de trois. Dans deux ans, nous entrerons en classe de sixième et nous ferons notre première communion solennelle.

Dans 100 000 ans nous atteindrons notre majorité. [...]

IDÉES MAJEURES - JEAN FOURASTIÉ - (GONTHIER BIBLIOTHÈQUE MÉDIATIONS - 1966).

☐ QUESTIONS SUR LE DOCUMENT

1) Quelle est, d'après Jean FOURASTIÉ, l'idée qui devrait dominer notre conception du monde ?
2) Depuis combien de temps l'*homo sapiens* existe-t-il sur la terre ? Pendant combien de temps est-il encore appelé à exister ?
3) Si l'on compare la durée de l'humanité à celle d'un individu, quel âge avons-nous ?
4) Depuis combien de temps savons-nous lire et écrire ?
5) Depuis combien de temps savons-nous utiliser l'électricité et construire des avions ?
6) De quand datent nos premières expériences politiques, économiques et sociales ?
7) À quelle vitesse se développe notre corps ?
8) Pourquoi ne savons-nous pas si la taille et le poids de notre corps et de notre cerveau ont un optimum ?

La France aujourd'hui :
départements et régions

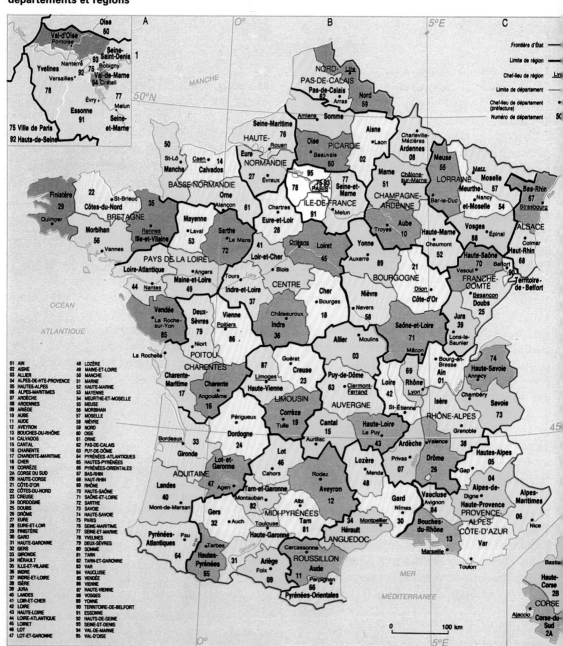

INDEX

Le numéro renvoie au dossier -
Le nom des auteurs dont certains textes figurent dans l'ouvrage apparaît en italique

SIGLES

A.2	Antenne 2 : une des chaînes publiques de la télévision française.
A.N.P.E.	Agence nationale pour l'emploi : organisme public chargé du placement des demandeurs d'emploi.
A.P.E.C.	Agence pour l'emploi des cadres : organisme public chargé du placement des cadres demandeurs d'emploi.
B.D. (la)	La bande dessinée.
B.E.P.C.	Brevet de fin d'études du premier cycle (4 années d'études secondaires).
B.N.P.	Banque nationale de Paris : important groupe bancaire.
B.T.P.	Profession du bâtiment et des travaux publics.
C.A.C.	Indice de la Compagnie des agents de change, dit aussi indice S.B.F. (Société des bourses françaises).
C.A.P.	Certificat d'aptitude professionnelle : sanctionne le premier niveau des études professionnelles.
C.C.A.	Centre de communication avancée.
C.C.I.	Centre de création industrielle du Centre Georges-Pompidou.
C.C.I.P.	Chambre de commerce et d'industrie de Paris.
C.E.A.	Commissariat à l'énergie atomique : organisme public qui supervise toutes les activités de l'industrie nucléaire.
C.E.E.	Communauté économique européenne qui réunit 12 pays d'Europe.
C.G.E.	Compagnie générale d'électricité : important groupe industriel.
C.G.T.	Confédération générale du travail : important syndicat ouvrier.
C.I.C.	Crédit industriel et commercial : important groupe bancaire.
C.I.V.C.	Comité interprofessionnel du vin de Champagne.
C.N.C.	Centre national du cinéma.
C.N.C.C.	Conseil national des centres commerciaux.
C.N.C.L.	Commission nationale de la communication et des libertés : assurait la surveillance des chaînes de télévision et de radio.
C.N.P.F.	Conseil national du patronat français : organe représentatif des chefs d'entreprise.
C.N.R.S.	Centre national de la recherche scientifique.
C.P.A.	Centre de préparation aux affaires : dépend de la Chambre de commerce et d'industrie de Paris et assure le perfectionnement des cadres supérieurs.
C.V.	*Curriculum vitae.*
D.A.S.	Département d'analyse et de sûreté du Commissariat à l'énergie atomique.
D.C.A.N.	Direction centrale des arsenaux nationaux.
D.E.A.	Diplôme d'études approfondies.
D.G.	Direction générale (ou directeur général).
D.G.T.	Direction générale des télécommunications : direction importante du ministère des Postes et Télécommunications françaises.
D.N.A.	*Dernières nouvelles d'Alsace :* journal régional.
E.D.F./G.D.F.	Électricité de France/Gaz de France.
E.N.A.	École nationale d'administration : forme les cadres de l'Administration française.
E.N.S.	École normale supérieure : prestigieux établissement d'enseignement supérieur.
E.S.C. Reims	École supérieure de commerce de Reims.
F.F.I.P.P.B.T	Fédération française de l'industrie des produits de parfumerie, de beauté et de toilette.
FR.3	France 3 : chaîne publique régionale de la télévision française.
G.R.A.P.S.	Groupe de recherche et d'action en faveur des personnes seules.
H.E.C.	École des hautes études commerciales : la plus réputée des grandes écoles de commerce françaises.

H.L.M.	Habitation à loyer modéré.
IBM	International Business Machines : société américaine, premier groupe mondial d'informatique.
I.F.O.P.	Institut français d'opinion publique : organisme privé de sondages d'opinion.
I.N.P.I.	Institut national de la propriété industrielle : assure la protection et la gestion des brevets français.
I.N.S.E.E.	Institut national de la statistique et des études économiques.
I.R.C.A.M.	Institut de recherche et de coordination acoustique-musique du Centre Georges-Pompidou.
I.S.A.	Institut supérieur des affaires : dépend de la Chambre de commerce et d'industrie de Paris et assure le perfectionnement des dirigeants d'entreprise.
I.S.E.	Intelligence Service Export : service d'assistance à l'exportation créé à l'initiative de grandes écoles de Reims.
ITT	Grand groupe américain d'électronique.
I.U.T.	Institut universitaire de technologie : forme en cycle court des techniciens supérieurs.
M.6	Chaîne de télévision n° 6.
NASA	Organisme chargé de coordonner l'activité spatiale aux États-Unis. (National Aeronautics and Space Administration).
O.M.S.	Organisation mondiale de la santé.
ORSEC. (plan)	Plan d'organisation des secours lors d'une grande catastrophe.
P.T.T. (ou P et T)	Postes et Télécommunications.
P.A.C.A.	Région Provence-Alpes-Côte d'Azur.
P.-D.G.	Président-directeur général.
P.I.B.	Produit intérieur brut : indicateur de l'activité industrielle d'un pays.
P.L.V.	Publicité sur le lieu de vente (présentoirs, échantillons, etc.).
P.M.E. (une)	Petite et moyenne entreprise : nom donné aux entreprises de moins de 200 salariés.
P.M.I. (une)	Petite et moyenne industrie : nom donné aux entreprises industrielles de moins de 300 salariés.
P.M.U.	Pari mutuel urbain.
P.N.B.	Produit national brut : indicateur de la richesse d'une nation.
P.S.A.	Peugeot société anonyme : groupe automobile né de la réunion de Peugeot, Talbot et Citroën.
R.A.T.P.	Régie autonome des transports parisiens : gère le métro et les autobus parisiens.
R.E.R.	Réseau express régional : nom du métro express de Paris et de sa banlieue.
R.F.A.	République fédérale d'Allemagne - appelée communément Allemagne de l'Ouest.
R.P.	Relations publiques.
S.A.	Société anonyme.
S.E.I.T.A.	Société d'exploitation de l'industrie des tabacs et allumettes.
S.I.M.A.V.E.L.E.C.	Syndicat des industries de matériels audiovisuels électroniques.
S.N.C.F.	Société nationale des chemins de fer français.
Sofres	Société française d'études et de sondages : société privée de sondages d'opinion.
Sup. de Co.	École supérieure de commerce.
T.F.1	Télévision française 1 : chaîne privée de télévision.
T.G.V.	Train à grande vitesse.
T.N.S.	Théâtre national de Strasbourg.
T.V.A.	Taxe à la valeur ajoutée : impôt indirect payé par le consommateur final.
U.E.R.	Unité d'enseignement et de recherche.
U.F.R.	Unité de formation et de recherche.
Val	Véhicule automatique léger.

NOTES

Ces notes présentent une biographie succincte de tous les auteurs cités ainsi que des informations sur des noms propres et des concepts dont vous ne trouverez pas la définition dans votre dictionnaire d'usage.

« 22 à Asnières (le) » — Sketch du comique Fernand Raynaud qui critiquait le téléphone français.

Académisme (l') — Courant artistique de la fin du XIXe siècle.

Aérospatiale — Principale entreprise française d'aéronautique. Installée à Toulouse.

Agent de change (un) — Intermédiaire autorisé par l'État à effectuer des opérations en bourse.

Air Inter — Compagnie aérienne française. Assure les liaisons intérieures.

Airbus — Nom d'un avion moyen-courrier européen.

Alceste — Personnage principal du « Misanthrope » de Molière (1666).

Alsthom — Société d'électronique appartenant au groupe Thomson.

Ancien Régime (l') — Se dit de la monarchie avant la Révolution de 1789.

Anouilh (Jean) — Auteur dramatique et metteur en scène français, fils d'un tailleur et d'une musicienne (1910-1987). Ses pièces sont rassemblées en Pièces noires dont « Antigone » (1944), Pièces roses dont « Le Bal des voleurs » (1938), Pièces brillantes, Pièces grinçantes dont « Pauvre Bitos » (1956), Pièces costumées dont « L'Alouette » (1953), « Becket ou l'Honneur de Dieu » (1959).

Ariane — Nom du lanceur européen construit pour mettre sur orbite des satellites lourds (premier lancement en 1979).

Arianespace — Société chargée de la commercialisation de la fusée Ariane.

Aron (Raymond) — Sociologue et philosophe français (1905-1983). Écrivain politique, journaliste et professeur au Collège de France.

Arrêté (un) — Décision écrite d'une autorité administrative.

Art déco. — Mouvement artistique du début du XXe siècle.

Assistance publique (l') — Nom de l'organisme public qui gère, sous la tutelle du ministère de la Santé, les hôpitaux, les institutions pour orphelins, etc.

Auchan — Grande chaîne d'hypermarchés implantée dans toute la France.

Aulenti (Gae) — Architecte d'origine italienne. A conçu l'aménagement du musée d'Orsay.

Aymé (Marcel) — Écrivain français (1902-1967). Auteur de romans et de nouvelles : « La Jument verte », « La Vouivre », « Le Passe-Muraille », et de pièces de théâtre : « Clérambard », « La Tête des autres », etc.

Balzac (Honoré de) — Écrivain français (1799-1850), auteur de quelque quatre-vingt-quinze romans regroupés sous le titre « La Comédie humaine ».

Bastille (la) — *(ici)* Désigne la place de la Bastille à Paris construite sur l'emplacement de la forteresse dont la prise, le 14 juillet 1789, symbolise la Révolution française.

Baudelaire (Charles) — Écrivain et poète français (1821-1867). Auteur de poèmes, « Les Fleurs du mal » (1857), de textes lyriques en prose, « Le Spleen de Paris » (publié en 1869), d'articles, de traductions d'Edgar Poe.

Beaubourg — Voir Centre national d'art et de culture Georges-Pompidou.

Belmondo (Jean-Paul) — Comédien et acteur de cinéma très populaire.

Benelux — Nom donné au groupe des trois pays Belgique-Hollande (Nederland)-Luxembourg qui ont signé une union douanière et économique.

Bercy — Palais omnisport construit en 1984 sur l'emplacement des entrepôts du quai de Bercy, sur la rive droite de la Seine.

Bleus (les) — Surnom donné à l'équipe de France de football.

Boing — Premier constructeur d'avions américain.

Boulez (Pierre) — Compositeur et chef d'orchestre français (1925), chef de l'école dodécaphonique française (« Polyphonie » 1951, « Le Marteau sans maître » 1955), il exerce une influence considérable sur la musique contemporaine. Chef d'orchestre prestigieux, il contribua à faire connaître Schönberg, Berg et Webern.

Bourget (le) — Aéroport situé au nord de Paris.

Bouygues — Première entreprise de bâtiment et de travaux publics française qui a construit notamment la Grande Arche de la Défense. (Son président, Francis Bouygues,

	racheta la première chaîne de télévision française, T.F.1, lorsque celle-ci fut privatisée).
Bull	Première entreprise française d'informatique.
Cacharel	Grand couturier français.
Caisse d'épargne (la)	Organisme financier public administré par les Postes et Télécommunications (P.T.T.). Elle gère les dépôts et l'épargne des particuliers.
Caisse des monuments historiques (la)	Organisme public qui gère les monuments français.
Canal+	Chaîne privée de télévision accessible aux abonnés qui disposent d'un décodeur.
Caravelle	Nom d'un avion commercial français.
Centre national d'art et de culture Georges-Pompidou (le)	Ensemble culturel qui regroupe un musée d'art moderne, une bibliothèque, des instituts de recherche. Du nom de son initiateur Georges Pompidou. Inauguré en 1977.
Cercle de qualité (un)	Importée du Japon, la méthode des « cercles de qualité » consiste à réunir un groupe de salariés pour étudier un problème de qualité, proposer des solutions et les mettre en œuvre.
Chambre consulaire (une)	Voir : Chambre de commerce.
Chambre de commerce et d'industrie de Paris (la)	Organisme consulaire qui administre à Paris de nombreuses activités économiques (port de Paris, grandes écoles de commerce, H.E.C., E.S.C.P., écoles techniques, Bourse du commerce, etc.).
Chambre de commerce (une)	Assemblée représentative de commerçants et d'artisans auprès des pouvoirs publics.
Chanel	Maison de couture qui porte le nom de sa fondatrice, Coco Chanel.
Chantiers de l'Atlantique (les)	Chantier de construction navale.
Chateaubriand (François René)	Écrivain et homme d'action français (1768-1848). Auteur de nombreux écrits politiques, de récits de voyages et de très nombreuses œuvres littéraires : « Le Génie du christianisme » (1802), « Atala » (1801), « René » (1802), « Les Mémoires d'outre-tombe » (1841).
Châtelet (le)	Nom d'un théâtre parisien.
Château (un)	Nom donné aux propriétés viticoles du Bordelais.
Citroën	Constructeur automobile français (du nom de son fondateur André Citroën). Regroupé avec Peugeot et Talbot sous le sigle P.S.A.
Clair Foyer	Revue consacrée à la maison et à la famille.
Clochemerle	Roman savoureux de Gabriel Chevallier (1934). Conte la vie d'un petit village avec ses démêlés politiques et privés.
Club MED (le)	Abréviation familière du Club Méditerranée, premier club de vacances français. Créé par Gilbert Trigano, le Club est implanté dans le monde entier.
Colas (Alain)	Navigateur français. Il effectua le tour du monde en solitaire en 1973-1974 et disparut en mer en 1978.
Collange (Christiane)	Journaliste française. Elle se rendit célèbre par un livre qui appliquait à la gestion du foyer les méthodes utilisées dans les entreprises : « Madame et le management. »
Collaro (Stéphane)	Animateur de télévision, créateur d'émissions satyriques dont le célèbre « Bébêtes Show » qui égratigne les personnalités politiques françaises.
Collège de France (le)	Prestigieux établissement d'enseignement de Paris situé près de la Sorbonne et fondé par François Ier en 1530. Doté de cinquante chaires, le Collège de France dispense un enseignement libre à caractère universel.
Commission de la privatisation (la)	Commission créée en 1986 à l'initiative du gouvernement Chirac pour étudier les modalités de privatisation des grandes entreprises nationalisées.
Commission des monuments historiques (la)	Commission chargée au sein du ministère de la Culture de suivre toutes les décisions concernant les monuments classés « monuments historiques » (affectation, entretien, etc.).
Concorde (le)	Avion supersonique franco-anglais.
Conseil constitutionnel (le)	Composé de 9 membres (3 nommés par le président de la République, 3 par le président de l'Assemblée nationale et 3 par le président du Sénat), il est chargé de veiller au respect de la Constitution.
Conseil économique et social (le)	Assemblée de 230 membres nommés pour 5 ans (70 % par des organisations représentatives, 30 % par le gouvernement). Conseille le gouvernement en matière économique et sociale et participe à l'élaboration de la politique économique et sociale.
Conseil régional (le)	Composé de conseillers régionaux élus au suffrage universel direct pour six ans, le Conseil régional règle les affaires au niveau régional.
Cour des comptes (la)	Organe de contrôle de la gestion des administrations.
Courrèges	Grand couturier parisien.
Côte (la)	Surnom donné à la Côte d'Azur française.
Crédit Lyonnais (le)	Important groupe bancaire français.

Darty	L'un des premiers distributeurs français d'électro-ménager.
Dassault	Premier constructeur français d'avions militaires (du nom de son fondateur, Marcel Dassault).
Daudet (Alphonse)	Écrivain français (1840-1897). Il raconta son expérience difficile de maître d'études dans « Le Petit Chose » (1868) ; il peignit sa Provence natale dans « Les Lettres de mon moulin » (1866), « Tartarin » (1872), « L'Arlésienne » (1872) — que la musique de Bizet a immortalisée ; il évoqua la chute du Second Empire dans « Les Contes du lundi » (1873).
Decaux (Jean-Claude)	Industriel français, inventeur du matériel urbain à caractère publicitaire (abri-bus, etc.).
Delors (Jacques)	Homme politique français. Initiateur en 1971 de la loi qui a organisé la formation permanente en France. Ministre des Finances en 1981. Président de la Commission européenne (1984).
Dior (Christian)	Célèbre couturier français.
Disneyland	Parc d'attractions en projet dans la région parisienne.
Douglas	Constructeur d'avions britannique.
Douze (les)	Les douze membres de la Communauté économique européenne.
« Drôle de drame »	Film de Marcel Carné interprété par Louis Jouvet.
Duhamel (Jacques)	Homme politique français, plusieurs fois ministre sous la Ve République.
École nationale d'administration (E.N.A.)	Cet établissement d'enseignement supérieur dépend du Premier ministre et forme les hauts fonctionnaires de l'Administration française.
École normale supérieure de Paris (l')	Établissement d'enseignement supérieur scientifique et littéraire.
Écureuil (l')	Nom d'un réseau de caisses d'épargne (les caisses d'épargne de l'Écureuil).
Enjeu (l')	Émission de télévision.
« Entrée des artistes »	Film interprété par Louis Jouvet qui y jouait son propre rôle de professeur d'art dramatique au Conservatoire.
Estée Lauder	Fabricant américain de cosmétiques.
« Excellence (l') »	Référence à un livre de Peters et Waterman qui révèle les secrets des meilleures entreprises.
Eurotunnel	Société franco-britannique créée pour assurer le financement du tunnel sous la Manche.
Fédération (la)	*(ici)* La Fédération du Bâtiment, organisation professionnelle patronale de la branche du bâtiment et des travaux publics.
Flaubert (Gustave)	Écrivain français (1821-1880). Auteur de « Madame Bovary » (1857), « L'Éducation sentimentale » (1869), « Bouvard et Pécuchet » (inachevé, 1881).
Fokker	Constructeur d'avions allemand.
Fourastié (Jean)	Né en 1907, il fut directeur d'études à l'École pratique des hautes études et président de l'une des plus importantes commissions du Plan. Auteur de nombreux livres d'économie et de réflexion sur l'évolution de la société : « Les 40 000 Heures » (1965), « Les Conditions de l'esprit scientifique » (1966), « Les Trente Glorieuses ».
Fourches Caudines (les)	Du nom d'une célèbre défaite des Romains à Caudium. L'expression signifie : être obligé de se plier aux exigences de quelqu'un.
France (Le)	Nom du plus prestigieux paquebot français. L'exploitation déficitaire entraîna la vente du bateau à une société norvégienne.
France-Soir	Quotidien parisien du soir.
Galaxie computorienne (la)	Nom donné à la société dominée par l'ordinateur (par référence au titre de l'ouvrage de Marshall Mac Luhan « La Galaxie Gutenberg »).
Grande Arche	Arche monumentale qui ferme à l'ouest l'esplanade de la Défense.
Grands magasins du Louvre (les)	Grand magasin parisien, aujourd'hui disparu, situé près du Louvre.
Guerlain	Parfumeur français.
Guichard (Olivier)	Ministre du général de Gaulle.
Hagège (Claude)	Linguiste contemporain : « L'Homme de paroles », « Le Français et les siècles ».
Halles (les)	Quartier du centre de Paris où, à la place de l'ancien marché de gros et des pavillons de Baltard, se dressent le Centre Pompidou et un important complexe commercial, le Forum des Halles.
Haute autorité (la)	Commission chargée de surveiller le fonctionnement des chaînes de télévision. Remplacée par la C.N.C.L.
Hersant (Robert)	Patron du premier groupe de presse français (« France-Soir », « Le Figaro », « L'Aurore », « la Dépêche », etc.).
Hexagone (l')	Surnom donné à la France dont la forme générale est hexagonale.
Infométrie	Société privée française de sondages d'opinion.
Intelligence artificielle (l')	Branche de l'informatique consacrée aux recherches sur la reproduction des mécanismes de la pensée.

Ipsos	Institut de sondages et d'enquêtes d'opinion.
Jeanson (Henri)	Journaliste, auteur dramatique et dialoguiste français (1900-1970). Il a signé les dialogues vifs et caustiques de très nombreux films : « Entrée des artistes », « Hôtel du Nord », « Pépé le Moko », etc.
Jourdain M.	Personnage principal du « Bourgeois gentilhomme » de Molière (1670).
Journal officiel (le)	Publication officielle de tous les textes légaux et administratifs.
Jouvet (Louis)	Acteur, metteur en scène et directeur de théâtre français (1887-1951). Professeur au Conservatoire.
L'Oréal	Premier groupe français de cosmétologie.
La Cinq	Chaîne privée de télévision.
La Villette	Voir : Villette (La).
Lanvin	Grand couturier français.
Le Monde	Quotidien du soir français.
Le Moniteur	Revue spécialisée de la profession du bâtiment.
Lenôtre (Gaston)	Célèbre pâtissier et restaurateur.
Légion d'honneur (la)	Ordre institué par Bonaparte en 1802 pour récompenser des mérites militaires.
Libé (Libération)	Quotidien parisien.
Loi de décentralisation (la)	Cette loi votée le 2 mars 1982 prévoit la création d'une nouvelle collectivité locale (la région) dont elle renforce le rôle en lui déléguant des missions autrefois prises en charge par l'État.
Lyon-Libération	Édition lyonnaise du quotidien « Libération ».
Mai 1968	Mois pendant lequel eut lieu une grave crise politique et économique marquée par de nombreuses manifestations d'étudiants et de travailleurs, ainsi que par une grève générale qui pendant plusieurs semaines paralysa complètement la France.
Maigret (Jules)	Personnage de fiction : commissaire de police, héros de plusieurs romans de Georges Simenon.
Maire (un)	Dans les communes, premier officier municipal élu par les conseillers municipaux.
Matra	Importante entreprise d'électronique.
Ménage (un)	En statistiques, un ménage représente une unité familiale dans le sens économique.
Michelin	Premier fabricant français de pneumatiques.
Minitel (le)	Terminal de communication utilisant le réseau téléphonique. Il permet l'accès à l'annuaire téléphonique et à de multiples services (information bancaire à domicile, commandes, etc.).
Mirage 2000	Avion de combat fabriqué par le constructeur français Dassault.
Modiano (Patrick)	Écrivain français né en 1947. Il a publié de nombreux romans dont « Rue des boutiques obscures ».
Moët et Chandon	Marque de champagne.
Moët-Hennessy	Grand groupe de l'agro-alimentaire (champagne, cognac).
Mouret	Personnage principal du « Bonheur des dames » d'Émile Zola.
Musée du Jeu de Paume	Musée installé sur l'une des terrasses des Tuileries.
Notre-Dame	*(ici)* Notre-Dame de Paris, la cathédrale de Paris.
« Opéra de Quat'sous » (l')	Œuvre du dramaturge allemand, Bertold Brecht.
Opération « Portes ouvertes » (une)	Opération qui consiste à ouvrir exceptionnellement au public un site professionnel.
Oscar (un)	Nom donné aux trophées du cinéma américain décernés chaque année à Hollywood.
Ott (Carlos)	Architecte canadien d'origine uruguayenne, auteur du projet du nouvel Opéra de la Bastille.
Pagnol (Marcel)	Écrivain, auteur dramatique et cinéaste français (1895-1974), « Topaze » (1928), « Marius » (1929), « Fanny » (1931), « César » (1946), « La Gloire de mon père » (1957), « Le Château de ma mère » (1958).
Palais Garnier (le)	Palais de l'Opéra à Paris construit par Charles Garnier au XIXe siècle.
Pari mutuel urbain (P.M.U. le)	Nom de l'organisme chargé de gérer les paris effectués dans des centres agréés, souvent des bureaux de tabac, pour certaines courses de chevaux (le tiercé notamment).
« Paris et le désert français »	Livre à succès de J.-F. Gravier (1958) qui dénonçait le déséquilibre entre la capitale et la province.
Paris-VII	Une des universités de Paris.
Parlement (le)	Organe législatif composé de deux chambres : le Sénat et l'Assemblée nationale.
Parlement européen (le)	Organisme législatif européen dont le siège est à Strasbourg.
Pasteur (Louis)	Chimiste et biologiste français (1822-1895), il mit au point une méthode de conservation des liquides (« pasteurisation »). Il lutta pour développer les méthodes d'asepsie et découvrit plusieurs vaccins préventifs, notamment contre la rage.
Pei Ieoh Ming	Architecte d'origine chinoise chargé de l'aménagement du Grand Louvre.
Petite France (la)	Nom d'un vieux quartier de Strasbourg.

Place de la Concorde (la)	Célèbre place de Paris.
Plan (le 10ᵉ)	Plan économique et financier à l'échelle de la nation.
Plan Orsec (le)	Plan d'organisation de secours local et national en cas de grande catastrophe.
Platini (Michel)	Célèbre footballeur français qui a pris sa « retraite » en 1988.
Popesco (Elvire)	Brillante comédienne du théâtre de boulevard au célèbre accent roumain.
Préfet (un)	Fonctionnaire représentant le pouvoir central à la tête d'un département.
Printemps de Bourges (le)	Manifestation culturelle qui a lieu chaque année à Bourges.
Prisunic	Chaîne de magasins populaires français.
Privatisation (la)	Procédure destinée à distribuer à des actionnaires privés le capital de sociétés nationalisées.
Produit national brut (P.N.B. le)	Indicateur qui permet de mesurer la richesse produite par un pays dans une période donnée.
Puce (une)	En informatique, élément de très petite taille sur lequel se trouvent réunis les éléments de la mémoire.
Quai d'Orsay (le)	Surnom donné au ministère des Affaires étrangères (installé quai d'Orsay).
Quai des Chartrons (le)	Quai de la Garonne où sont situés les bureaux des principaux négociants en vin de Bordeaux.
Quart Vichy (un)	Une bouteille contenant 25 cl d'eau minérale de Vichy.
Rabanne (Paco)	Grand couturier parisien.
Redoute (la)	Première société française de vente par correspondance. Son siège se trouve à Roubaix.
Renault (régie nationale)	Premier constructeur d'automobiles françaises. Fondée par Louis Renault en 1899 à Billancourt, l'entreprise fut nationalisée en 1945.
Région (la)	Nouveau découpage économique et administratif de la France.
Rhône-Poulenc	Grand groupe français de l'industrie chimique.
Ricci (Nina)	Grand couturier français.
Robotique (la)	Science de l'utilisation des robots.
Romains (Jules)	Écrivain français (1885-1972). Auteur de pièces de théâtre parfois grinçantes dans lesquelles il dénonce le charlatanisme : « Knock ou le Triomphe de la Médecine » (1923), ou l'imposture : « Monsieur Le Trouhadec saisi par la débauche » (1923). Son œuvre maîtresse est une fresque en 27 volumes : « Les Hommes de bonne volonté » (1932-1947).
Rousseau (Jean-Jacques)	Écrivain et philosophe suisse de langue française (1712-1778). Son « Discours sur l'origine de l'inégalité » (1755) eut une influence décisive sur la pensée politique moderne. Il exprima des thèses politiques : « Le Contrat social » (1762) et pédagogiques hardies : « L'Émile » (1762). Il évoqua ses souvenirs dans « Les Confessions » (1765-1770) et « Les Rêveries d'un promeneur solitaire » (1776-1778).
Route du Rhum (la)	Célèbre course de navigation en solitaire.
Rue de Rivoli (la)	Nom donné au ministère des Finances dont les bureaux se trouvent rue de Rivoli, dans l'une des ailes du Palais du Louvre.
Saint-Gobain	Grand groupe industriel dont l'activité d'origine est la fabrication du verre.
Saint-Laurent (Yves)	Grand couturier français.
Salon du Bourget (le)	L'un des plus importants salons d'aéronautique du monde. Se tient chaque année au Bourget, aéroport au nord de Paris.
Sauvy (Alfred)	Né en 1898, Alfred Sauvy est l'un des plus grands spécialistes français de la démographie. Directeur de l'Institut national d'études démographiques, il fut représentant de la France aux Nations Unies à la Commission de la population et membre du Conseil économique et social. Professeur au Collège de France, titulaire de la chaire : « La vie des populations », il est l'auteur de nombreux livres et essais : « Théorie générale de la population » (1952-1954), « Croissance zéro » (1973), « La Rumeur de l'histoire » (1983).
Scherrer (Jean-Louis)	Grand couturier français.
Second marché (le)	2ᵉ marché boursier français réservé à des entreprises moyennes qui ne sont pas assez importantes pour être cotées en Bourse.
Secteur tertiaire (le)	Ensemble des activités de service d'un pays, par opposition au secteur primaire (l'agriculture) et au secteur secondaire (l'industrie).
Sénat (le)	Deuxième chambre parlementaire française.
Sécurité Sociale (la)	Organisme national chargé du remboursement des frais médicaux, du versement des aides financières à la famille (allocations familiales), du paiement des retraites.
Sida (le)	Nom donné à une grave maladie due à des virus (nom français de AIDS anglais).
Silicon Valley	Célèbre vallée de Californie où se trouvent regroupés les grands noms de l'électronique et de l'informatique.

Simenon (Georges)	Écrivain belge de langue française né à Liège en 1903. Auteur d'une œuvre abondante qui a connu un succès considérable. Le cycle des « Maigret » en fait l'un des plus grands auteurs du « roman policier ». Son œuvre comporte de nombreux romans et études psychologiques dont beaucoup ont été portés à l'écran ou transposés au théâtre : « Trois chambres à Manhattan » (1946), « L'Aîné des Ferchaux » (1945), « La Vérité sur Bébé Donge », « La neige était sale » (1948).
Société Générale (la)	Important groupe bancaire français.
Son et lumière (un)	Spectacle destiné à faire revivre le passé d'un monument (château, remparts, église, etc.). Le spectacle associe jeux de lumière et évocation sonore.
Spie-Batignolle	Une des plus grandes entreprises françaises de bâtiment.
Supercinq (la)	Voiture fabriquée par Renault.
Talbot	Nom d'un constructeur d'automobiles français racheté par Peugeot.
Tapie (Bernard)	Homme d'affaires français célèbre par l'utilisation importante qu'il fait des médias.
Télécom	Nom donné à l'activité des télécommunications (Télécom France est le dernier-né des noms du service des Postes et Télécommunications).
Télétel 1	Nom du premier service de Minitel.
Théâtre des Champs-Élysées (le)	Nom d'un célèbre théâtre parisien.
Thomson	Premier groupe d'électronique français.
Titanic (le)	Nom d'un paquebot qui coula lors de sa première sortie en mer en 1912.
Traité de Rome (le)	Traité signé en 1957 associant les économies de six États européens.
Trésor public (le)	Administration chargée de la collecte et de la gestion des finances de l'État.
TV Sat 1	Nom du premier satellite de communication franco-allemand lancé par la fusée Ariane.
Unilever	Important groupe agro-alimentaire français.
Utilité publique (d')	Statut donné par décret à un produit ou à un établissement dont l'intérêt pour la collectivité nationale est reconnu. Ce statut s'accompagne d'avantages fiscaux et administratifs.
Vélizy	Ville nouvelle et importante zone industrielle au sud de Paris.
Verne (Jules)	Écrivain français (1828-1905). Il créa en France le genre du roman d'anticipation et connut un succès prodigieux : « Voyage au centre de la terre » (1864), « De la Terre à la Lune » (1865), « Vingt Mille Lieues sous les mers » (1870), « Une ville flottante » (1871), « Le Tour du monde en quatre-vingts jours » (1873). Son œuvre est également inspirée par les événements contemporains : « Michel Strogoff » (1876), « Les Cinq Cents millions de la bégum » (1879).
Vidéodisque (un)	Disque sur lequel sons et images sont imprimés à l'aide d'un laser.
Vilar (Jean)	Acteur, metteur en scène et animateur de théâtre français (1912-1971). Il créa le festival d'Avignon et anima pendant douze ans le T.N.P. (Théâtre national populaire de Paris) dont il fit la plus renommée des scènes françaises.
Villette (La)	Ensemble de bâtiments consacrés aux sciences, « la Cité des sciences et des techniques », à la musique, « la Cité de la musique », aux expositions, « la grande Halle ». Cet ensemble est situé au nord de Paris, dans un grand parc.
Villiers (Philippe de)	Sous-secrétaire d'État à la Culture du gouvernement Chirac (1986-1987).
Zola (Émile)	Écrivain naturaliste français (1840-1902) : « Thérèse Raquin » (1867), « L'Assommoir » (1877), « Nana » (1880), « Au bonheur des dames » (1883), « Germinal » (1885). En 1868, il établit la généalogie des « Rougon-Macquart » dont les vingt volumes paraîtront entre 1871 et 1893. Homme d'action, il joua un rôle déterminant dans l'affaire Dreyfus (« J'accuse ! », article publié en 1892 dans « l'Aurore » de son ami Georges Clemenceau).

FICHES GRAMMATICALES

A — LE PLURIEL DES NOMS COMPOSÉS.
B — LES NOMBRES.
C — L'ACCORD DU VERBE AVEC LE SUJET.
D — L'ACCORD DU VERBE AVEC PLUSIEURS SUJETS.
E — LES ACCORDS PARTICULIERS DU VERBE.
F — LE PARTICIPE PRÉSENT — L'ADJECTIF VERBAL.
G — LE PARTICIPE PASSÉ INVARIABLE.
H — LE PARTICIPE PASSÉ DES VERBES PRONOMINAUX.

I — TEL — TEL QUE — TEL QUEL.
J — QUOIQUE — QUOI QUE.
K — QUEL(S) QUE — QUELLE(S) QUE.
L — QUELQUE(S) — QUELQUE(S)... QUE.
M — QUAND — QUANT.
N — MÊME — MÊMES.
O — TOUT — TOUS — TOUTE — TOUTES.
P — CELUI-CI/CELUI-LÀ — CECI/CELA.
Q — LES ADVERBES.
R — LA PONCTUATION.
S — LES ACCENTS.
T — LA CÉSURE DES MOTS.

FICHE A

Le pluriel des noms composés

MÉTHODE

Pour accorder correctement les noms composés, il faut examiner les éléments de ce mot :
— les noms et adjectifs peuvent se mettre au pluriel,
— les noms précédés d'une préposition, les verbes et les adverbes ne s'accordent jamais.

1er cas : les mots composés uniquement de noms et d'adjectifs

▶ **les deux mots s'accordent au pluriel**

NOM	+	NOM	→ les deux s'accordent = des choux-fleurs
NOM	+	ADJECTIF	→ les deux s'accordent = des cartes postales
ADJECTIF	+	NOM	→ les deux s'accordent = des grands-pères
ADJECTIF	+	ADJECTIF	→ les deux s'accordent = des sourds-muets

2e cas : les mots composés de noms séparés par une préposition

Cette préposition peut être apparente (**de — à — en**) ou sous-entendue

▶ **seul le premier mot s'accorde, le deuxième reste invariable**

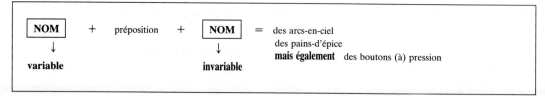

NOM + préposition + NOM = des arcs-en-ciel
des pains-d'épice
mais également des boutons (à) pression

↓ variable   ↓ invariable

3e cas : les mots composés d'un adverbe et d'un nom

▶ l'adverbe est invariable, le nom s'accorde

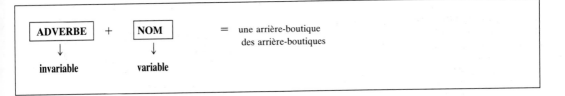

4e cas : les mots composés d'un verbe et d'un nom

▶ le verbe est toujours invariable,
le nom est variable ou invariable selon le sens, certains noms sont en effet toujours employés au singulier ou au pluriel.

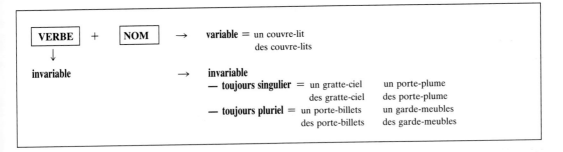

5e cas : les mots composés de deux verbes

▶ les deux verbes sont toujours invariables

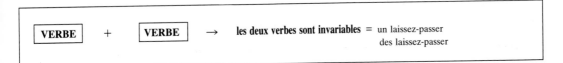

QUELQUES CAS PARTICULIERS

● **Noms composés comportant « demi- » ou « mi- »**

« demi- », « mi- » et « semi- » sont toujours **invariables** :

demi-	une demi-heure des demi-heures une demi-mesure des demi-mesures un demi-pain des demi-pains	**mais**	une heure et demie (une heure et [une] demie) trois heures et demie (trois heures et [une] demie)
		mais	un pain et demi (un pain et [un] demi)
mi-	à mi-hauteur		
semi-	une semi-liberté		

- **Noms composés comportant « tête »**

  un tête-à-tête   un tête-à-queue
  des tête-à-tête   des tête-à-queue

- **Noms composés comportant « garde »**

  (dans le sens de « gardien »)
  Dans ce cas, « garde » se met au pluriel :
  un garde-malade
  des gardes-malades

- **Noms composés comportant l'adjectif « grand »**

  Au féminin, « grand » reste invariable :
  une grand-mère
  des grand-mères

- **Noms composés comportant l'adjectif « nouveau »**

  « nouveau » reste invariable :
  un nouveau-né
  des nouveau-nés

FICHE B

Les nombres

ORTHOGRAPHE

Vous connaissez l'orthographe des nombres, mais attention à ces points particuliers :

20 = vingt

> 20 = vingt
> 21 = vingt et un (pas de - entre les mots)
> 22 = vingt-deux, etc.
> 29 = vingt-neuf

même orthographe pour **30**, etc., jusqu'à **60**

70 = soixante-dix

> 70 = soixante-dix
> 71 = soixante et onze
> 72 = soixante-douze
> 79 = soixante-dix-neuf

80 = quatre-vingts

> **ATTENTION :**
> 80 = quatre-vingts
> mais 81 = quatre-vingt-un
> (jamais de *s* lorsque vingt est suivi d'un autre mot)
> 82 = quatre-vingt-deux
> 89 = quatre-vingt-neuf
> et les années quatre-vingt

90 = quatre-vingt-dix

> 90 = quatre-vingt-dix
> 91 = quatre-vingt-onze
> 92 = quatre-vingt-douze
> 99 = quatre-vingt-dix-neuf

100 = cent

> 101 = cent un
> 102 = cent deux

> 200 = deux cents
> mais 201 = deux cent un
> (jamais de *s* lorsque cent est suivi d'un autre nombre)

1 000 = mille

> 1 001 = mille un
> entre **1 000** et **2 000** vous pouvez dire

> 1 200 = mille deux cents ou douze cents
> 1 430 = mille quatre cent trente ou quatorze cent trente
> 2 000 = deux mille (jamais de *s* après mille)
> 2 200 = deux mille deux cents
> 2 201 = deux mille deux cent un

AUTRES REMARQUES

Vous dites **premier, première** mais **deuxième, troisième,** etc.
Vous pouvez dire 2e = **deuxième**
ou   = **seconde (prononcez se´g´onde)** lorsque la série ne comporte que deux termes
Vous dites **neuf** mais **neuvième**

Pour les dates, vous dites :
      1850 = **mille huit cent cinquante**
                 ou **dix-huit cent cinquante**
      1er mai = **le premier mai** mais **2 mai** = **le deux mai**
      1er février = **le premier février** mais **5 février** = **le cinq février**
      xixe siècle = **le dix-neuvième siècle**

pour les souverains, vous dites :
      NAPOLÉON Ier = Napoléon premier   mais NAPOLÉON III = Napoléon trois
      FRANÇOIS Ier = François premier   LOUIS XIV = Louis quatorze

Pour la pagination, vous écrivez :
— page quatre-vingt (ici quatre vingt est l'abréviation de quatre vingtième)
— page trois cent (ici trois cent est l'abréviation de trois centième)

ACCORD

     Tous les **premiers** étages des immeubles étaient autrefois occupés par des familles aisées.
     Tous les **quatre** étaient avocats (pas de pluriel ; attention à la liaison !).
     Tous les **cinq** partirent ensemble (pas de pluriel).
     Cinq sixièmes des billets sont remboursés.
     Les **deux tiers** des bulletins sont nuls.

FICHE C

L'accord du verbe avec le sujet

VOUS SAVEZ, BIEN SÛR, QUE...

Le verbe s'accorde avec son sujet :
     Les livres **sont** intéressants.
     Ces voitures **roulent** trop vite.

☛ **... MAIS ATTENTION AU CAS DE L'INVERSION DU SUJET !**

▶ il faut rechercher soigneusement le sujet qui réalise l'action :
     Par quelle rue **êtes-vous** arrivés ?
     (Qui est arrivé ? → **vous** êtes arrivés)

Quand a lieu cette inversion ?

▶ la forme interrogative :
     Faut-il lui dire la vérité ?
     Les invités **sont-ils** arrivés ?

▶ les effets de style (insistance, poésie) :
     Les moyens qu'**exige cette construction** sont énormes.
     Rouges **étaient ses mains...**

▶ au subjonctif (après un verbe exprimant un souhait) :
     Puissiez-vous dire vrai !
     Fasse le Ciel qu'elle soit épargnée !

▶ après « ainsi », « aussi » :
     Ainsi **échappa-t-il** au danger.
     Aussi **interviendrez-vous** auprès du directeur.

▶ dans certaines énumérations :
     Par exemple, dans l'énumération de type suivant :

     Sont concernées :
     — les femmes mariées,
     — les femmes célibataires de plus de 30 ans,
     — les veuves,
     — les divorcées.

L'accord du verbe avec plusieurs sujets

☛ **VOUS SAVEZ QUE...**

Le verbe s'accorde avec son sujet.

☛ **... MAIS QUE FAIRE LORSQU'UN VERBE A PLUSIEURS SUJETS AU SINGULIER ?**

☐ **Les sujets font partie d'une énumération :**

▶ le verbe se met **au pluriel :**
> L'homme, sa femme et son fils **arrivèrent** ensemble.
> La démographie et le pouvoir d'achat **sont** des facteurs souvent liés.

☐ **Les sujets sont réunis par « ou » :**

● Les sujets se complètent, ils font tous la même action

▶ le verbe est **au pluriel :**
> Le courage **ou** la volonté **ne serviront** à rien.
> Le chef de service **ou même** le directeur **sont** compétents dans ce domaine.
> L'un **ou** l'autre **interviendront** dans cette discussion.

● Un seul sujet fait l'action exprimée par le verbe (l'autre sujet, dans ce cas, est exclu de cette action)

▶ le verbe est **au singulier :**
> Le Président **ou** le Premier ministre **participera** à cette conférence.
> L'un **ou** l'autre **participera** à cette conférence.

☐ **Les sujets sont réunis par « ni » :**

▶ le verbe est **au pluriel :**
> **Ni** le personnel **ni** la direction ne souhaitent cette grève.

☐ **Les sujets sont réunis par « ainsi que », « de même que » :**

▶ le verbe est **au pluriel :**
> L'Assemblée nationale **ainsi que** le Sénat **ont repoussé** ce projet de loi.
> La réduction du temps de travail, **de même que** la flexibilité des horaires, **facilitent** la vie des travailleurs.

☐ **Les sujets sont réunis par « comme » :**

● Tous les sujets participent à l'action (sens de « **et** »)

▶ le verbe est **au pluriel :**
> L'Assemblée nationale **comme** le Sénat **ont repoussé** ce projet de loi.

● Un seul sujet participe à l'action (l'autre sert de **comparaison**)

▶ le verbe est **au singulier :**
> L'homme, **comme** la femme, **a** droit au congé parental.

Les accords particuliers du verbe

☛ **VOUS SAVEZ BIEN SÛR QUE...**

Le verbe s'accorde avec son sujet.

☛ **... MAIS COMMENT L'ACCORDER DANS CERTAINS CAS PARTICULIERS ?**

☐ **Le sujet est un nom collectif :**
(un groupe, une multitude, une infinité, une partie, la totalité, l'ensemble, la plupart, la majorité, la minorité, etc.)

● **Nom collectif + complément de nom pluriel**
(un groupe de ..., une multitude de ..., une partie des ..., la totalité des ..., l'ensemble des ...,
la plupart des ..., la majorité des ..., la minorité des ..., la moitié des ...)

▶ il n'y a pas de règle absolue : **tout dépend du sens**

— Le mot collectif exprime **un ensemble** qui fait globalement l'action

▶ le verbe est **au singulier** :
    Un groupe de touristes **se dirigea** vers le château.
    L'ensemble des participants **fit** part de sa satisfaction.
    La totalité des recettes **sera versée** à cette œuvre.

— **Chaque membre** de l'ensemble accomplit l'action

▶ le verbe est **au pluriel** :
    Un certain nombre de participants **quittèrent** la salle.
    Une multitude de difficultés **assaillent** le gouvernement.
    ● **La plupart** des enfants **savent** parler à trois ans.   *toujours au*
    ● **Une infinité** de solutions **s'offrent** à eux.   *pluriel*

● **Nom collectif isolé**
(un groupe, la multitude, une partie, la totalité, la moitié, le quart, l'ensemble, la plupart, la majorité, la minorité, un [...] nombre)

▶ « **la plupart** » : le verbe est **au pluriel** :
    La plupart acceptèrent de voter pour ce candidat.

▶ dans les autres cas : le verbe est **au singulier** :
    La moitié ne **suffit** pas.
    Un grand nombre s'**abstint** de participer à la discussion.
    Seul un petit nombre paye sa cotisation.
    La majorité se prononça pour cette décision.

☐ **Le sujet est un mot exprimant une quantité :**

● **Un adverbe de quantité + un complément au pluriel** (trop de..., peu de..., beaucoup de..., tant de..., plus de..., moins de..., etc.)

▶ le verbe est **au pluriel** :
    Trop de gens **parlent** pour ne rien dire.
    Il y a **tant** d'enfants qui **ont** besoin de tendresse.
    Beaucoup de ces candidats **présentent** un programme sans intérêt.

▶ cas de « **plus d'un** » : le verbe est **au singulier** :
    Plus d'un voudrait être à ta place.

● **Un adverbe de quantité employé seul** (beaucoup, peu)

▶ le verbe est **au pluriel** :
  Beaucoup ne **savent** pas parler en public.
  Peu sont capables d'imaginer des solutions nouvelles.

● **Un nombre** = 1, 100, 25 %, 1/5, trois quarts

▶ si le nombre exprimé est **différent de « un »** (plus grand ou moins grand) ou **ne comporte pas le mot « un »** : le verbe est **au pluriel** :
  25 % votèrent pour ce candidat (sous-entendu : « des électeurs »).
  Cent personnes **ont été interrogées** au cours de cette enquête.
  Deux cinquièmes (ou 2/5) **votèrent** pour lui.
  Une famille sur cinq ne **partira** pas en vacances cette année.
  Un cinquième (ou 1/5) **vota** pour lui.

□ **Le sujet est un infinitif :**

● Le sujet est **un seul** infinitif

▶ le verbe est **au singulier** :
  Manger est son unique plaisir.

● Le sujet est formé de **plusieurs** infinitifs

▶ le verbe est **au pluriel** :
  Manger et **dormir** sont ses plus grands plaisirs

□ **Le sujet est un pronom relatif :**

Attention à l'accord lorsque le pronom relatif remplace un pronom personnel !
  C'est **toi** qui le **dis** (tu dis).
  C'est **vous** qui **avez** tort (vous avez).
  Pense à **ceux** qui **ont** froid (ils ont).
  C'est **moi** qui **ai** raison ! (j'ai).
  C'est **lui** qui **est** dans son droit (il est).

□ **Le sujet est le pronom neutre « il » :**

▶ le verbe est **au singulier** :
  Il pleut.
  Il ne **faut** rien faire sans son accord.

□ **Le sujet est le pronom « ce », « c' » :**

● « Ce » est employé avec le verbe « être »

▶ le verbe **s'accorde** avec le nom (ou le pronom) que « ce » remplace :
  C'est la femme qui doit s'asseoir la première.
  C'est lui qui a raison.
  Ce sont les vieillards qui souffrent le plus en hiver.
  Ce sont eux qui ne savent pas ce qu'ils disent !

● « Ce » est employé seul

▶ le verbe est **au singulier** :
  Ce dont je parle vous **intéresse.**

Le participe présent - l'adjectif verbal

☞ **VOUS SAVEZ QUE...** tous deux dérivent du verbe.

LE PARTICIPE PRÉSENT

USAGE ☞ il exprime une action qui se réalise **en même temps** que l'action exprimée par le verbe, au présent, au passé ou au futur :

> Il marche, **mangeant** son pain.
> = Il marche et pendant ce temps il mange son pain.
> Il marchait, **mangeant** son pain.
> = Il marchait et pendant ce temps il mangeait son pain.
> Il marchera, **mangeant** son pain.
> = Il marchera et pendant ce temps il mangera son pain.

ACCORD ☞ il est **invariable** :

> Ils affirment, **refusant** toute discussion, que la situation financière de l'entreprise est tout à fait rétablie.
> Les voyageurs **ayant** des bagages doivent les faire enregistrer.

Comment le reconnaître ?

▶ il peut être remplacé par un verbe conjugué :
> Ils affirment que la situation financière de l'entreprise est tout à fait rétablie et (ils) **refusent** toute discussion.
> Les voyageurs **qui ont** des bagages doivent les faire enregistrer.

▶ il peut être précédé par « **tout en** » :
> **Tout en refusant** la discussion, ils affirment que la situation financière de l'entreprise est rétablie.

▶ il ne peut **jamais** être remplacé par un adjectif

▶ il est parfois précédé de **en** (c'est alors un gérondif) :
> Il marche **en mangeant** son pain.
> **En refusant** toute discussion, il s'est fait beaucoup d'ennemis.

▶ il peut être utilisé à **la forme négative**, il est alors précédé de **ne** :
> Elle travaillait beaucoup, **ne refusant** aucune tâche.
> **Ne sachant** quoi faire, ils attendaient dans la rue.

L'ADJECTIF VERBAL

ACCORD ☞ il se comporte exactement comme un adjectif et s'accorde en genre et en nombre avec le nom auquel il se rapporte :

> des raisons **intéressantes**
> des livres **palpitants**
> une affaire **importante**

Comment le reconnaître ?

▶ il est placé à côté d'un nom qu'il qualifie :
> — *après* : une affaire **importante**
> — *avant* : une **importante** affaire

▶ il peut être remplacé par un autre adjectif :
> des raisons **sérieuses**
> des livres **prodigieux**
> une affaire **difficile**

● *À l'orthographe :*

Dans certains cas, le participe présent et l'adjectif verbal issus d'un même verbe s'écrivent différemment.

Verbe	*Participe présent*	*Adjectif verbal*	*Nom*
fabri**quer**	fabri**quant**	fabri**cant**	un fabri**cant**
fati**guer**	fati**guant**	fati**gant**	
diffé**rer**	diffé**rant**	diffé**rent**	un diffé**rend**
négli**ger**	négli**geant**	négli**gent**	
précé**der**	précé**dant**	précé**dent**	un précé**dent**

▶ *remarquez :*

Le participe présent se construit *toujours* à partir du │ radical du verbe + **ant** │

fabriquer ⟶ (en) fabri**quant**
négliger ⟶ (en) néglig**eant** (le « e » demeure pour la prononciation)

● *Au choix des personnes :*

Lorsque deux phrases liées par le sens utilisent l'une un verbe conjugué, l'autre un participe présent,

│ le sujet du participe présent doit être **le même** que celui du verbe conjugué │

(je)   **(je)**
↓   ↓

En vous remerciant de votre accueil, **je** vous **prie** d'agréer, Monsieur, mes salutations distinguées.

et non :

(je)   **(vous)**
↓   ↓

En vous remerciant de votre accueil, **veuillez** agréer, Monsieur, mes salutations distinguées.

│ FICHE G │

Le participe passé invariable

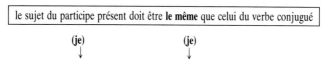

☛ **VOUS SAVEZ QUE...**

▶ le participe passé conjugué avec l'auxiliaire **ÊTRE** s'accorde avec le sujet du verbe :
         Elle est mont**ée** sur une chaise.

▶ le participe passé conjugué avec l'auxiliaire **AVOIR** s'accorde avec le **complément d'objet direct quand celui-ci est placé avant** :
         Il a mang**é**.
         Il a mang**é une pomme.**
         La pomme **qu'il** a mang**ée.**

☛ **...MAIS SAVEZ-VOUS DANS QUELS CAS LE PARTICIPE PASSÉ EST TOUJOURS INVARIABLE ?**

Participe passé + infinitif

● **Le participe passé suivi d'un infinitif**

▶ dans ce cas le complément d'objet direct du participe passé est le verbe à l'infinitif

fait + un infinitif
La clé que j'ai fait *faire* (j'ai fait **quoi** ? *faire*).
Les travaux que nous avons fait *entreprendre* (j'ai fait **quoi** ? *entreprendre*).

autre participe passé + un infinitif
Les anomalies que vous avez pu *constater*.
  (vous avez pu **quoi** ? *constater*)
Les sottises qu'ils ont souhaité *commettre*.
  (ils ont souhaité **quoi** ? *commettre*)

● **Le participe passé suivi d'*un infinitif sous-entendu***

▶ **certains verbes se construisent de cette manière (devoir, oser, vouloir) :**

dans ce cas le complément d'objet direct du participe passé est le verbe à l'infinitif **sous-entendu**

  Il a obtenu toutes les garanties qu'il a voulu
  → (sous-entendu : qu'il a voulu *obtenir* : il a voulu **quoi** ? *obtenir*).
  Elle a fait tous les efforts qu'elle a dû (qu'elle a dû *faire*).

▶ **le verbe *pouvoir* (pu) est toujours invariable :**
  Elle a fait toutes les politesses qu'elle a **pu.**

Verbes impersonnels

« Il pleut », « il fait chaud », « il neige », « il tombe »,
« il suffit », « il y a », « il est », « il faut »,
« il vient... », « il manque... »

J'ai réalisé tous les travaux qu'il a **fallu.**
La chaleur qu'il a **fait.**
La neige qu'il est **tombé.**
La grêle qu'il y a **eu.**
Il est **venu** une personne...
Les trente francs qu'il lui a **manqué...**

Participes passés placés en tête de phrase

« Vu... », « attendu... », « excepté... »,
« ci-joint », « ci-inclus »

Vu les difficultés soulevées par cette enquête...
Attendu que les parties présentes refusent...
Excepté cette interruption, la discussion s'est déroulée normalement.
Ci-joint les documents demandés.
Ci-inclus une enveloppe à votre nom.

☛ **ATTENTION !**

... à l'accord particulier de « ci-joint » et de « ci-inclus » en milieu de phrase :

▶ placés *contre* un nom (celui-ci n'étant précédé ni d'un article ni d'un adjectif possessif ou démonstratif) :
« ci-joint » et « ci-inclus » sont **invariables :**
  Veuillez trouver **ci-joint copie** de la lettre...
  Je vous prie de trouver **ci-inclus copie de la lettre...**

▶ *séparés du nom* par un article ou un adjectif possessif ou démonstratif, « ci-joint » et « ci-inclus »
s'accordent avec le nom :
  Veuillez trouver **ci-jointe** *la* **copie** demandée.
  Veuillez trouver, **ci-jointe,** *la* **copie** demandée.

  Veuillez trouver **ci-incluses** *ses* **consignes.**
  Veuillez trouver, **ci-incluses,** *ses* **consignes.**

Le participe passé des verbes pronominaux

☛ **VOUS SAVEZ QUE...**

Le participe passé des verbes conjugués avec l'auxiliaire **être** s'accorde avec **le sujet** du verbe :

> Elle **est** montée.
> Ils **seront** punis.

Le participe passé des verbes conjugués avec l'auxiliaire **avoir** s'accorde avec **le complément d'objet direct (C.O.D.) placé** *avant* le verbe.

> L'enfant a mang**é** des pommes = pas d'accord : C.O.D. placé *après*.
> Les pommes **que** l'enfant a mang**ées** = accord : C.O.D. placé *avant*.

☛ **...MAIS ATTENTION !**

Pour **les verbes pronominaux,** l'accord est un peu plus compliqué.

☐ Vous devez examiner **le verbe** et déterminer s'il est **toujours pronominal :**

● **Le verbe est toujours pronominal** (exemples : s'évanouir, s'absenter, se désister, s'enfuir, s'évader...)

▶ le participe passé **s'accorde avec le sujet** du verbe :

> Leurs espoirs **se sont** évanou**is**.
> Trois participantes **se sont** désist**ées** à la dernière minute.

● **Le verbe n'est pas toujours pronominal** (exemples : laver, se laver ; battre, se battre...)

> Le verbe pronominal se conjugue avec l'auxiliaire **ÊTRE**
> le participe passé s'accorde **comme si le verbe était conjugué avec l'auxiliaire AVOIR**

☐ Vous devez donc vous demander si le verbe **a un complément d'objet direct.**

● **Non,** le verbe n'a pas de **C.O.D. :**
▶ le participe passé est alors **invariable :**
> Elles se sont nui (elles ont nui **à qui ?**).

● **Oui,** le verbe a un **C.O.D. :**

☐ Vous devez vérifier **où** est **placé le C.O.D.**

● Le **C.O.D.** est placé **avant le verbe :**
▶ le participe passé **s'accorde alors avec le C.O.D. :**
> Ils se sont lavés (ils *ont* lavé **qui ?** = se = eux-mêmes).

● Le **C.O.D.** est placé **après le verbe :**
▶ le participe passé est **invariable**.
> Ils se sont lavé les mains (ils ont lavé **quoi ?** = les mains).

Tel — tel que — tel quel

● Tel

TEL = ADJECTIF
S'accorde avec **le nom** auquel il se rapporte (tel, telle, tels, telles) :

> **Telle** mère, **telle** fille.
> **Tel** père, **tel** fils.
> Les obstacles sont **tels** que nous ne pouvons plus agir.
> De **telles** manœuvres sont indignes de vous.

TEL = PRONOM
S'accorde avec **le nom** qu'il remplace :

> **Telles** sont ses dernières volontés.

● Tel que

S'accorde avec **le nom placé avant lui** et signifie « comme », « semblable à » (tel que, telle que, tels que, telles que) :

> Je n'ai jamais rencontré des individus **tels que** celui-ci.
> Une amie **telle que** sa sœur.

● Tel quel

S'accorde avec **le nom** auquel il se rapporte et signifie « sans modifications », « en l'état » ;
(tel quel, telle quelle, tels quels, telles quelles) :

> Remettez-lui cette étude **telle quelle.**
> Laissez ces dossiers **tels quels.**
> **Tels quels,** ces résultats me conviennent.

Quoique — quoi que

● Quoique

NATURE ☞ Conjonction

A le sens de « bien que »
Exprime une opposition, une concession :
Quoique la mer commence à s'agiter, les nageurs continuent.

Comment le reconnaître ?

> ▶ S'écrit en un mot
> ▶ Toujours suivi d'un nom ou d'un adjectif

USAGE ☞ Invariable

> **Quoique** sa situation soit délicate, il arrivera à s'en sortir.
> **Quoique** patient, il lui arrive de se fâcher.
> **Quoique** très pauvre, il ne paraissait pas souffrir de son état.

● Quoi que

NATURE ☞ Pronom relatif indéfini

A le sens de « quelle que soit la chose qui... » « n'importe quoi » :
Quoi que vous disiez, vous ne me convaincrez pas.

Comment le reconnaître ?

> ▶ S'écrit en deux mots
> ▶ Toujours suivi d'un verbe (au subjonctif)

USAGE ☞ Invariable

> **Quoi que** nous fassions, nous aurons toujours tort.
> **Quoi qu'**il en soit, nous devons prendre des mesures.
> Je l'épouserai, **quoi qu'**il advienne.

Quel(s) que — Quelle(s) que

USAGE ☞ Toujours suivis :

— du verbe **être** au subjonctif :
Quel que soit son intérêt, il fera son devoir.

— des verbes **pouvoir, devoir** au subjonctif :
Quel que puisse être son intérêt, il fera son devoir.
Quelles que doivent être les conséquences de son acte...

— d'un pronom + de l'un de ces trois verbes au subjonctif :
Il fera son devoir **quel qu'il soit.**

ACCORD ☞ Avec le sujet :
Quels que soient **vos conseils,** elle ne vous écoutera pas.

☞ *Cas particuliers :*

— plusieurs sujets reliés par **ou**

ou peut être remplacé par **et :**
accord avec les deux sujets,
le masculin prime sur le féminin
Quels que soient ses efforts et sa ténacité...

ou relie des mots de sens opposés :
accord avec le sujet le plus proche
Quel que soit son effort ou sa désinvolture...

— plusieurs sujets juxtaposés :
accord avec le sujet le plus proche
Quelle que soit ton analyse, ta réflexion, ton imaginatio

Quelque(s) - Quelque(s)... que

ADJECTIF INDÉFINI

SENS 1 ☞ **A le sens de « plusieurs »**
J'ai **quelques** livres.

Comment le reconnaître ?

▶ S'écrit en un mot
▶ Toujours suivi d'un nom ou d'un pronom

SENS 2 ☞ **A le sens de « un(e) certain(e) »**
J'ai **quelque** regret à vous quitter.

Comment le reconnaître ?

▶ S'écrit en un mot
▶ Toujours suivi d'un nom au singulier

SENS 3 ☞ **A le sens de « quel que soit... »**
Quelques regrets **qu'**il exprime...

Comment le reconnaître ?

▶ S'écrit en un mot
▶ Toujours suivi d'un nom et de **que**

ACCORD ☞ S'accorde en nombre avec le nom
ou le pronom auquel il se rapporte

SENS 1
Ils ont réuni **quelques** informations intéressantes.
Parmi les participants, **quelques-uns** viennent de très loin.

SENS 2
Il y a **quelque** temps, nous avons séjourné en France.

SENS 3
Quelques difficultés **qu'**elle éprouve, elle persévère.

ADVERBE

SENS 1 ☞ **A le sens de « environ »**
Quelque cinq cents personnes participaient au jeu.

Comment le reconnaître ?

▶ S'écrit en un mot
▶ Toujours suivi d'un adjectif numéral cardinal

SENS 2 ☞ **A le sens de « si... que »**
Quelque bizarre **que** soit sa démarche...

Comment le reconnaître ?

▶ S'écrit en un mot
▶ Toujours suivi d'un adjectif et de **que**

ACCORD ☞ Invariable

SENS 1
Il y a **quelque** six mois, vous avez voulu démissionner.

SENS 2
Quelque sots **que** soient les hommes, ils pensent.

Quand — quant

☛ **VOUS CONNAISSEZ QUAND...**

▶ Adverbe interrogatif : **Quand** partez-vous ? (à quel moment ?)
▶ Conjonction : Je fermerai la porte **quand** vous serez partis (lorsque).

☛ **...MAIS SAVEZ-VOUS BIEN UTILISER QUANT ?**

▶ Locution qui a le sens de **« en ce qui concerne » :**
Quant à moi...

Comment le reconnaître ? ▶ Toujours suivi de **à, au, aux**
▶ On peut le remplacer par :
« en ce qui concerne... »
« pour ce qui est de... »

Quant aux cadres, ils exigent une augmentation.
Je ne veux pas, **quant** à moi, céder à ce chantage.
Quant au jeune homme, il a préféré aller au cinéma.
Quant à le remercier, il n'en est pas question !

FICHE N

Même — mêmes

ADJECTIF INDÉFINI

Comment le reconnaître ?

▶ Il est placé **devant** un nom.

On peut alors remplacer « même » par :
« semblable », « pareil », « identique »
Ces produits ont le **même** avantage que ceux-là.

▶ Il est placé **après** un nom ou un pronom.
Il sert alors à **renforcer**
Cet avantage **même** ne m'intéresse pas.
Elle-**même** n'y comprenait rien.

ACCORD ☛ Il s'accorde avec le nom ou le pronom :
Ces produits ont les **mêmes** avantages que ceux-là.
Ces avantages **mêmes** ne m'intéressent pas.

ADVERBE

Comment le reconnaître ?

▶ Il peut être remplacé par :
« de plus », « également », « en outre ».

▶ Il est **invariable**
▶ Il est placé **devant** :

● un adjectif
Ces livres sont **même** intéressants.

● un participe passé
Ces livres sont **même** usagés.

● un nom (précédé d'un article ou d'un adjectif démonstratif ou possessif)
Même les enfants ont un compte en banque.

▶ Il est placé **après** :

● « ici », « aujourd'hui »
Venez aujourd'hui **même** !

● un verbe
Il n'est plus malade, il veut **même** faire un voyage.

Tout — tous — toute — toutes

☞ **VOUS CONNAISSEZ « TOUT »...**

ADJECTIF INDÉFINI

SENS ▶ il signifie **« la totalité »** ou **« n'importe quel »**

ACCORD ▶ il se rapporte à **un nom** et s'accorde avec ce nom

    Tous les hommes...
    Toute femme...

Comment le reconnaître ?

▶ Il est placé contre un nom
              ou en est séparé par :
              — un article défini **(le, la, les)**
              — un adjectif démonstratif **(ces)**
              — un adjectif possessif **(ses)**
                  Toutes les robes...
                  Toutes ces robes...
                  Toutes ses robes...

ADVERBE

SENS ▶ il signifie **« tout à fait »**

ACCORD ▶ il est **invariable**
              (sauf un cas particulier : voir plus bas)
    Elle est **tout** heureuse.
    Ils sont **tout** heureux.

Comment le reconnaître ?

▶ Il est placé devant un **adjectif**, un **participe passé**
ou un **adverbe**
    Cet enfant est **tout** petit.
    Elle est déjà **tout** habillée.

PRONOM

Comment le reconnaître ?

        ▶ Il remplace un **nom indéfini**
            Tout est calme.
            Tous s'étaient levés.

ACCORD ▶ Au *singulier :* **TOUT** (jamais de féminin)
            Tout se sait.

        ▶ Au *pluriel :* **TOUS** ou **TOUTES**
            Elles mangent **toutes** à la même table.

☞ **... MAIS SAVEZ-VOUS QUE :**

TOUT (adverbe) *s'accorde dans un cas !*
    Pour des raisons de prononciation, lorsqu'il est placé devant un adjectif **féminin** ou un participe passé **féminin** commençant par **une consonne** (ou un **« h » aspiré**) :
        Elle est **toute** contente.
        Elles sont **toutes** contentes.

        Elle est **toute** haletante.
        Elles sont **toutes** haletantes.

ATTENTION ! NE CONFONDEZ PAS...

    • **TOUT(E) AUTRE** + nom
  = « n'importe quel(le) autre » ▶ **s'accorde**
      Toute autre personne serait la bienvenue.
      Toute autre erreur ne serait pas pardonnée.
      Tout autre problème sera résolu.

    • **TOUT AUTRE** + nom
  = « tout à fait autre » ▶ **invariable**
      Il s'agit d'une **tout autre** information.

    • **TOUT CE** = « la totalité de »
      Tout ce que vous me dites...

    • **TOUS CEUX** = « l'ensemble des... »

    ▶ Vous pouvez remplacer **tous ceux** par le féminin **toutes celles**
      Tous ceux qui veulent venir, se dépêchent.
      Toutes celles qui veulent venir...

Celui-ci/celui-là — ceci/cela

☛ **VOUS SAVEZ QUE...** ces pronoms démonstratifs désignent :

celui-ci, celle-ci, ceux-ci, celles-ci, ceci :   ce qui est le plus rapproché
celui-là, celle-là, ceux-là, celles-là, cela :   ce qui est le plus éloigné

> Voyez ce manteau gris et cette cape verte :
> **celui-là** ne me va pas, mais **celle-ci** me plaît beaucoup.

☛ **...MAIS SAVEZ-VOUS QUE**

- **ceci** annonce ce dont il va être question :
  > Écoutez bien **ceci** : ...

- **cela** rappelle ce dont il a été question :
  > Nous reviendrons sur ce thème si **cela** vous intéresse.
  > **Cela** dit, passons au thème suivant...

- Lorsque l'un des pronoms démonstratifs neutres est employé **seul,** c'est « cela » qui s'utilise le plus. Il désigne alors aussi bien ce qui est éloigné que ce qui est proche.

Les adverbes

☛ **VOUS SAVEZ QUE...**

les adverbes sont des mots **invariables** qui modifient le sens :
— d'un verbe :   je l'aime **beaucoup**
— d'un adjectif :   elle est **merveilleusement** belle
— d'un autre adverbe :   il l'embrassa **très** doucement

☛ **... MAIS CONNAISSEZ-VOUS LES RÈGLES DE FORMATION DES ADVERBES EN « -MENT » ?**

▶ **règle générale :**

l'adverbe se forme sur le **féminin** de l'adjectif :

fort	forte	**fortement**
lent	lente	**lentement**
complet	complète	complè**tement**
heureux	heureuse	heureu**sement**

▶ **exceptions :**

- les adjectifs qui, au masculin, se terminent par   **ai, é, i, u**

vrai	vr**aiment**
aisé	ais**ément**
poli	poli**ment**
absolu	absolu**ment**

mais : gai   → g**aiment** ou g**aiement**
       cru   → cr**ûment**
       continu → contin**ûment**

- les adjectifs qui, au masculin, se terminent par $\boxed{\textbf{ant, ent}}$ ont un adverbe en **-amment** et **-emment**

brillant	brill**amment**
prudent	prud**emment**

mais : lent → lent**ement**
       présent → présent**ement**

- **Quelques cas particuliers :**

bref   → bri**èvement**
gentil   → gent**iment**
précipité → précipit**amment**

énorme	énorm**ément**
précis	précis**ément**
confus	confus**ément**
opportun	opportun**ément**
obscur	obscur**ément**
profond	profond**ément**

$\boxed{\text{FICHE R}}$

La ponctuation

Les règles de la ponctuation visent à faciliter la compréhension d'un texte en lui donnant une construction logique et équilibrée.

$\boxed{\textbf{Le point} \quad .}$

Il marque la fin d'une phrase et plus précisément d'une idée.

$\boxed{\textbf{Le point-virgule} \quad ;}$

- Il marque aussi la fin d'une phrase, mais il sépare les phrases dans lesquelles une même idée est développée :

  Un point mis pour un point-virgule est une faute moins grave que la confusion inverse ; mieux vaut ne pas abuser du point-virgule.

- Il sépare des membres de phrase très longs et déjà séparés par des virgules :

  Il y avait trois groupes : celui des élèves qui ne suivaient que les cours obligatoires ; celui des étudiants qui, soucieux d'en finir avec leurs études, suivaient tous les cours ; celui des paresseux qui, avec habileté, s'arrangeaient pour ne rien faire.

- Il remplace la virgule entre deux phrases elliptiques pour écarter une ambiguïté :

  Cette salle réunit les secrétaires ; la salle voisine, les chefs de service.

$\boxed{\textbf{Les deux points} \quad :}$

- Ils annoncent une énumération, une citation, une explication :

  Les cinq sens sont : la vue, l'ouïe, etc.
  Il dit : « Soyez heureux ! »

- Ils remplacent un lien de cause, de conséquence :

  « Prenez cette lampe : elle vous aidera. »
  Le marteau tomba : la pièce fut écrasée.

La virgule ,

- Elle sépare les mots :
  Le thé, le café, le chocolat sont des boissons chaudes. **(Jamais de virgule entre le dernier sujet et le verbe.)**

- Elle marque un désordre dans la phrase : (ordre normal : sujet + verbe + compl. d'objet + compl. circonstanciel) :
  Nous trouvons d'excellents légumes au marché central. **(Pas de virgule.)**
  Au marché central, nous trouvons d'excellents légumes. **(La virgule sépare l'élément de la phrase déplacé en tête.)**

- Elle encadre une précision ou une explication qui n'est pas absolument nécessaire au sens de la phrase :
  La réunion, qui fut très animée, se termina à midi. **(Les deux virgules encadrent un élément qui peut être supprimé sans nuire au sens de la phrase.)**
  Le premier homme qui marcha sur la lune était américain. **(Pas de virgule, car « qui marcha sur la lune » est indispensable au sens de la phrase.)**

Cas particuliers : les conjonctions de coordination

- En général, pas de virgule avant **« et » :**
  Il est grand et fort.

- Pas de virgule avant **« ou », « ni »** (sauf s'ils sont répétés plus de deux fois) :
  Il n'a ni parents ni enfants.
  Il n'a ni parents, ni enfants, ni amis.

- Toujours une virgule avant **« mais », « car », « donc », « or » :**
  Nous avons accepté cette proposition, car elle est intéressante.

- Toujours une virgule après **« or »** placé en tête de phrase :
  Or, il advint que le roi...

FICHE S

Les accents

☛ **Quel accent mettre sur un « e » : « é » ou « è » ?**

Il faut se poser successivement les deux questions suivantes :

1) Le « e » est-il placé **en fin de syllabe ?**

    non ▶ **le « e » ne porte pas d'accent**

        bel-le
        tel-lu-ri-que
        bel-ge
        ser-pe

oui

---

2) Quelle est la voyelle de la syllabe suivante ?

- la syllabe suivante comporte :

  un « e » muet

  ▶ le « e » devient « è »

      mè-re
      col-lè-ge
      stra-tè-ge
      fiè-vre

- la syllabe suivante comporte :

  une autre voyelle qu'un « e » muet : a, é, è, u, i, o, y.

  ▶ le « e » devient « é »

      mé-ri-te
      col-lé-gien
      stra-té-gi-que
      fié-vreux

- Lorsqu'on recherche l'accentuation des « e », il faut examiner le mot **en commençant par la dernière** syllabe :

exemple : comment accentuer le mot « belvedere » ?

◀◀◀
bel-ve-de-re

re	la dernière syllabe « re » comporte un « e » muet
dè-re	le « e » qui termine la syllabe précédente « de » portera donc un accent grave « dè »
	la syllabe « dè » ne se termine pas par un « e » muet donc
vé-dè-re	le « e » qui termine la syllabe précédente « ve » portera un accent aigu « vé »
bel-vé-dère	la syllabe précédente « bel » ne se termine pas par un « e », le « e » central ne porte pas d'accent

exemple : comment accentuer le mot « reverbere » ?

◀◀◀
reverbere

re	la dernière syllabe « re » comporte un « e » muet
bè-re	le « e » qui termine la syllabe précédente « be » portera donc un accent grave « bè »
ver-bè-re	la syllabe précédente « ver » ne se termine pas par un « e », le « e » central ne porte pas d'accent
	la syllabe « ver » ne se termine pas par un « e » muet donc
ré-ver-bè-re	le « e » qui termine la syllabe précédente « re » portera un accent aigu « vé »

☛ *Exceptions*
  — un événement
  — le futur et le conditionnel des verbes du 1er groupe dont l'avant dernière syllabe comporte un **é**
          céder → je céderai
          préférer → il préférerait

238

☛ **L'accent circonflexe « ˆ »**

- Les mots se terminant par « -âtre » portent tous un accent circonflexe :
  théâtre - pâtre - saumâtre... (mais pas les mots qui se terminent en « -iatre » : psychiatre...)

- L'accent circonflexe indique souvent la disparition d'une lettre. Les mots de la même famille peuvent parfois vous aider.
  fenêtre (l'accent remplace un « s »)   défenestré
  hôpital (l'accent remplace un « s »)   hospitalisé

- Dans d'autres cas, il sert à distinguer des mots dont le sens est différent et l'orthographe identique :
  dû (participe passé du verbe « devoir »)   et du (article)
  crû (participe passé du verbe « croître »)   et cru (participe passé du verbe « croire »)

- Pour beaucoup d'autres mots, il n'y a pas de règle : il faudra avoir recours au dictionnaire pour vérifier l'orthographe :
  abîme, blâme...

FICHE T

La césure des mots

LA CÉSURE DES MOTS

Lorsque vous écrivez ou dactylographiez...

Vous avez besoin, dans certains cas, de **couper un mot en fin de ligne.**

▶ vous devez couper entre deux syllabes :

    cer-tains
    cou-per
    gra-ti-fier

▶ lorsque le mot comporte des doubles consonnes, la coupure se fait **entre les lettres doubles :**

    on   pour-rait
    com-men-cer

▶ vous évitez d'aller à la ligne **après** une syllabe composée **d'une seule lettre** ou comportant un « e » muet :

vous n'écrirez pas :
> ....é-
> mettre,

mais vous irez à la ligne pour écrire en entier « émettre »

▶ vous évitez d'aller à la ligne **avant** une syllabe composée **d'une seule lettre** ou comportant un « e » muet :

vous n'écrirez pas :
> ....dévalu-
> é

mais vous irez à la ligne pour écrire en entier « dévalué »

vous n'écrirez pas :
> ....capa-
> ble

mais vous irez à la ligne pour écrire en entier « capable ».

SOURCES PHOTOGRAPHIQUES

Édition : C. Booth-Odot.

● Imprimerie Tardy Quercy S.A. à Bourges - N° d'éditeur : CL 52847 II (PF.VII) - Imprimé en France - Août 1989 - N° 15502